탈 · 식 · 민 · 정 · 치 · 학

이 책은 2014년 동의대학교 학술연구비 지원에 의하여 출판되었음.

탈·식·민·정·치·학

D. H. 로렌스의 『무지개』 『사랑하는 여인들』 『채털리 부인의 연인』

권성진 지음

도서출판 ┃동인

여호와여 위대하심과 권능과 영광과 승리와 위엄이 다 주께 속하였사오니 천지에 있는 것이 다 주의 것이로소이다 여호와여 주권도 주께 속하였사오니 주는 높으사 만물의 머리이심이니이다 부와 귀가 주께로 말미암고 또 주는 만물의 주재가 되사 손에 권세와 능력이 있사오니 모든 사람을 크게 하심과 강하게 하심이 주의 손에 있나이다 우리 하나님이여 이제 우리가 주께 감사하오며 주의 영화로운 이름을 찬양하나이다 (역대상 29:11-13)

Yours, LORD, is the greatness and the power and the glory and the majesty and the splendor, for everything in heaven and earth is yours. Yours, LORD, is the kingdom; you are exalted as head over all. Wealth and honor come from you; you are the ruler of all things. In your hands are strength and power to exalt and give strength to all. Now, our GOD, we give you thanks, and praise your glorious name (1 Chronicles 29: 11-13)

| 책머리에

지금까지 삶의 모든 영역에 함께 하셔서 은총을 베푸신 하나님, 삶의 주관자 되시는 주님께 감사를 드린다. 모든 것이 주님의 은혜였다. 필자의 힘이 되신 여호와 하나님, 반석이신 하나님 아버지께서 오늘 여기까지 말로 다할 수 없는 복을 내려주시고 은혜를 베풀어주셨다. 삶의 모든 상황에서 도우시고 개입하신 하나님 아버지께 감사를 드린다. 모든 것이 하나님 아버지의 은혜였다. 주님께 감사를 드린다.

문학작품을 읽는 것은 그 어느 것과도 비교할 수 없는 흥미진진한 일이다. 문학작품을 작품으로 읽는 것과 작품을 연구의 대상으로 논의하는 것은 전혀 다르다. 감사하게도 학생시절 시간 가는 줄도 모르고 로렌스 소설을 읽었던 기억이 떠올라 감회가 새롭다. 19세기 영국소설을 다시 읽는 기쁨과 더불어 삶에 대해 보다 진지하게 생각할 수 있었다.

이 책은 식민통치와 그 지배체제로부터 자유와 해방을 경험한 한국에서 탈식민주의 문제를 논의하는 것과 더불어 영문학 소설 중에서 평소에 관심을 갖고 있는 주제에 대해서 필자의 생각을 말하고 있다. 제국주의가 식민지배의 강압성과 폭력성을 다루는 특정 형태의 정치체제라 할 때, 그것이 식민지 백성들의 삶을 황폐화·무력화시키지 않았다는 것을 상상하기는 어려울 것이다. 식민제국주의에 대한 저항담론으로 탈식민주의는 탈식민화 이전의 전제적 제국주의 체제에서 종속적 위치에서 억압을 받았던 식민지 백성들이 식민권력에 맞서 저항하는 전복적 성격을 가지고 있는 미시적·동태적 담론이라고 할 수 있다. 바꾸어 말하면 탈식민주의는 식민체제의 부정적 요소들을 제거하고 어떻게 그것을 극복할 것인가에 대한 관심에서 비롯된 정치적 담론의 실천이다. 필자는 텍스트를 분석함과 동시에 이를 통해 탈식민론을 통해 소설 작품을 분석하여 탈식민화를 모색하고자 한다. 그렇다고 해서 이 책이 탈식민주의에 대한 해답이나 확실한 비전을 갖고 있다고 말할 수 없다.

탈식민주의에 대해 본격적으로 다루지 못한 것이 유감이나 다음 기회에 좀 더 보완해 이 분야를 확장시킬 수 있기를 소망한다. 어쭙잖은 글을 책으로 출판하게 되었다. 생각하면 할수록 부족한 글이라는 사실을 발견한다. 그저 부끄러울 뿐이다. 미비한 점에 대해 많은 양해와 이해를 구하며 서문을 쓰는 지금 이 책이 나오기까지 많은 분들의 도움이 컸음을 고백한다. 부족한 책을 출간하는 현 시점에서 학문의 길을 걸을 수 있도록 은혜를 베푸신 분들이 생각난다. 그리고 이 책의 출판은 동의대학교 연구비 지원으로 출간되었음을 밝힌다. 책을 출판할 수 있는 기회를 주신 존경하는 공순진 총장님, 김일수 부총장님, 동의대학교 정착을 위해 세심하게 도움을 주신 교양교육원 강창완 원장님, 김규섭 부장님, 구명섭 과장님, 정희철 선생님, 그리고 책 출판을 위해 애써주신 교무부 구본석 부장님, 김경수 선생님께 감사의 마음을 전하고 싶다. 동의대학교 교양교육원 교수에 지원할 때 학과 심사위원으로 참여해주신 영어영문학과 임창건 교수, 오인용 교수 두 분께 심심한 감사를 드린다. 임창건 교수는 필자가 평소에 관심이 있었던 19세기 미국소설, 그리고 그의 논문 「청교도 식민지에 나타난 종교의 권력화 현상」은 필자에게 미국소설에 대한 지적 동기를 부여하였고, 오인용 교수의 「낭만주의 비평의 이념적 지형: 숭고 담론의 정치학」 논문은 필자가 19세기 영문학 이론과 비평에 천착할 수 있도록 방향을 제시하였다. 이 책이 출판될 수 있도록 도움을 준 많은 분들이 계시지만 특별히 고려대학교 영어영문학과의 정종화 선생님이 생각난다. 그는 한국에 로렌스 학회를 창립하였고 로렌스 연구에 탁월한 업적을 남겼으며 필자에게 끝까지 학자의 길을 걷도록 지속적으로 권고하였다. 또한 정종화 교수는 필자가 고려대학교 영미문학연구소에서 학업에 집중할 수 있도록 연구공간을 배려하였다. 그는 19세기 영국소설을 읽는 기쁨을 필자에게 안겨주었고 한국로렌스학회를 비롯한 다양한 모임에 참석할 수 있도록 기회를 부여하였다. 끊임없는 격려, 정(情)이 많으셨던 정종화 교수의 은혜에 감사드린다. 탈식민주의를 공부할 수 있도록 탈식민론에 관한 전반적인 이론을 가르쳐준 김우창 교수께 존경을 표한다. 그는 날카롭고 창의적인 논평을 아끼지 않았다. 그로부터 얻은 커다란 지적 자극을 잊을 수 없다. 또한 학자의 길을 걷도록 독려해주시고 여러 모양으로 사랑과 관심을 아끼지 않으셨으며, 추천서를 써주시고 다정다감한 격려와 관심을 베풀어주신 서지문 교수께 감사를 드린다. 고전영문학에 대한 깊은 이해로 연구방법론, 끊임없는 훈계로 필자를 이끌어주신 문희경 교수께 심심한 감사를 표현하고 싶다.

조규형 교수는 그동안 많은 관심과 애정을 갖고 힘을 보태주었다. 그는 날카로운 문제제기와 탈식민주의를 공부할 수 있도록 큰 틀을 제시하였고, 석·박사 과정 동안 전공책을 빌려주었고, 꼼꼼하게 논문을 지도해주었다.

힘없고 소외된 사람들에 대한 관심과 배려를 보여주시고, 불확실했던 필자의 미래, 특별히 직장문제에 대해 진지하게 고민해주었던 전 외무부장관 한승주 교수께 삼사를 드린다. 그는 국제정치세미나 수업에서 영어 어휘력이 뛰어나다고 필자를 칭찬해주었다. "칭찬은 고래도 춤추게 한다"는 말처럼 한승주 교수의 격려는 그 이후 모든 수업에서 적극적으로 토론할 수 있는 능력과 자신감을 부여하였다. 최상용 교수는 서양정치사상과 이데올로기를 한눈에 이해할 수 있는 통찰력과 균형감각을 제시하였다. 연구실을 방문할 때마다 일어서서 필자를 맞이한 조정남 교수의 인격에 고개 숙인다. 필자가 수업 시간에 발표한 글에 대해 격려를 아끼지 않았던 최장집 교수의 배려에 감사를 드린다. 학자로서의 양심과 역사의식을 갖도록 이끌어주신 최장집 교수께 감사를 표한다. 한국 정치에 대한 날카로운 그의 문제제기와 현실인식은 필자에게 학문의 지침이 되기에 부족함이 없었다. 현실의 삶과 이론에 대한 균형의식, 학자로서의 양심과 탁월한 글을 통해 지적인 동기를 부여한 최장집 교수의 인격과 학문적 업적에 존경을 표한다. 학문을 하는 목적과 방법에 대한 큰 틀을 제시하였고 흉내 낼 수 없는 탁월한 강의로 필자의 지적 호기심을 충족시켜주신 강성학 교수의 열정에 경의를 표한다. 강성학 교수의 지적이고 흥미진진한 수업이 그립다. 오래 전에 수업 현장에서 들었던 그의 강의를 다행스럽게도 인터넷을 통해 다시 들을 수 있는 기회가 있기 때문에 그것으로 만족하고

자 한다. 밝은 미소로, 편안하게 대해주었던 김병국 교수, 온화하고 재밌는 수업, 흥미로운 주제선정과 더불어 미국과 일본에 대한 객관적 시각을 제시했던 현인택 교수, 대학원 진학을 독려하시고 끊임없는 격려로, 흔쾌히 추천서를 써준 김병곤 교수의 사랑과 세심한 배려에 감사를 드린다. 연세대학교 박명림 교수는 열정적인 강의와 깊이 있게 학문에 천착하는 모습을 보여주었다. 그는 긍정적인 마인드와 더불어 학업에 몰두할 수 있도록 따끔한 조언을 아끼지 않았다. 박명림 교수께 감사를 표한다.

중요한 시기에 추천서를 써주신 포스코교육재단 이사장 겸 포항공대 이대공 부이사장님께 심심한 감사를 드린다. 그는 한국사회의 존경받는 리더로서 한국을 비롯하여 아프리카에 이르기까지 헐벗고 불쌍한 사람들을 지속적으로 돕고 있다. 존경을 표한다. 탁월한 로렌스 연구로 학문적으로 필자를 자극하였던 부산대학교 조일제 교수께 경의를 표한다.

영어영문학 전공서적과 관련하여 최고의 권위와 역사를 자랑하는 동인출판사에서 책을 출판할 수 있는 기회가 주어져서 기쁘고 행복하다. 좋은 책을 만들어주시는 이성모 사장님께 심심한 감사를 드린다. 필자가 힘들 때마다 주님 말씀을 전해주시고 더운 날씨에도 양복을 입으시고 주님께 무릎 꿇어 기도해주신 이상학 담임 목사님께 감사를 드린다. 필자를 향한 목사님의 분에 넘치는 사랑과 은혜에 감사를 표한다. 철없는 자식을 키우시면서 쉬지 않고 기도하신 사랑하는 부모님께 깊이 감사를 드린다.

2014년 가을
동의대 가야캠퍼스 교정에서 권 성 진

| 차례

I

서 론

강력한 군사력을 보유한 일본은 청일전쟁(1894-1895)과 러일전쟁(1904-1905)에서 승리를 거둬 한국에서 중국과 러시아를 몰아냈다. 이와 같은 흐름을 타고 일본은 한국에 을사보호조약을 강제로 체결하여 중국이 주도하였던 한국의 외교권들을 강탈하였다. 일본은 한국을 일본제국주의의 식민지로 만들게 됨으로써, 한국은 1910년 경술국치의 치욕적인 사건을 경험하였다.

1945년 제2차 세계대전의 종전과 더불어 해방의 감격을 경험한 한국이 탈식민화 문제를 논의하는 데 가장 먼저 생각해야 할 점은 다음과 같다. 첫째, 한국의 식민지배와 독립은 모두 외세에 의해 주어졌다는 사실이다. 이런 점에서 한국의 탈식민화는 한국인에 의해서가 아니라 외부 세력과 강대국 중심의 국제정치질서나 국제정치구조에 의해 이루어졌다고 할 수 있다. 주목해야 할 것은 한국의 탈식민화는 치열하게 전개된 국제관계 속에서 진행된 외부적으로 주어진 산물이다. 다시 말해, 한국의 식민지배는 혹독하고 잔인한 일본제국주의의 군사적·이데올로기적 위협과 폭력에 의해 이루어졌다는 역사적 사실, 그리고 일제로부터의 독립은 제2차 세계대전의 결과이다. 둘째, 식민체제하에서 한국은 일제의 근대화의 명분에 따라 경제적 수탈과 더불어 주권을 박탈당하였다는 것이다. 셋째, 식민지배체제하에서 한국은 역사상 유례를 찾아볼 수 없을 정도의 고문과 인권침탈과 같은 극악한 폭력체제와 식민역사의 상흔을 경험하였다는 사실이다. 이 두 가지 역사적 상흔에 대한 이해 없이 한국에서의 탈식민주의를 언급하기는 어려울 것이다. 이를 보다 명확히 알기 위해서는 한국이 경험한 역사적 사실을 확인하는 것이 필요하다.

일본제국주의에 의한 35년 동안 시행된 식민통치로 한국은 타자화의 과정을 겪게 되었고 지배/종속, 문명/야만이라는 불평등한 방정식에 의해 고통스럽고 피폐된 삶을 경험하게 되었다.[1] 식민제국주의는 피식민자

---

1 전근대적이며 비이성적인 일본제국주의가 조선을 식민지배한 강점기를 세 기간으로 나누면 다음과 같다. 처음 1기는 1910년부터 1920년까지, 2기는 1921년부터 1930년까지, 그리고 3기는 1931년부터 1945년까지다. 제1기는 일제가 조선 식민통치의 기초를 다진 기간으로 조선에 총독부라는 명칭을 가진 중앙집권적 행정기구를 설치하였고, 동양척식회사라는 농업 수탈 기관을 세워 한국을 약탈하였다. 또한 강압적 폭력기구인 경찰과 헌병대를 전국에 배치해 식민지배에 저항하는 조선인들을 감시, 탄압하였다. 일본의 식민지배 기간에 임명된 조선 총독은 모두 일본군의 현역군인이거나 예비역 군인들이었다. 일제는 식민지배를 수행하기 위해 군인들을 앞세워 무단통치를 자행했다. 제2기는 1921년부터 정확하게 1919년 3·1운동이 시작된 직후부터 만주사변(1931)이 일어나기 직전까지다. 이 시기는 일제가 '문화정치'라는 명목으로 유화정책을 실시했다. 문화정치는 3·1운동과 같은 항일운동이 재발되지 않도록 조선인을 식민통치의 지지자나 참여자로 포섭함으로써 조선을 효과적으로 지배하기 위한 것이었다. 제3기는 1931년부터 1945년까지 14년간이다. 이 기간은 일본이 조선을 전쟁 수행에 필요한 병참기지로 만든 기간이다. 일본은 1931년 만주에서 '만주사변'이라는 무력충동을 조작해 중국군과 친중국적인 만주 군벌들을 만주에서 몰아내고 일본의 괴뢰정권인 만주제국을 설립해 그곳에 일본군을 주둔시켜 만주제국을 사실상 통치했다. 그 후 일제는 1945년 패전하기까지 중국 본토에 대한 침략 전쟁을 계속했다. 또한 이 기간에 조선에는 일본의 중공업 시설을 설립했는데 그 이유는 조선인 노동자를 저임금으로 착취하기 쉬웠기 때문이며 한반도가 지리적으로 중국에 근접하면서 동시에 미국의 공격으로부터 안전한, 병참기지의 조건을 구비하였기 때문이었다. 일본은 미국과 태평양 전쟁을 시작한 후, 군수산업시설을 미군의 폭격으로부터 보호하기 위해 일본 본토에서 조선으로 이동시켰다. 수많은 조선인들을 탄광이나 광산 등 전쟁 수행을 위한 강제노동에 동원시켰고 조선인들에게 잊을 수 없는 고통과 슬픔을 안겨주었다. 또한 조선청년들을 강압적으로 징병하여 조선인 학생들을 태평양 전쟁에 강제동원하여 억울한 희생을 치러야 했다. 한배호, 『자유를 향한 20세기 한국 정치사』(서울: 일조각, 2009), 20-23. 조선을 근대화라는 명분으로 식민지배를 합리화하는 것은 조선의 발전을 위한 것이 아니라 순전히 일제의 식민지배를 공고화하기 위한 수단이었기 때문에 식민지 근대화론과 같은 식민체제의 주장은 의도적인 식민지배 정책의 일환일 뿐이었다.

의 인권을 말살하고 삶을 약탈하는 폭력적 정치체제에 의해 작동하기 때문에 식민지 사회는 강성 권위주의적 정치체제라 해도 지나친 말이 아니다. 일제 군국주의자들은 자국민들을 1등 국민으로, 식민지 조선을 2등 국민으로, 그 밖의 아시아 여러 민족들을 타자화함으로써 돼지 등 짐승 취급하였던 것이다. 한마디로 식민지배는 야만과 학살, 고문을 자행하고 인구조사를 통해 군대징집, 노동력 착취, 가혹한 세금부과 등 강권적 폭력에 의해 작동되는 야만적 광신적 지배체제였다. 일본 제국주의의 특징을 한마디로 요약하면 역사상 전례 없는 폭력체제라고 할 수 있다. '잔악한 폭력적 정치체제'라는 어휘만큼 일제의 폭력성을 이것보다 적절하게 표상하는 말은 없을 것이다.

마르크스(Karl Marx)가 나폴레옹 3세와 농민들의 관계에 대해 언급하면서, "농민은 스스로 자신들을 대표할 수 있는 능력이 없기 때문에 그들의 대변자, 곧 그들에게 권위를 행사하는 자가 농민들을 보호하기 위해 비와 햇빛을 제공하는 무한권력의 국가여야 한다"[2]라는 말로 나폴레옹 3

2 Karl Marx, *The 18th Brumaire of Louis Bonaparte*(New York: International Publishers, 1963), 124. 식민지 문제에 대한 마르크스의 주장은 일관적이지 않다. 이에 대해 고부응은 다음과 같이 설명한다. 마르크스는 영국과 아일랜드의 관계와 같은 식민 본국의 근접 주변부 식민지 문제와 영국과 인도의 관계와 같은 서구 세계와 비서구 세계의 식민 문제에 대해 다음과 같은 입장을 취한다. 그는 아일랜드와 영국의 관계와 인도와 영국의 관계는 식민 체제의 피식민지에 대한 정치적·경제적 효과 면에서 정반대이다. 아일랜드의 경우 영국의 지배는 식량 공급지로서의 아일랜드를 유지하기 위하여 아일랜드의 농경 중심의 봉건사회가 자본주의적 산업사회로 발전하는 것을 방해하고 있다는 것이다. 그런데 관심을 끄는 문제는 마르크스의 인도에 대한 설명이다. 왜냐하면 마르크스는 인도 식민지 문제를 다루면서 영국의 식민 체제가 인도의 역사 발전에 기여하였다고 주장하였는데 이것은 결국 식민체제를 옹호하는 설명이기 때문이다. 그는 영국이 지배하는 인도를 논하면서 영국의 식민 지배가 인도 사회에 대해 부정적 측

세의 쿠데타를 합리화한 것처럼[3], 일제는 조선인은 자치 능력이 결여되어

면과 긍정적 측면을 동시에 가지고 있다고 설명한다. 부정적 측면은 자본주의 체제의
팽창된 모습으로서 원주민의 노동과 원자재를 빼앗는 제국주의적 착취이다. 영국의
인도 식민지 경영이 마르크스가 주장하는 바와 같이 피식민지에 대한 어떠한 긍정적
정책도 없이 착취로 일관했다는 것은 역사적 사실과는 거리가 있지만 여기에서 문제
가 되는 것은 마르크스가 영국 제국주의의 인도에 대한 긍정적 효과를 말한다는 점이
다. 마르크스는 영인도 식민시대 이전의 인도 사회가 고대의 노예제 생산양식과 중세
의 봉건적 생산양식의 중간쯤 되는 아시아적 생산양식이 유지되는 역사 발전 단계에
있다고 보았다. 아시아적 생산양식이란 중세적 촌락 공동체의 경제 활동을 영위하면
서도 서양 중세의 영주가 사유 재산을 소유하고 있는 것과는 달리 국가가 토지를 소유
하여 세금을 통해 생산계급을 착취하는 방식을 의미한다. 인도의 상황은 사유재산 제
도가 존재하지 않았고 서양 중세 봉건사회에서 자본주의 사회로 발전하게 하는 데 필
수적이었던 부르주아적 사유 재산의 형태로 봉건 영지가 변하는 것이 원천적으로 불
가능한 봉쇄된 상태였다. 바꾸어 말하면 부르주아가 그들이 소유하게 된 영지의 재구
성으로 농노 출신 자유민들의 전통적 봉건 영지로부터의 축출과 여기에서 나타나게
되는 임금 노동자로서 도시로 유입하는 것이 불가능하게 되었다는 것이다. 마르크스
는 정체된 아시아적 생산방식이 지배하는 인도의 전통 경제 공동체를 영국의 식민 체
제가 사유 재산 제도의 정착을 통하여 붕괴시킴으로써 인도 사회가 자본주의 사회로
발전할 수 있는 토대를 만들었다는 점에서, 영국의 식민 체제가 인도의 역사 발전에
기여했다고 주장한다. 문제는 이러한 마르크스의 역사관은 역사를 노예제 생산양식에
서 봉건적 생산양식으로, 그리고 다시 자본주의적 생산양식으로라는 식으로 일종의
직선적 역사 발전 과정을 거치며 진보하는 것이라고 믿고 있다는 것이다. 고부응,『초
민족 시대의 민족 정체성』(서울: 문학과 지성사, 2002), 33-37. 한마디로 마르크스의
주장은 서구의 비서구 세계에 대한 영구적 지배를 정당화하는 논리이다. 즉 그의 설명
은 역사 발전을 위해서는 피식민인에 대한 억압도 용인될 수 있다는 위험한 발상이며
서구와 비서구를 이분법으로 구분하는 동양담론의 논리와 다를 바가 없다. 이와 같은
논리는 식민체제가 주도하는 현실의 억압 및 착취를 합리화하기 때문에 약육강식을
정당화하는 사회진화론의 위험한 주장과 일맥상통한다.

3 이에 대해 이승렬은 나폴레옹 3세가 소농 계층의 대표라고 공언하기 전에 소농 계층
은 당시 상황에서 프랑스의 지배 질서로 자리매김하던 자본주의적 생산 관계의 외부
에 존재하였던 집단이었고 경제결정론적 시각에서 소농 계급은 나폴레옹 3세의 등장
이전까지는 계급을 구성하는 집단이 아니었다고 설명한다. 환언하며 나폴레옹이라는
이름을 업고 계급적 성격을 띠게 된 소농 계층의 역할은 나폴레옹 3세가 이끄는 정부
를 강화시켰고, 더 나아가 그 정부의 보호하에서 부르주아의 경제적 이익을 극대화시

있으며 일본의 식민지배가 조선에 긍정적인 효과를 가져온다는 이른바 산업화, 근대화의 명분으로 식민지배를 합리화하여 한국사회를 식민지배체제로 변화시켰다. 식민시대에 근대적 형태의 기업이 등장한 것은 사실이다. 하지만 발전과 근대화의 명분 이면에는 식민지 백성의 형언할 수 없는 고통이 수반되기 때문에 식민지배는 정당화될 수 없다. 식민지배가 발전과 근대화를 주창하지만 지배의 목표와 과정에서 식민지 백성들에게 상처와 고통을 가했고 식민지 백성의 삶을 파괴시켰다. 식민통치는 피식민자의 동의에 의해서 지배의 정당성을 승인받은 경우는 역사적으로 전무하다. 식민체제는 식민지 백성들의 삶의 자유를 박탈하고 군대나 식민 관료 조직을 동원해 식민지를 지배하지만 억압과 폭력을 가하면 가할수록 식민지 백성의 정신 속에 살아 있는 자유와 독립에 대한 열망은 더욱 강력할 수밖에 없다. 억압과 폭력에 기초한 강압적 식민지배기구는 제도 자체, 형식과 내용 면에서 상당히 불안한 정치체제다. 그중에서도 가장 중요한 특징은 강권력을 앞세워 통제와 극도의 노골적인 탄압, 억압을 자행했던 폭력체제라는 점이다. 이런 맥락에서 식민화와 식민지배체제의 구축은 그 지배에 저항하는 폭력을 야기하기 때문에 식민지배는 비도덕적이고 비윤리적이며 매우 혹독한 폭력적 지배체제라고 할 수 있다. 태생부터 탄압과

쳤다는 것이다. 기실 나폴레옹이라는 이름의 상징적 재현 행위에 의해 형성된 소농 계급은 경제적 이익을 빼앗아가는 부르주아 계급과는 구분되는 경제적 조건에 좌우되는 계급이기 때문에 재현 행위에 의해 형성된 소농 계급은 서로 모순된 존재 방식을 드러낸다. 왜냐하면 소농 계급에 대한 나폴레옹의 정치적 대표성은 소농 계급의 경제적 이익을 극대화시켜 줄 때에만 합법화 될 수 있기 때문이다. 이승렬, 「분신의 정치학」, 『비평과 이론』 3(1998): 54-55.

억압적 특성을 수반하면서 출발한 식민지배체제는 결국 광범위한 저항과 반대에 부딪히게 된다. 바꾸어 말하면 이와 같은 강압적 체제에서는 식민지배자나 피지배자 사이에 탈식민화를 위한 타협이나 협상이 이루어질 가능성은 극히 희박하다.

폭력에 의한 지배는 대규모의 저항이나 반대세력을 형성하기 때문에 필연적으로 심각한 저항을 동반한다.[4] 식민체제에 동화되기를 거부하며 탈식민사회를 모색하는 식민지 백성들은 자유와 해방을 갈구하기 때문에 식민체제의 폭력에 대항하여 탈식민화라는 결과를 가져왔다. 식민체제가 종말을 고했다는 것은 그 체제가 매우 유약하고 불안정한 기반을 가진 정치체제임을 반영한다. 하지만 식민체제의 종말이 곧바로 탈식민화를 의미하는 것은 아니었다. 그것은 식민체제가 피식민인 사이의 불신감, 적대적 의식과 갈등을 심어놓음으로써 식민지 백성들 사이에 상호 불신감과 같은 부정적 의식을 남겼고 관료주의라는 이름의 폭력적, 억압적 강성 권위주

---

4 단재 신채호는 제국주의에 대한 민족주의의 저항에 대해 민족주의 역사관을 드러낸다. 그의 민족주의 역사관은 1930년대 초에 저술된 유명한 『조선상고사』 총론에서의 '아(我)와 비아(非我)의 투쟁'이라는 역사에 대한 정의에서 잘 요약되어 나타난다. 그는 제국주의 세력과 그것에 대항하는 민족주의 세력을 그들과 우리로 구분하고, 억압하는 세력과 해방하려는 세력, 가해자와 희생자 사이의 투쟁을 조금의 타협도 허용하지 않는 생사투쟁으로 이해하였다. 단재의 관점에서는 제국주의 시대에 있어 민족의 생존과 정체성은 평화적이고 온건하며 타협적인 방법으로 자혜로운 제국주의 모국으로부터 얻어질 수 있는 성격의 것이 아니었다. 그는 세계는 평화적인 공동체가 아니라 현실주의 정치(*Realpolitik*)가 지배하는 장이기 때문에 극한적 투쟁이 아니고서는 자주적 민족공동체를 획득하기가 불가능하다는 점을 강조했던 것이다. 김구, 조만식, 그리고 김일성이 그들의 이념적 상이성에도 불구하고 모두 단재로부터 깊이 영향 받은 바 있다는 사실은 결코 우연이 아닐 것이다. 최장집, 『한국민주주의의 조건과 전망』(서울: 나남, 1996), 176.

의를 남겼기 때문이다. 식민체제는 그 내적 속성상 영구지배는 불가능하다. 이에 대해 하정일은 다음과 같이 지적한다.

> 식민주의는 한편으로는 막강한 정치적·경제적·군사적 힘을 지닌 견고한 담론이지만, 다른 한편으로는 피식민자 없이는 한 순간도 버틸 수 없는 나약한 담론이기도 하다. 다시 말해 피식민 주체의 순응과 협력과 동의가 식민주의를 존립시켜주는 원동력인 셈이다. 그런 점에서 식민주의에는 식민자와 피식민자 사이의 세력관계가 응축되어 있다.[5]

가장 폭력적인 지배구조인 식민통치의 종식은 기존의 정치적 지배구조의 해체와 그 체제하에서의 지배적인 사회적 경제적 관계의 급격한 변화를 의미한다.[6] 다시 말해 식민지배의 종식, 탈식민화는 기존의 정치 질서, 식민주의 이데올로기나 지배 세력을 완전히 새롭게 바꿔놓는 데 있고 구질서와는 전혀 다른 새로운 정치 질서를 만들어내는 근본적인 변화라고 할 수 있다. 일제식민체제의 성격에 대해 최장집은 사회경제적 측면과 정치적 측면에 대해 설명한다.

> 사회경제적 측면에서 일제의 식민지배는 한국에서의 아시아 전통사회의 봉건적 생산체제를 세계자본주의체제 내로 수직적 통합을 강제하는 계기였고, 전통사회의 신분제와 계급질서를 현대 자본주의 사회의

---

5 하정일, 『탈식민의 미학』(서울: 소명출판, 2008), 63.
6 최장집, 『한국민주주의의 조건과 전망』, 48.

'합리적-법적' 질서로 재편성하였다. 일제하 민족해방운동이 전통 엘리트로부터 식민통치에 의한 억압과 이를 통한 자본주의 수탈의 중심적인 대상이 된 노동자, 농민과 지식인이 주도하는 계급운동으로 옮아가게 된 것은 그러한 사회구조의 변화라는 배경아래에서였다. 따라서 민족해방운동은 자연히 민족자주국가 형성과 동시에 식민지하 계급적 지배질서의 변혁을 위한 투쟁을 포괄하는 것으로 옮아가게 되었다. 두 번째 정치적 측면에서 일제 식민지배는 고도의 물리적 탄압 때문에 일체의 정치적 공간이 허용되지 않았다는 점이 특기할 만하다. 그 결과 다른 나라의 민족해방운동과는 상이하게도 우리는 단일한 헤게모니를 갖는 정치지도부를 형성하지 못했다. 이 현상은 영국의 인도지배와 같이 일정한 운동공간이 허용되었던 조건과는 특히 대조를 이룬다.[7]

식민주의의 필연적 산물인 물리적 폭력을 수반하는 식민지통치기구와 폭력, 즉 일본제국주의의 억압과 압제는 식민지 백성의 고통과 직결되었다. 폭력적인 외부의 적이 존재하는 역사적 현실에서 한국사회의 식민지 백성들은 소작권의 상실로 전라도에서 함경도로, 농촌에서 도시로 급속하게 이동할 수밖에 없었다. 식민지배의 상흔으로 한국사회가 동적으로 변화함에 따라 한국민들의 일본이나 만주를 포함한 해외이주도 크게 증가하였다. 식민지배 이후에 인구의 12분의 1이 해외로 이주하게 되었다. 또한 식민통치로 인해 한국사회는 친일/항일, 협력/저항 세력으로 분리되었다. 그 결과 식민지배 세력과의 저항과 대립 못지않게 지주와 소작인, 자본가와 노동자의 대립은 더욱 격렬해졌고, 동질적인 민족일수록 갈등은 더욱

---

7 최장집, 『한국민주주의의 조건과 전망』, 109.

첨예화되듯이 민족내부의 대립은 이념의 분리와 갈등을 수반한다. 1925년 한국에서 공산당이 시작된 이후 이념갈등이 본격화된 것은 이를 증명한다. 바꾸어 말하면 식민주의는 식민지인의 삶을 심각하게 침해, 왜곡, 폭력적 통제, 매판관료에 대한 의존성, 폐쇄성이라는 점에서 취약한 체제라고 할 수 있다. 이와 같은 사실에서 식민주의는 억압적 식민체제를 항구적, 지속적 정치체제로 제도화할 수 없기 때문에 탈식민화될 수밖에 없었던 것이다.

이와 같은 상황에서 동의에 의하지 않는 경찰과 군대 등의 폭력 기구에 대한 저항은 반제반식민 민족해방과 중첩된다. 그리고 민족해방을 외치는 민족주의 세력과 계급해방을 외치는 사회주의 세력 간의 권력투쟁과 헤게모니를 갖기 위한 이념과 노선의 분열은 더욱 심화되었다. 민족주의8세력이나 사회주의 세력들에게 식민지배는 모든 악의 뿌리로 인식되었기 때문에 식민저항은 더욱 격렬한 형태로 나타났던 것이다. 식민지타파에 대한 강력한 요청, 다시 말해 탈식민화는, 곧 한국공동체의 존재

---

8 민족주의는 유럽의 근대민족국가가 형성된 16세기에 발화한 이후 유럽국가들의 성장과 더불어 발전하였다. 19세기 이후부터 유럽인의 정치생활을 결정하는 지배적 정치이념이 되었고 21세기에도 여전히 전지구적 차원에서 많은 민족의 정치생활을 지배할 뿐만 아니라 국제정치에도 광범위하게 영향력을 주고 있다. 또 다른 측면에서 민족국가는 불안의 요소로서 등장할 수 있기 때문에 유럽연합(EU) 같은 지역통합적 단위가 등장하였다. 민족주의는 개인의 이익보다 민족의 이익을 우선적으로 추구하며 제국의 지배로부터 벗어나 민족 구성원의 안전과 부를 보장하는 민족국가를 형성하는 데 기여하였다. 민족국가(nation-state)는 정치생활의 단위로써 안전, 부를 효과적으로 달성할 수 있는 역할을 수행하였다. 하지만 과학, 기술의 발달로 경제적 기능을 제대로 수행하기에 민족국가는 지평이 협소하고, 시장의 확대가 요구되고 무기의 발달로 자국의 안전을 위해 식민지 개척을 추구하였기 때문에 민족주의가 제국주의로 방향을 전환하는 현상은 불가피하였다.

방식에 대한 총체적 요구와 직결된다. 탈식민화 이전까지 식민지 사회는 제도화된 식민지관료기구에 의한 표현할 수 없는 억압이 있었다는 것은 주지의 사실이다. 자세한 논의에 들어가기 전에 포스트콜로니얼리즘 (postcolonialism), 우리말로 탈식민주의로 번역되는 이 용어는 어떤 의미를 갖는지에 대해 명확히 확인할 필요가 있다.[9] 그것은 식민주의와 대립적인 개념으로 식민지배 이후의 정치적 상황, 탈식민화를 공고화하면서 탈식민주의를 실천하는 과정이다. 필자가 생각하는 탈식민주의는, 우리가 처한 상황에서 강압적 식민체제를 경험한 사람들의 아픔과 상흔을 기억하고 그들의 삶의 조건과 상황을 변혁시키고자 하는 문화적, 정치적 개념이면서 동시에 권위주의적이고 부정적인 식민주의의 문화와 제도의 해체, 폭압적인 식민지배로부터의 근본적인 해방과 단절을 모색한다. 환언하면 식민체제가 식민지 백성을 억압하고 통제함으로써 식민지 백성들의 삶의 공간을 공적으로 통제하였기 때문에 탈식민주의는 식민체제로부터 벗어나려는 저항이나 시도, 가치정향, 한마디로 탈식민적 가치의 구현과 변혁적 실천과정을 포괄한다. 이 점에서 탈식민주의는 식민체제를 구축한 지배체제와 자

---

9 이경원은 맥클린턱(Anne McClontock)과 쇼핫(Shohat)의 설명에 대해 다음과 같이 언급한다. 맥클린턱과 쇼핫 등이 '포스트'라는 용어의 양가성에 대해 그것이 함축하는 애매모호한 정치성에 거부감을 표시하는데 그것은 포스트콜로니얼이라는 명칭이 식민지 이전, 이후로 구분하는 서구 중심적 역사관을 은연중에 받아들이게 하는 함정이 있기 때문이다. 맥클린턱은 "식민주의가 사라져야 할 순간에 식민주의로 회귀하게 만든다"고 비판하고 있기 때문에 제3세계의 신식민적 현실을 은폐할 위험이 있다는 것이다. 또한 포스트콜로니얼리즘이라는 용어는 서구 학계 내에서 사용하는 담론이기 때문에, 제3세계에서는 생소한 용어로 받아들여지기 때문이라고 설명한다. 이경원, 「탈식민주의 계보와 정체성」, 『비평과 이론』 Vol. 5-2, 2000, 6-7.

유와 해방을 외치며 식민체제에 적대적인 피식민 세력 간에 발생한 정치적 갈등에서 비롯된 정치적 산물이다. 그런데 현대적 시각에서 탈식민화는 그 이전의 탈식민적 투쟁과는 내용적으로 다른 특징을 보인다.

식민주의가 종식된 이후 탈식민화로의 전환은 쉽지 않은 과제이기 때문에 이를 안착시키고 발전시키기 위해서는 보다 세부적인 접근방식이 요구된다. 왜냐하면 탈식민화에 대한 이해는 민족마다, 국가마다 다르다는 사실, 그리고 식민지배체제와 지배 담론이 만들었던 보수/수구적 논리가 깊게 뿌리를 내리고 있기 때문이다. 이와 같은 상황에서 우리 사회가 직면한 탈식민 쟁점에 대해 구체적으로 언급하면 다음과 같은 이슈들이 있다. 사회계급구조의 하층에 위치한 서발턴(Subaltern)과 억압받는 제3세계 여성들, 권력에 의해 억압되고 소외된 다층적인 사람들의 성 차별, 억압적이고 반여성적인 가부장제의 권위주의에 대한 비판, 계급문제, 그리고 신자유주의적 세계화에 대한 비판적 인식과 사회양극화, 노동 문제를 포괄한다. 환언하면 탈식민주의는 식민제국주의적 폭력과 제국주의 체제, 물질적, 문화적 영역에 깊이 침투한 제국주의적 요소에 대한 총체적 안티테제, 담론적 실천이라고 할 수 있다. 이처럼 탈식민주의는 식민화 이후 오랜 제국주의 체제가 구축해놓은 식민질서의 문제를 직면한다. 이처럼 탈식민화는 지배담론으로부터 벗어나 이성적인 비판과 소통, 자유롭게 문제에 대해 토론하고 논쟁할 수 있는 통로와 공론의 장이 제약받게 되면 탈식민화를 기대하기는 쉽지 않을 것이다.

역사적, 정치적 계기로서 탈식민주의는 식민주의의 종식을 의미하지만 강압적 지배구조를 특징으로 하는 제국주의 지배에 대한 저항, 제국주의 체제 혁파라는 점에서 식민주의를 청산하려는 운동이라고 할 수 있다. 탈식민주의와 제국주의에 대해 박지향은 다음과 같이 설명한다.

제국주의는 식민주의보다 나중에 출현하였을 뿐만 아니라 그보다 더욱 일반적이고 광의의 개념이다. 제국주의라는 단어는 1840년대에 나타나서 여러 차례의 변화를 겪었다. 1840년대 프랑스에서 쓰이기 시작한 제국주의는 나폴레옹 제국의 영광을 회복하고자 하는 프랑스 정치인들, 특히 나폴레옹 3세의 욕심을 의미하는 개념이었다. 따라서 1852~1870년 사이 어떤 영국인에게도 제국주의는 영국의 해외 영토를 의미하는 것이 아니라 프랑스의 국내정치의 스타일을 의미하는 개념으로 이해되었던 것이다. 영어권에 '제국주의'가 도입된 것은 1870년대였다. 이 용어는 디즈레일리에 의해 정치적으로 사용되기 시작했는데 1900년에 이르면 정치 현장에서 가장 강력한 시대적 조류를 칭하는 말이 되었다. 그러나 영국에서 제국주의는 적어도 1880년까지는 매우 부정적인 의미를 내포하는 것으로 받아들여졌다. 그것은 영국의 권력과 특권을 증대시키기 위해 해외 영토를 이용하는 정책을 표현하는 경멸적인 슬로건으로 간주되었던 것이다. . . 그렇다면 식민주의와 제국주의의 관계를 어떻게 정리할 수 있을까? 제국주의의 핵심은 다른 집단에 의한 민족이나 인종의 통제이다. 그 통제는 우선적으로 정치적이거나 경제적인 통제이며, 국가들 간의 종속적 관계의 성립과 유지를 의미한다는 점에서는 식민주의와 크게 다를 바가 없다. 그러나 공식적인 영토적 지배를 포함할 필요가 없다는 점에서 식민주의와 다르다. 식민주의는 프랑스의 정치인 쥘르 페리가 구분했듯이 제국주의의 여러 변화하는 단계에서 특별한 단계의, 그러면서 가장 눈에 띠는 형태로 이해할 수 있을 것이다. 다시 말해 제국주의는 식민주의의 형태를 취하기도 하지만 그렇지 않을 수도 있는 것이다.[10]

박지향에 따르면 식민주의와 제국주의는 이제까지 서양의 인종주의나 정치적, 경제적 이해관계라는 맥락에서 이해되어 왔다는 것이다. 이에 비해 탈식민주의는 제국주의 시대와 현대 탈식민시대의 식민 상황과 제반 현상을 드러내어 비판하기 위한 문화이론이라고 할 수 있다. "탈식민주의는 식민지배에 대항하는 저항의 몸짓이다. 식민지배자는 자신의 우월성을 확인시켜줄 거울, 즉 타자(식민지인들을 포함)를 필요로 한다. 일본은 조선인을 타자로 설정했다."[11] 타자화의 과정에서 가장 막대한 피해를 입은 사람들은 식민지 백성들, 즉 한국인들이다. 일제는 조선의 근대화, 식민지 발전론, 문명화를 위한 기획이라는 명분으로 조선을 지배하였는데 그 과정에서 빚어진 참혹한 폭력과 인명살상은 가히 병적이라 할 수 있을 정도로 반인륜적이고 비윤리적이었다. 이와 같은 역사적 사실은 반복컨대, 스스로 1등 국민이라고 지칭하였지만 일본제국주의는 기실 가장 비인간적인 폭력국가였음을 입증한다. 이와 관련하여 한국사회에서 탈식민주의에 대한 다양한 논제가 활발하게 논의되고 있다. 주지하다시피 탈식민주의에 대한 논쟁은 80년대 말 이후 그 이론이 국내에 유입되기 시작한 이후 보다 활발하게 진행되고 있다. 이것은 서구 중심적 지배가치

---

10 박지향, 『제국주의 신화와 현실』(서울: 서울대학교 출판부, 2000), 17-19.
11 박종성, 『탈식민주의에 대한 성찰』(파주: 살림, 2007), 6.

와 반인륜적 식민체제에 대한 강력한 도전에서 출발한 것이라고 말할 수 있다. 식민주의에 대한 저항담론이라는 측면에서 탈식민주의는 강성 제국주의에 대한 역담론으로 주체와 타자의 관계, 여성들의 인권과 정체성, 남성우월주의적 지배전략에 함몰될 가능성을 막고 남성중심적 젠더 이데올로기에 대한 비판과 지배 종속관계의 청산과 같은 다양한 논쟁과 징후들에 대한 의미를 생산하는 데 유효한 이론이다. 또한 그것은 식민지배 과정에서 강고한 탄압을 경험한 식민지 종속인들의 식민주의적 사고를 해체하는 정신의 탈식민화 문제를 포괄한다. 이와 같이 저항담론으로서 탈식민주의는 문화적, 사회적, 경제적, 정치의 다양한 영역에 대한 문제를 포함하는 문화이론으로서 식민주의 담론을 전복시키는 정치적 시도라고 할 수 있다.

식민지배가 강고한 폭력에 의존하는 위계적 지배 이데올로기로 식민지 종속민들의 삶을 제약하고 정체성을 훼손했다면 탈식민주의 이론[12]은 이에 대한 저항담론이라고 할 수 있다. 그것은 인종, 주체와 타자. 성과 계급, 남성우월주의 등 식민지배의 결과로 도출된 문제들을 새롭게 재조명

---

12 무어 길버트(Bart Moore-Gilbert)는 탈식민주의 담론의 시작이 제3세계 민족주의와 반식민주의에 있다고 보고 탈식민주의가 제3세계에 대한 정치적 경제적 박탈과 문화적 주변화를 경험한 상처의 산물임을 강조하였다. 그는 사이드(Edward W. Said)의 『동양담론』(Orientalism)을 분기점으로 『동양담론』 이전을 '탈식민주의 비평'으로 그 이후를 '탈식민주의 이론'으로 구분한다. '탈식민주의 비평'은 아시아, 아프리카, 서인도제도의 반식민 민족문학, 그리고 오스트레일리아 뉴질랜드 캐나다의 영연방문학을 포함시킨다. 이에 비해 '탈식민주의 이론'은 '탈식민주의 비평'이 유럽의 고급이론과 결부되어 구성된 이론이라고 설명한다. 바트 무어 길버트, 『탈식민주의! 저항에서 유희로』, 이경원 역(서울: 한길사, 2001), 45-107.

하여 제국주의적 사고방식에서 벗어나는 담론영역으로 문화적, 사회적, 정치적, 윤리적 타자에 대한 배려를 강조한다.

압축해서 표현한다면 탈식민론은 상호 대립적 문화 간의 적대적 속성을 완화시키면서 협력과 공존, 계급 간 차별과 괴리, 불평등 구조에 대한 문제제기, 계급 간 갈등을 순화시켜 개인주의적 자유와 인간주체의 가치와 삶을 보장함으로써 실질적 문화공간을 구성할 수 있는 유효한 담론이라고 할 수 있다. 그런데 중요한 것은 문화적, 정치적 측면에서 탈식민론이 단순히 이론을 구축하는 것을 목표로 삼고 있는 것이 아니라 인간의 다양성과 차이, 타자에 대한 관용, 기득권과 소외된 사람들 사이의 심화된 계급차이와 불평등구조, 권위적인 남성제국주의와 전제적 가부장제와 같은 다양한 문제에 이르기까지 미세하고 복잡한 문제를 포괄하고 있다는 점이다. 다시 말해 탈식민론의 핵심은 제국주의의 침탈과 식민지배가 야기한 삶의 질곡에 대한 총체적 비판, 강성 권위주의 등 식민주의 중심으로 응집되고 왜곡된 제국주의적 특성들을 해체하면서 동시에 양극단에 치우치지 않는 윤리학의 실현을 포괄하는 것이라고 할 수 있다.

탈식민론에 대한 일반적인 관점에서 볼 때 식민주의 문제를 다루는 탈식민 문학은 식민주의에 대한 저항에 초점을 맞추어 탈식민적 가치를 포괄하는 문학이라고 할 수 있다. 고부응은 탈식민 문학에 대해 다음과 같이 언급한다.

> 탈식민 문학(postcolonial literature)이란 영문학의 경우에는 제2차
> 세계 대전을 전후로 하여 공식적으로 독립을 이룩한 인도·나이지리

아·호주·남아프리카공화국 등 과거에 영국의 식민 지배를 받았던 지역에서 독립된 이후에 쓰인 문학작품을 통틀어 일컫는 말이다. 이런 의미에서는 탈식민 문학이란 탈식민이란 용어가 널리 쓰이기 전에 사용되었던 영연방 문학(commom wealth literature)이란 말과 별반 다르지 않다. 영연방 문학이란 영국 작가들뿐만 아니라 영어를 사용하는 캐나다·호주·자메이카·케냐 등 과거 영국의 식민지였던 지역의 작가들에 의해 쓰인 문학도 포함되는 말이기 때문이다. 그러나 영연방 문학이 영어로 쓰인, 따라서 영문학의 종주국이라 할 수 있는 영국 문학과 일정한 공통점을 전제로 하고 있는 데 비해 탈식민 문학은 영국의 식민 지배에서 벗어났음을 강조하고 있다는 의미에서 둘은 정치적 의식에 있어 정반대되는 문학이라 할 수 있다. 탈식민 문학이 영국의 식민 지배에서 벗어난 정서를 담은 문학을 지칭하기 위해 사용된다면 이제 이 용어는 단지 시기적으로 독립 이후의 문학작품만을 의미하지는 않는다. 공식적으로 독립 국가가 생기기 전에도 정치적·문화적으로 식민 지배에서 벗어나고자 하는 노력은 계속되어 왔고 그러한 가치나 역사관이 독립 이전 시기에 쓰인 문학작품에도 나타나기 때문이다. 탈식민 문학이란 독립 이후의, 흔히 말하는 탈식민 시대에 쓰였던 문학뿐만 아니라 독립 이전의 식민 시대에 쓰였던 문학을 통틀어 문화적·정치적 식민 지배에서 벗어나려는 노력을 담고 있는 문학을 일컫는다.[13]

탈식민 문학은 타자들에 대한 관심, 중심부/주변부의 이항대립적 지배 이데올로기에 대한 저항, 식민주의의 위계적 질서에 대한 거부, 지배권력에

---

13 고부응, 『초민족 시대의 민족 정체성』, 15.

대한 저항적 이론이나 가치정향을 담은 담론적, 이데올로기적 실천을 포함하는 문학이라고 평가할 수 있다. 예를 들어 『제인에어』(*Jane Eyre*)에 대해 진 뤼스(Jean Rhys)는 이 소설을 탈식민 관점에서 『드넓은 사가소 바다』(*Wide Sargasso Sea*)라는 새로운 소설을 만들었다. 그는 이 작품에 등장하는 버사 메이슨(Bertha Mason)을 로체스터(Rochester)의 정략적 결혼의 피해자로 묘사한다. 뤼스는 이 소설에서 영국의 식민지배가 가져온 폐해를 고발함으로써 영제국주의에 저항을 소설로 만들었다는 점에서 우리는 이 작품을 탈식민 문학의 범주에 포함시킬 수 있다. 그리고 찰스 디킨스(Charles Dickens)의 『막대한 유산』(*Great Expectations*)도 식민지에서 식민지 경영을 통해 막대한 돈을 번 사람이 19세기 영국 신사로 지칭되기 때문에 탈식민 가치를 갖는 작품이다.

이와 같은 맥락에서 로렌스(David Herbert Lawrence)는 당시 여성들이 처한 상황을 깊게 인식하고 그의 작품을 여성적 조망에서 바라보고, 남성중심의 지배담론과 이데올로기, 여성의 정체성 형성, 신여성성에 다양한 문제를 제기한다는 점에서 문학작품의 범주를 확장한 소설가라고 할 수 있다. 다시 말해 그의 소설은 식민체제와 피지식민자의 관계, 곧 강성 권위주의적인 '남성중심주의'(androcentrism)적인 체제하에서 억압받는 여성들에 대한 관심, 타자에 대한 인식, 지배와 종속 관계나 주체와 객체라는 구별에 대한 거부, 전제적 가부장제에 대한 강한 이념적 반대와 비판을 견지하고 있기 때문에 탈식민주의 문학에 포함시킬 수 있다. 영(Robert, J. C. Young)은 다음과 같이 지적한다.

탈식민주의는 서발턴, 즉 농민들, 가난한 자들, 그리고 다양한 종류의 버림받은 자들에 대해 근본적 공감을 형성한다. 그것은 엘리트 위주의 고급문화를 벗어나, 역사적으로 중요하게 생각되지 않았지만 문화와 대항-지식의 풍부한 보고로 여겨지는 서발턴 문화와 지식을 지지한다. 그래서 탈식민주의의 공감과 관심은 사회의 주변부에 있는 자들, 전지구적 자본주의 세력들에 의해 지위를 박탈당했거나 불확실한 문화적 정체성을 지닌 사람들—난민들, 시골에서 도시 빈민가로 이주한 자들, 제1세계의 최하층에서 노동하면서 더 나은 삶을 위해 투쟁하는 이주자들—에 초점을 맞춘다.[14]

지금까지 많은 비평가들이 로렌스의 소설을 남녀관계의 역학구조라는 틀에서 분석하였는데 본고는 기존의 다양한 논의에서 크게 벗어나지 않고 여성인물들이 차지하는 중요성에 천착하면서 로렌스 소설에 일관되게 나타나는 여성의 정체성에 관한 주제를 중심으로 탈식민주의적 관점에서 살펴보고자 한다. 탈식민주의적 관점이란 남성제국주의, 젠더 이데올로기, 계급과 자본주의와 같은 문제에 대한 접근이라고 할 수 있다.

남성제국주의적 지배와 종속이라는 측면에서 빅토리아 시대는 본격적인 제국주의가 대두되었던 시기였다. 빅토리아 시대는 강도 높은 산업화와 물질문명이 발달한 시기였다. 하지만 산업화에 수반된 기계화는 산업화와 함께 영국사회에 부정적인 병폐를 초래하였다. 특히 빅토리아 시대 남성제국주의 담론은 여성들에게 위계질서에 의한 절대적 순종을 요구

---

14 Robert J. C. Young, *Postcolonialism: A Very Short Introduction*(Oxford: Oxford UP, 2003), 114.

하였다. 주지하다시피 빅토리아 사회는 억압적 사회구조를 중심으로 권위주의적 남성제국주의, 전제적 가부장제 등 제국주의가 지배하는 현실에서 남성우월주의가 지배적이었다. 이와 같은 조건에서 빅토리아 시대 여성들은 가정이라는 영역에 국한되어 있었기 때문에 가사노동으로부터 자유로울 수 없었다. 그들은 주체적 자아를 형성할 수 없었고 남성중심적 가부장 체제와 억압적 구조에 갇혀 있었기 때문에 성적 차별을 경험할 수밖에 없었다. 그것은 곧 식민담론이 강력하게 작동하는 남성제국주의에 구속된 상태에서 여성의 고유한 문화와 정체성 구축은 현실적으로 어려운 과제였음을 의미한다. 그럼에도 불구하고 탈식민사회의 주체로서 여성들의 고유한 정체성을 논의하는 것은 담론적 차원을 넘어 실존적 삶의 영역으로까지 여성의 주체성의 확장이라는 측면에서 의미심장하다. 여성의 정체성 형성 문제는 여성과 남성들 사이의 문제이며 동시에 남성제국주의 사회구조에 대한 구조적인 문제이자 여성 개인의 문제이며 젠더 이데올로기 극복과 관련된 문제이기도 하다.

그런데 남녀 간의 이상적 사랑이라는 주제에 초점을 맞추어 로렌스의 작품을 읽게 되면 텍스트의 보이지 않는 역사적, 사회적, 담론적 맥락을 놓칠 가능성이 있다. 물론 그의 소설은 남녀 간의 사랑과 결혼, 결혼과정에 나타난 고난과 극복이라는 주제에 천착한다. 하지만 가다머(Hans-Georg Gadamer)가 밝히듯이, 텍스트의 의미는 고정되지 않고 해석자의 관심에 따라 다양하게 변하기 때문에 텍스트의 의미는 과거의 경험이 구현된 텍스트와 해석자의 관심과 해석의 지평이 융합되어 생성된다.[15] 로렌스가 여성의 정체성 형성이라는 의제를 제시하기 때문에 우리는 그의 소설에서 전제적 가부장제와 남성제국주의에 대한 저항, 곧 미시정치학의 시각에서 그의 작품을 읽어낼 수 있다. 텍스트의 의미에 대해 사이드는 다음과 같이 설명한다.

> 텍스트는 변화무쌍하다. 달리 말해, 텍스트는 상황에 따라 크고 작은 정치학과 연관되어 있다. 그리고 상황과 정치학은 주목과 비평을 요구한다. 어떤 이론이라 할지라도 텍스트와 사회의 연관성을 설명하거나 고려해 줄 수 없듯이 누구도 모든 것을 자세히 조사할 수는 없다. 하지만 텍스트를 읽고 쓰는 것은 결코 중립적 활동이 아니다. 왜냐하면 작품에는 그것이 아무리 심미적이거나 오락적이라 할지라도 이해관계, 권력, 열정, 즐거움이 동반되기 때문이다. 언론 매체, 정치 경제, 대중 단체들은 — 즉 세속적 권력과 국가의 영향에 대한 추적들 — 우리가 문학이라 부르는 것의 일부분이다.

> Texts are protean things; they are tied to circumstances and to politics large and small, and these require attention and criticism. No one can take stock of everything, of course, just as no one theory can explain or account for the connections among texts and societies. But reading and writing texts are never neutral activities; there are interests, powers, passions, pleasures entailed no matter how aesthetic or entertaining the work. Media, political economy, mass institutions — in fine, the tracings of

---

15   Hans-Georg Gadamer. *Truth and Method*(New York: Crossroad, 1982), 273.

secular power and the influence of the state—are part of what
we call literature.[16]

사이드의 설명처럼 텍스트는 변화무쌍하다. 동시에 텍스트는 작가의 전개
구도와 의도를 넘어설 수 있다. 전통적인 남성중심적 사고방식과 남성제
국주의 이데올로기의 억압에 저항, 여성들의 문화적 상황, 그들의 독자적
경험과 영역, 역사적 주체로서의 여성이라는 시각이라는 점에서 로렌스
작품은 쉽게 간과되어서는 안 될 것이다.

전제적 가부장제하에서 남성들은 젠더 이데올로기를 통해 여성들의
삶의 과정에 개입하여 지배의 영속성을 추구하였기 때문에 여성들은 자
신들의 자유를 실현할 수 있는 최적의 문화적 공간을 형성할 수 없었고
자신들의 목소리를 낼 수 없었던 것이다. 이런 의미에서 강권적인 제국주
의적 가부장제는 극단적인 남성우월성과 차별의식으로 여성들의 삶을 왜
곡시켜 정체성 형성을 가로막는 비자발적 정치체제라고 하겠다. 그런데
정체성 구축 문제는 시대에 따라 그 의미가 변화할 수 있다. 정체성의 가
변성에 대해 홀(Stuart Hall)은 정체성을 새로운 문화적 실천이 이미 수행
된 것이라고 생각하기보다는 지금도 진행 중인, 미완의 기획, 재현되는
순간에 구성되는 생산물로 생각해야 한다고 논의를 전개한 것처럼,[17] 정
체성 형성은 시대에 따라 고정적이거나 불변하는 것이 아니라 변화 가능

---

16   Edward Said, *Culture and Imperialism*(New York: Vintage Books, 1993), 318.
17   Stuart Hall, "Cultural Identity and Diaspora," in Patrick Williams and Laura
     Chrisman(Eds), *Colonial Discourse and Post-colonial Theory: A Reader*(London:
     Harvest Wheatsheaf, 1994), 392-40.

한 특성을 갖는다. 정체성의 가변성에 대해 논의할 때 여성들의 문화적 정체성 형성은 '정체성의 정치'를 의미한다. 이것은 고전적으로 남성제국주의가 기획한 남성과 여성이라는 고정적인 관념과 이분법적 경계를 무효화시키는 여성적 가치, 탈식민사회의 주체로서 여성의 위상에 대한 새로운 인식과 같은 문제를 포함하며 탈식민주의 시각에서 식민지배 시기의 반인륜적, 전제적 가부장적 요소를 탈식민화하는 문제와도 중첩된다.

　　지극히 남성중심적 문화가 지배하던 빅토리아 시대는 여성들에게 주체적 지위를 부여하기보다는 '가정의 천사'라는 명분으로 여성들의 삶을 가사의무에 국한시켰다. 남성중심적, 권위주의에 토대를 둔 전제적 가부장제는 여성을 남성에 종속시켜 여성들의 정체성 형성을 저해하기 때문에 제국주의적 특성을 드러낸다. 다시 말해 남성제국주의는 여성들을 억압하고 착취하였기 때문에 그 부작용은 극심하였다. 즉 여성들에 대한 남성들이 가하는 억압은 남성우월주의적 사고방식에 기인한다. 남성제국주의는 여성을 일방적으로 종속시킴으로써 여성의 자율성을 제한하였고 여성의 존립근거를 약화시켰다. 이와 같은 여성들의 상황을 예민하게 포착한 로렌스는 남성제국주의 지배구조가 해체되지 않는 한 여성의 정체성 형성을 기대하기는 어렵다는 사실과 함께 남성제국주의가 압도적 우위를 가졌던 당대 사회에 대해 저항담론을 구성하여 여성들이 처한 현실에서 그들이 어떻게 정체성을 추구해나가는 통찰력 있게 작품을 묘사하고 있다. 탈식민적 관점에서 이 글은 로렌스의 『사랑하는 여인들』(*Women in Love*), 『채털리 부인의 연인』(*Lady Chatterley's Lover*), 『무지개』(*The Rainbow*)를 탈식민주의 이론에 접목시켜 여성들이 정체성을 형성해가는 노정을 고찰하면서 이상적인 남녀관계와 여성들의 정체성에 대한 새로운 이해와 방향을 모색하고자 한다.

지금까지 로렌스에 대한 평가는 매우 다른 반응을 보여 왔다. 로렌스를 남성주의자로 비판하는 페미니스트들은 로렌스를 남성주의자로 폄하하거나 비판한다. 대표적으로 머리(John Middleton Murry)와 같은 비평가는 로렌스를 여성혐오적 작가로 평가한다. 그 이유는 로렌스가 현실적인 성을 도외시하여 가상적인 성을 상정했기 때문이라는 것이다. 머리는 여성에 대한 로렌스의 태도를 위험하고 극단적인 감수성을 소유한 작가로 매도한다.[18] 『성의 정치학』의 저자인 밀렛(Kate Millet)은 남녀관계에서 성은 단순히 사적, 주관적 영역이 아니라 권력이 작동하는 정치적 영역이라고 정의하였다. 그는 억압적인 가부장제의 해체를 주장하면서 로렌스를 재능 있고 열정적이며 교활한 대표적인 반여성주의 작가[19]로 평가하면서 그에게 반감을 드러내었다. 이와는 대조적으로 닌(Anais Nin)은 그 어떤 작가도 로렌스처럼 여성을 정확하고 섬세하게 표현한 작가는 없었다고 지적한다.[20]

이 책에서는 로렌스가 여성들을 독립적 정체성을 지닌 존재로서 자신들의 삶을 주체적으로 창조한 작가라는 점에 초점을 맞춰 여성인물들의 정체성과 전제적 가부장제에 대한 비판을 통해 로렌스 작품의 탈식민적

---

18 John Middleton Murry, *Son of Woman*(London: Jonathan Cape, 1931), 72.

19 Kate Millet, *Sexual Politics*(London: Virago P, 1977), 239.

20 Anais Nin, *D. H. Lawrence: An Unprofessional Study*(Paris: Edward W. Titus, 1932), 66-67.

사유를 논의하고자 한다. 왜냐하면 그의 소설은 탈식민 시각에서 담론적 풍요성을 지니고 있고 은폐되고 왜곡된 남성제국주의를 드러내기 때문이다. 또한 로렌스가 일련의 작품 속에서 남성제국주의와 그것에 의해 식민화된 여성의 정체성 구축을 다성적 측면에서 탈식민 문화정치학을 모색하기 때문이다. 역사적으로 볼 때 전제적 남성우월주의가 지배하는 사회에서 남성들은 가부장적 담론으로 타자인 여성들에게 절대적 순종을 강요하였다. 가부장제 사회는 남성중심적 담론을 토대로 수직적 위계질서, 강성 권위주의, 남성우월주의 같은 특성을 극명하게 보여준다. 가부장제 사회에서 삶을 살아가는 여성들은 자기 정체성을 형성하지 못하고 성적, 경제적으로 보수주의적, 억압적 사고의 틀에 갇혀 있기 때문에 성적 차별을 경험하였다. 남성우월적, 강성 권위주의를 특징으로 하는 전제적 가부장제는 여성들의 주체적 지위를 거부하였다. 환언하면 자녀생산과 가사의무의 이행을 위한 도구로 여성들의 지위를 심각하게 훼손하여 여성들의 지위와 역할을 제한하였다. 이것은 필연적으로 여성들의 주체적 삶과 정체성 구성을 방해하였던 것이다.

영문학에서 가장 중요한 작가 중 한 사람인 로렌스는 남성중심 사회에서 여성들의 현실을 포착하여, 남성중심 담론, 젠더 이데올로기, 여성들의 정체성 형성과 같은 주제를 제시하여 독립적이고 주체적인 여성들을 창조하여 여성들의 삶의 영역을 확장시킨 작가이다. 가부장 담론은 여성에 대한 남성의 우월성과 남성의 지배를 정당화함으로써 남성중심의 수직질서와 위계적 권력구조를 더욱 강화하였다. 다시 말해, 남성제국주의적 접근은 압도적 다수를 구성하는 여성들을 고려하지 않은 일방적인 문제를

을 통한 차별이라고 할 수 있다. 왜냐하면 그러한 접근은 여성 주체성의 중요성을 경시하거나 고려하지 않는 남성중심적인 방식이기 때문이다. 로렌스 소설의 탈식민성을 올바르게 이해하기 위해서는 남성제국주의 대 이에 대항적인 반제·반봉건적 여성 자아, 정체성의 구축이라는 대립구도를 이해하지 않으면 안 된다.

이와 같은 맥락에서 로렌스의 『무지개』와 『사랑하는 여인들』, 그리고 『채털리 부인의 연인』은 남성중심주의 담론 속에 노정되는 남성제국주의적 가부장제 권력구조를 해체하여 여성들의 정체성 형성을 모색한다는 점에서 탈식민주의 문학작품으로 분석할 수 있다. 환언하면 남성중심적 가치와 담론에 대해 자신들의 정체성을 구축하려는 여성들의 몸부림과 그들의 고유성을 이해하고, 여성과 남성의 조화를 추구한다는 측면에서 로렌스의 소설은 전제적 가부장제를 전복할 수 있는 탈식민 텍스트로서 그 외연을 확장하였다.

로렌스의 작품은 탈식민주의 관점에서 전제적 가부장제의 특징인 남성중심적 위계질서에 의해 억압받고 고통당하는 여성 정체성 형성이라는 주제를 구성할 수 있다. 이와 같이 탈식민적 시각에서 남성중심 사회에서 여성들이 직면한 상황과 문학 텍스트는 분리불가분 관계에 놓여있으며 로렌스가 여성들의 정체성 구축을 방해하는 전제적 가부장제 중심주의에 대한 비판을 노정하고 있다고 말할 수 있다. 이것은 지배적 이데올로기로 자리 잡은 보수적 가부장제 질서가 여성 정체성 형성에 대한 저항이 얼마나 강력한 것인가를 보여준다. 로렌스의 소설은 강성 제국주의적 가부장제가 여성 한 개인의 삶뿐만 아니라 우리가 살고 있는 사회 전체에 미칠 수 있는 왜곡된 남성우월주의가 야기하는 삶의 피폐를 광범위하게 드러낸다. 이런 맥락에서 그의 문학작품은 침묵당하거나 주변화되어 타자로 존재하는 여성들의 삶과 삶의 영역에 대해 로렌스가 작가의식을 가지고 여성들이 처해 있는 사회적 현실을 재현하거나 반영하고 있다는 것은 그의 작품을 보다 넓게 이해할 수 있는 중요한 출발점이 아닐 수 없다.

　　로렌스의 소설은 여성들에 대한 가부장제의 인식론적 폭력이라는 맥락에서 남성우월주의와 젠더 이데올로기와 남성지배 담론에 대한 비판과 문제를 총체적으로 함축하고 있다. 또한 그의 소설은 여성들이 자신의 독립적 자아를 추구하고자 노력과 정체성 형성 문제를 성찰하는 과정을 담고 있다. 로렌스의 『사랑하는 여인들』과 『채털리 부인의 연인』 그리고 『무지개』는 여성들의 정체성 확립이라는 문제를 환기시킨다는 측면에서 이 책에서는 여성들이 직면한 문제를 전반에 걸쳐 다루기보다는 여성 중심적 시각에서 남녀 사이의 첨예한 대립과 갈등, 갈등의 표출, 그리고 가부장제의 부권주의적 질서와 같은 제한적 범위와 주제에 한정하여 탈식민화를 비판적으로 검토하려고 한다. 같은 맥락에서 로렌스의 세 작품을 탈식민주의에 접목하여 제국주의적 사고방식에 의해 왜곡된 여성의 삶과 젠더 이데올로기, 여성들이 직면한 현실로서 정체성의 위기, 자아의식 확립, 그리고 이런 문제들이 정체성 구축과 어떻게 연결되는지 규명하고자 한다. 이 글에서 탈식민 이론에 대한 전반적인 이론이나 호미 바바(Homi K. Bhabha)와 스피박(Gayatri Chakravorty Spivak)의 이론을 집중적으로 좀 더 깊이 있게 논의하지 못한 것은 아쉬운 점이 있지만 로렌스의 작품의 탈식민주의적 접근을 통해 그의 소설을 재조명하는 데 그 목적이 있다.

II

탈식민주의 삼총사에 대한 이론적 패러다임

식 민제국주의는 식민지배자들이 식민지 종속민에 대해 가지는 문화적, 인종적 차별과 우월적 지배, 식민지 자원의 약탈을 특징으로 하는 불평등한 정치체제라고 할 수 있다. 근대적 의미에서 식민주의는 식민지배자와 식민 종속인의 지배, 종속 관계를 지칭한다. 식민지배자들의 주된 관심은 식민지 백성으로부터 경제적, 정치적 이익을 얻어내어 식민지를 제국주의에 의존하도록 함으로써 식민지배자의 헤게모니를 강화하는 것이다. 지배자들은 동화정책을 통해 제국주의의 우월성을 표출하고 피지배자들로부터 제국주의 체제를 모방하도록 유도한다. 식민체제하에서는 제국주의 지배세력에 의한 국가폭력이 지배를 위한 강력한 힘으로 기능하게 된다. 식민체제는 강압적 힘으로 식민지를 통제함으로써 식민체제의 구축을 시도하는데 그 목적은 점령지역의 식민체제구축을 통해 지배를 강화하기 위한 것이다. 식민주의에 대한 저항 담론인 탈식민주의는 문화적 개념으로서 문화의 정치적 영역에 초점을 둔 담론이다.

문학비평 분야를 비롯한 여러 분야에서 탈식민주의 담론이 큰 흐름을 차지하고 있다. 그것은 국가와 국가 간, 문화와 문화 간에 존재하는 위계적 구조와 불평등한 지배관계를 천착하면서 문화적 차이를 존중하고 차별을 해체함으로써 다양한 문화적 삶의 방식과 문제점을 드러낸다. 뿐만 아니라 탈식민주의는 정치적 관점에서 문화 구도를 총체적으로 파악함으로써 새로운 지평을 열어주어 사회, 역사적 상황을 분리하지 않고 민족, 문화 사이의 복잡한 관계를 모색할 수 있는 함의를 제공하였다. 이런 점에서 탈식민주의는 과거의 식민지배의 문제점을 환기시키면서 현대의 문화와 문화정치에 대한 관심을 확대하였다. 엄밀히 말하면 서구 중심적인 지배담론을 전복하거나 지배, 종속 관계를 전위시켜 문화적 다양성과 문화적 차이와 같은 식민주의와 관련된 문제를 드러내고 비판할 수 있는 시각과 방법론을 견지할 수 있게 했다. 탈식민주의는 서구의 문화적 토양에서 발전한 이론으로 탈식민화에 대한 문제를 모색하고 설명할 수 있는 이론이다. 덜릭(Arif Dirlik)의 표현을 빌면, 탈식민주의가 대두된 것은 세계질서가 전지구적 자본주의체제로 전환에 기인한다. 다시 말해 탈식민 이론은 새로운 세계질서로 변화된 현상을 설명하고 제3세계 문제들을 포스트구조주의 언어로 설명하기 위한 이론으로 부상한 것이라고 논의한다.[21] 탈식민주의는 시대적으로 식민지배 이후를 의미하는 '후기식민주의'로 사용하는데 우선 포스트콜로니얼리즘의 'post'라는 접두어에 대해 좀 더 미시적으로 살펴보자. 그런데 탈식민주의는 반드시 식민주의 시대 이후를 의미하는 통시적 관점으로만 볼 수 있는 것은 아니다. '포스트'의 의미에 대해 정정호는 다음과 같이 설명한다.

> 70년대 이후는 포스트(post;후기/탈)라는 접두어가 유행처럼 쓰인 소위 포스트 증후군의 시대였다. 후기/탈 산업사회(postindustrial society), 후기/탈 역사(posthistory), 후기/탈 인본주의(posthumanism), 후기/탈 문명(post civilization), 후기/탈 문화(postculture), 후기/탈 철학적(postphilosophical), 후기/탈 동시대(postcontemporary), 후기탈 형식주의(postformaism), 후기/탈 비평(postcriticism), 후기/탈 남

---

21 Dirlik, Arif. "The Postcolonial Aura: Third World Criticism in the Age of Global Capitalism." Ed. Padmin Mongia. *Contemporary Postcolonial Theory: A Reader*(London: Arnold, 1996), 294-320.

성(postmale) 등 우리는 post-라는 접두어로 만들어지는 용어의 범람 속에서 살았다.[22]

의미를 더 확장하면, post는 시대적 개념으로 '이후'(after)라는 의미를 가지고 있고 '넘어섬'(beyond)이란 의미도 지닌다. 탈식민주의라는 용어는 식민지배 이후라는 의미와 함께 식민지배의 잔재를 청산하고 종속과 지배 관계의 종식을 의미한다. 이에 대해 박상기는 포스트콜로니얼리즘을 '후기 식민주의'라고 번역하는 것이 마땅하다고 주장하며 다음과 같이 설명한다.

> Post(-)colonialism이라는 단어는 식민 극복이 궁극적 목표이기 때문에 흔히 '탈식민주의'라고 번역하여 사용한다. 그러나 이런 미래의 목표 못지않게 중요한 것은 많은 식민지배를 겪은 국가들뿐만 아니라 그렇지 않았던 국가들까지도 잔모하메드가 말하는 새로운 형태의 "간접적 지배"를 받고 있는 것이 현실이다. 이런 까닭에 많은 비평가들은 "신식민주의"(neo-colonialism)나 "신제국주의"(neo-imperialism)라는 용어를 대신 사용하고 있다. 또한 문화적 영향력을 특별히 강조한 "문화적 제국주의"(cultural imperialism)라는 용어도 등장하였다. Neo-Marxism에서도 볼 수 있듯이 'neo-'라는 접두사를 사용할 경우에는 그 사상의 전통과 연관성을 강조한 것이다. 물론 이 경우에도 그 접두사가 새롭다는 의미를 갖기 때문에 어느 정도의 변형을 의미한다. 사실, poststructuralism은 흔히 "후기구조주의"로, postmodernism은 "포스트모더니즘"으로 번역된다. 이런 현상은 아마도 "구조주의"와

---

22 정정호, 『탈근대와 영문학』(서울: 태학사, 2004), 26.

는 달리 '모더니즘'은 의미상의 번역보다는 소리 나는 대로 번역되어 이미 오랫동안 사용되어 굳어진 데서 기인하는 것 같다. 현재 학계에서는 "제국주의"라는 용어와 더불어 이미 "식민주의"라는 용어가 통용되고 있다. 물론 이 두 용어들 간의 관계에 관해서도 상반되는 견해가 있다. 어쨌든 이미 "식민주의"라는 용어로 의미상으로 번역되어 사용되고 있는 상황에서 "후기구조주의"의 번역의 예를 따라 '후기식민주의'라 번역하여 사용하는 것이 마땅할 것이다. 물론 '후기식민주의'라는 용어도 문제가 있다. 후기구조주의 논쟁에서도 볼 수 있듯이, 'post-'라는 접두사는 단순히 시간적 개념은 아닌 것이다. 예를 들어, "후기구조주의적 경향"이 꼭 "구조주의적" 경향보다 시간상으로 후에 나타나는 것은 아니다. 오히려 그 접두사가 갖는 의미는 어떤 사고의 전통에 관한 이차적 개념의 성격이다. 그렇기 때문에 "후기구조주의"와 "포스트모더니즘"이 갖는 공통점은 둘 다 "구조주의"나 "모더니즘"이라는 전통의 지속적인 영향력과 이에 대한 극복의 양면성을 동시에 갖고 있는 것이다. 이런 까닭에 과거의 식민지배와 그 지배의 현재까지 지속되고 있는 영향력은 물론이고 "세계화 시대"에 나타나는 새로운 형태의 영향력과 그것의 극복을 과제로 한 양면성을 고려하여 만족스럽지는 않지만 "후기구조주의"의 번역 예를 따라 잠정적으로 "후기식민주의"라 번역하는 것이 바람직할 것 같다.[23]

박상기의 설명대로 포스트의 의미를 '이후'라고 설명하는 것은 독점자본주의 시대 서구와 비서구의 경제적 차이가 만연한 현실에서 볼 때 그것은 지나치게 단순한 시대적 구분에 지나지 않는다. '포스트'라는 접두어에서

---

23 박상기, 「바바의 후기식민주의」, 『비평과 이론』 3(1998. 5), 63-64.

유의할 점은 이것이 단순히 식민주의 시대나 후기 식민주의 시기를 구별하는 용어가 아니라 유럽의 식민주의 시대부터 독립을 쟁취한 이후 현재까지 제국주의로부터 영향을 받은 모든 문화적 노력을 지칭한다[24]는 것이다. 맥클린턱(Anne McClintock)도 『탈식민담론과 탈식민주의』(*Colonial Discourse and Postcolonial Theory: a Reader*)에서 이 용어가 식민주의/탈식민주의와 같은 권력축을 이분법적인 시간으로 이동하는 함정에 빠졌다고 설명한다.[25] 간과할 수 없는 점은 'post'라는 접두어가 식민주의를 벗어난다는 의미를 함축하고 있다는 사실이다. 그러므로 이 책에서는 'post'를 '넘어섬'의 의미로 사용하고자 한다.

식민통치 경험이 있는 국가들의 다양성을 고려할 때 '탈식민'이라는 개념을 획일적으로 포괄하는 것은 다양한 현실을 왜곡할 위험이 있다.[26] 권위주의적 남성제국주의 위계체제의 토대를 불안정하게 만든다는 점에서 탈식민주의는 여성으로서의 존재가치와 정체성을 구축할 수 있는 의미 있는 담론을 구성한다. 탈식민주의는 남성제국주의 위계질서하에서 종속적 위치에 있던 여성주체들이 남성우월적 지배권력에 저항하는 지배구조의 해체를 모색하고 그 지배구조에 저항한다는 점에서 제국주의 담론을 비판의 대상으로 삼는다. 탈식민론을 압축해서 표현한다면 식민지배의 필

---

24 Bill Ashcroft Gareth Griffithes and Helen. *The Empire Writes Back: Theory and Practice the Post-Colonial Literature.* (London: Routledge, 1995), 1-2.

25 Anne McClintock, "The Angel of Progress: Pitfall of the Term 'Postcolonialism'." *Colonial Discourse and Postcolonial Theory: a Reader*, Eds. Patrick William and Laura Chrisman(New York: Columbia UP, 1994), 291-304.

26 Anna Loomba, *Colonialism/Postcolonialism*(London: Routledge, 1998), 14-15.

연적 산물로 강권적, 권위주의적, 제국주의적 요소를 청산하고 새로운 탈식민성을 면밀히 읽어내고자 하는 문화적, 정치적 이론이라고 표현할 수 있다. 영은 포스트콜로니얼의 책무에 대해 다음과 같이 언급한다.

> 포스트식민 이론의 지적 책무는 항상 역동적인 이데올로기적·사회적 변혁의 창조에 기여하는 현실참여적인 이론적 노동의 새로운 형태들을 발전시키려고 애쓰는 일이 될 것이다. 그것의 목표는, 카르탈이 정의한 것처럼, 정치적 독립의 달성 후에 해방을 추구하는 것이다. 그것은 하나의 방향이 설정된 지적 생산이거니와, 이 지적 생산은 해방정치의 여러 다른 형태들과의 접합을 모색하고 공통의 목표들의 실현을 향해 서로 다른 유형의 작업을 종합하고자 한다. 그 공통목표에는 물질적·자연적·사회적·기술적 자원들에 평등하게 접근하는 일, 경제적이든 문화적이든 종교적이든 에스닉한 것이든 젠더화된 것이든 그 모든 지배형태들에 이의를 제기하는 일, 집단적 형태의 정치적·문화적 정체성들을 분명하게 형성하고 표명하는 일 등이 포함된다. 무엇보다도 포스트식민적 비판을 이끌고 있는 것은, 오늘의 세계에서 서로 다른 형태의 지적 참여와 행동주의 사이의 의미 있는 결속을 발전시킴으로써 포스트식민적 비판 분야 안에서 그리고 그 분야를 넘어서 효과적인 정치적 개입을 이루어 내는 것이 가능하다는 가정이다.[27]

식민지배는 고도의 폭력을 동원해 피식민자를 억압하였던 권위주의적 강권체제로 식민지 백성들에게 정치적 자유와 공간을 허용하지 않았고 이항

---

27 J. C. 로버트 영, 『포스트 식민주의 또는 트리컨티넨탈리즘』 김태현 역(서울: 박종철 출판사, 2005), 35-36.

대립적 도식으로 사회구조를 단순화하여 지배담론을 재생산하였다. 잔모
하메드(Abdul Janmohamed)가 서구 식민주의를 '물리적 실천'과 '담론
적 실천'으로 구분하면서 담론적 실천이 마니교의 이분법적 원리에 따라
작동한다고 지적한 것처럼, 식민주의는 흑백, 선악, 문명과 야망, 합리성
과 감성, 자아와 타자, 주체와 객체와 같은 상호교호적인 대립 체계로 구
분하고 있다.[28] 이러한 이분법적 구분은 서구 제국이 피지배 민족을 열등
한 민족으로 왜곡시켜 식민지배의 우월성과 정당성을 확보하기 위한 전략
이었다. 식민담론은 피지배민족이 서구 문명을 모방하고 추종해야 할 전
범으로 삼는 마니교도적인 구별에 토대를 두고 있다. 이와는 대조적으로
탈식민주의는 권위주의적 가치와 사고체계에 대한 비판과 더불어 젠더 이
데올로기, 인종차별, 계급차별과 타자에 대한 폭력적 관계를 고발하고 해
체한다는 점에서 비판적 함의를 포함한다.

탈식민론은 식민체제로부터의 벗어남, 식민지배의 봉건적 잔재 청산
과, 자유와 해방과 같은 정치적 주제뿐만 아니라 제국주의적 특성, 남성
제국주의 비판, 전지구적으로 직면한 문화현상 등 다양한 영역으로 그 범
위를 확장시킬 수 있다는 점에서 유효한 틀을 제공한다. 탈식민주의 이론
의 삼총사 중 가장 먼저 이 분야를 개척한 사이드는 푸코(Michelle
Foucault)의 권력, 담론 이론에 기초하여 서구 제국주의 담론을 비판적
시각으로 읽어내었다. 푸코는 담론을 분석하면서 담론이 저항의 출발점이
된다고 설명한다. 담론은 지배력에 대해 종속적인 것도 아니고 그것에 저

---

28 Abdul Janmohamed, "The Economy of Manichean Allegory: The Function of Racial
Difference in Colonialist Literature", *Critical Inquiry*, 12.1(Autumn 1985), 61.

항해서 구축된 것도 아니기 때문에 우리는 담론에 내재한 복잡하고 불안정한 과정을 고려해야 한다. 이러한 과정에서 담론은 지배의 수단이나 결과가 될 수도 있고 동시에 방해, 장애물, 저항의 장, 저항 전략의 출발점이 되기도 한다.[29] 담론 자체를 권력이라고 설명한 푸코는 『권력과 지식』 (*Power and Knowledge*)에서 권력이 어느 한 지점에 국한된 것이 아니라 인간사회와 물질세계의 전 영역에 걸쳐 작동하는 그물망으로 파악했다. 그는 파놉티콘이라는 감시 장치를 통해 권력이 작동하고 이를 통한 권력이 새로운 규율로 작동하는 현상을 제시하면서 권력의 일상적 작동과정을 설명하였다. 말하자면 탈구조주의적 담론과 권력은 분리될 수 없기 때문에 담론이 권력으로 작동한다는 것이다. 하지만 푸코의 담론 이론은 다음과 같은 문제점을 드러낸다.

　　푸코는 저항의 거점으로서의 (물질세계에 놓인) 신체를 말하면서도, 담론/권력과 동시적으로 작용하는 대항담론 및 저항력의 기제에 대해서는 잘 설명하지 않았다. 그것은 그가 근본적으로 행위자의 문제를 상술하지 않았기 때문이다. 그는 특히 사회적 공간 내에서의 권력과 저항력의 행위자들 간의 문화적 차이를 논하지 않았다. 푸코는 권력 행사 과정에서 그 같은 문화적 차이가 부인된다는 사실과, 그런 부인을 통한 권력행사가 필연적으로 분열되어 저항의 계기가 마련된다는 점을 설명하지 않았다. 지배적인 담론에 의한 권력행사는, 물질적으로 이질성을 지닌 피지배자의 문화적 차이에 의해 방해를 받음으

29　Michel Foucault(Robert Hurtley Tr), *History of Sexuality Vol 1: An introduction* (New York: Vintage Books, 1978), 100-01.

써, 이중적인 분열을 드러낸다.[30]

이처럼, 푸코는 담론이 일상적 생활의 모든 영역에서 작동된다고 설명함으로써 담론을 권력으로 분석했지만 권력행사에 대한 저항에 대해서는 구체적으로 언급하지 않았다. 푸코의 권력담론을 탈식민론에 접맥시킨 사이드는 이 분야에 새로운 패러다임을 구축하였다. 아랍 출신인 그는 팔레스타인 지역 예루살렘에서 태어났다. 탈식민주의 삼총사로 지칭되는 사이드, 바바, 스피박 세 사람 중에서 사이드는 탈식민주의 이론 분야의 선구자로 알려져 있다. 이스라엘의 건국과 더불어 난민이 된 사이드는 1948년 이집트로 이주하여 영국이 운영하는 식민지 학교에서 공부했다. 흥미로운 점은 사이드가 기독교인이지만 유대교를 신봉하는 이스라엘에 대해 반식민 투쟁에 앞장섰다는 사실이다. 『도전받는 오리엔탈리즘』에서 그는 왜 투쟁하는지에 대해 다음과 같이 자문한다.

> 늘 내 자리가 아닌 곳에 내가 위치해 있다는 불편감, 뭔가를 확실히 묘사하고자 하면 할수록 내 손에서 뭔가 빠져나가는 듯한 그런 느낌을 나는 떨쳐버릴 수 없다. ─나는 스스로에게 묻고 싶다. 왜 나는 단순한 출신배경을 가질 수 없었을까, 왜 이집트나 혹은 다른 지역에서든 한 곳에서 성장할 수 없었던 것일까? 시간이 흘러갈수록 나의 의식을 혼란스럽게 만든 것은 상호 양립 불가능한 영어와 아랍어의 관계에 기인한다. . . 나는 영국 학생과 동일하게 생각하도록 교육받

---

30 나병철, 『탈식민주의와 근대문학』(서울: 문예출판사, 2004), 48-49.

았고 동시에 유럽인과 태생이 다른 외국인이라는 정체성을 인정해야 한다고 교육받았다. 반면에 학교의 아랍선배들은 후배들에게 영국 사람을 동경하거나 모방하지 말라고 가르쳤다.[31]

이질적인 장소와 교육기관에서 교육을 받은 사이드는 정체성의 혼돈과 불안을 경험하며 어린 시절을 보냈다. 그 후로 미국으로 건너가 프린스턴 대학에서 영문학과 역사를 공부하고, 하버드에서 영문학으로 석사·박사학위를 취득했다. 그는 가장 영향력 있는 탈식민주의 이론가이며 문화비평가라고 평가되지만 제국의 중심부에서 제국주의를 비판하고 동시에 아랍 민족주의에 대해서도 신랄하게 비판적 입장을 취하기 때문에 제3세계로부터 다양한 의혹을 받고 있다. 그러나 제국의 중심지에서 활동하며 제국주의를 비판한다는 사실 때문에 그에게 의혹의 시선을 보내는 것은 지나친 오류라고 할 수 있다. 왜냐하면 앞서 언급한 대로 그가 비판적 지식인으로서 서구 중심부에서 반제국주의 이론을 전개하고 저항하는 것은 사이드의 복잡한 정체성, 주변부 타자성에 기인한다. 사이드는 『동양담론』에서 탈식민화를 위해 동양담론을 극복해야 한다는 논지를 전개하면서 저항을 암시하고 있는데 그는 동양담론을 극복할 수 있는 계기를 식민지 백성의 저항이 아니라 서양 문화권에 속한 지식인의 비판의식에서 찾고 있다는 사실이다.

사이드 자신도 "비평가의 임무는 이론에 대해 반대의 목소리를 내는 것이고, 역사적 현실과, 사회, 인간의 필요와 관심사를 향해 이론을 열어 두는 것"[32]이라고 언급한 것처럼 그는 피식민인의 저항보다는 지식인들의

---

31 에드워드 사이드, 『도전받는 오리엔탈리즘』, 성일권 역(서울: 김영사, 2001), 225-26.

비판의식에서 서구 중심적 동양담론을 극복해야 한다고 주장했던 것이다. 이와 같은 특수한 배경을 고려할 때 사이드가 타자에 대한 관심을 기울인 것은 충분히 이해할 수 있다. 사이드에 의하면 서구 중심적 가치가 서양은 우수하고 동양은 열등하다는 허위 이데올로기를 작동시켰는데 그것의 근본적인 유래는 서구의 시각으로 동양을 타자화한 『동양담론』에 기원을 두고 있다. 그는 동양담론이 동양과 서양 사이에서 만들어진 인식론적 자치에 근거한 사고방식으로 동양을 지배하고 재구성하여 동양을 위압하기 위한 서양의 방식[33]이라고 분석하면서 서양이 동양을 재현하면서 동양을 통제하고 재구성하고 지배하기 위한 방편, 환언하면 동양담론을 서구가 만들어진 이데올로기로 지칭할 수 있다.

> 동양담론이란 동양 곧 동양에 관계하는 방식으로, 서양인의 경험 속에 동양이 차지하는 특수한 위치에 근거하는 것이다. 동양은 단지 유럽에 인접된 것이 아니라, 유럽의 식민지 중에서 가장 광대하고 부유하며 오래된 식민지였고, 유럽의 문명과 언어의 기원이었으며, 유럽 문화의 경쟁자였고 또 유럽인이 마음 속 가장 심원한 곳으로부터 반복되어 나타난 타자의 이미지이기도 했다. 동양담론은 동양을 문화적으로 또는 이데올로기적으로 하나의 모습을 갖는 담론으로서 표현하고 재현한다. 그러한 담론은 제도, 어휘, 학문, 이미지, 주의, 나아가 식민지의 관료제도나 식민지적 스타일로 구성된다.

---

32 Edward, W. Said. *The World, the Text, and the Critic*(Cambridge: Harvard UP, 1983), 242.

33 Edward, W. Said, *Orientalism*(New York: Vintage, 1978), 3.

Orientalism, a way of coming to terms with the Orient that is
based on the Orient's special place in European Western
experience. The Orient is not only adjacent to Europe; it is also
the place of Europe's greatest and richest and oldest colonies, the
source of its civilizations and languages, its cultural contestants,
and one of its deepest and most recurring images of the Other.
[······] Orientalism expresses and represents that part culturally
and even ideologically as a mode of discourse with supporting
institutions, vocabulary, scholarship, imagery, doctrines, even
colonial bureaucracies and colonial styles.[34]

사이드에 따르면 동양담론[35]이란 서양인이 경험 속에 동양이 차지하는 특
수한 지위에 근거하는 것으로 서양이 스스로 동양과 대조적인 이미지, 관

---

34 Edward, W. Said, *Orientalaism*, 1-2.

35 사이드는 동양담론을 현실적으로 담론이 구성되는 외현적 동양담론과 인간의 무의
식 속에 잠재되어 있는 관념인 잠재적 동양담론으로 구분하여 사용한다. 그는 외현
적 동양담론과 잠재적 동양담론이 서로 갈등하는 양상을 보여주지만 외현적 동양담
론이 잠재적 동양담론이 옳음을 확인시켜주는 역할을 한다고 주장한다. 바바는 사
이드가 파고들지 않는 외현적 동양담론과 잠재적 동양담론의 불일치를 지적하면서
잠재적 동양담론이 외현적 동양담론에 의해 권위를 상실하게 됨을 밝힌다. 다시 말
해 무의식적 환상의 집적물인 잠재적 동양담론이 구체적인 역사과정에서 나타나는
동양의 모습(외현적 동양담론)에 의해 훼손될 뿐 아니라 피식민인을 지배하기 위해
만들어내는 우월한 지배자로서 식민지 지배자의 모습이 통일된 하나의 모습이 아니
라 상호 조화롭지 못한 여러 다양한 모습으로 재현될 때 그 각각의 모습이 충돌을
일으키면서 결국 식민지배자가 의도하는 지배적 권위가 위협받을 수밖에 없다고
주장하는 것이다. 고부응, 「에드워드 사이드와 탈식민주의 이론」, 『역사비평』 68
(2004): 369.

념, 성향, 경험을 갖는 것으로 정의할 수 있다. 그것은 단순히 상상에 그치는 것이 아니라 동양을 타자의 이미지, 문화적으로 또는 이데올로기로 하나의 실체를 갖는 담론으로서 표상한다(*Orientalism* 1-2). 푸코가 담론은 실제적 삶을 구성하고 변화시키는 강력한 조건으로, 모든 사회에서 담론은 생산되고 통제되고 선택, 배열된다[36]고 설명한 것처럼 서양중심적 지배담론은 동양 사회의 모든 영역, 모든 구성원들의 삶에 권력을 행사함으로써 동양을 지배하기 위한 왜곡된 논리에 불과하다. 이와 같이 동양담론은 서양이 동양을 지배하기 위해 상상 속에서 허구적으로 구성한 허위 이데올로기다. 문제는 동양담론이 동양을 억압하고 재구성하기 위한 이분법적 논리이며 서구 중심적 보편주의에 기반한 갈등의 시발점, 동양을 타자화하는 지배담론이라는 점이다. 중요한 것은 사이드가 동양담론을 극복하기 위한 저항의 지점을 식민지 백성의 저항적 측면보다는 서양중심적 담론의 정치적 동기를 밝혀냄으로써 서양의 식민담론을 비판할 수 있는 토대를 구성하였다는 사실, 또한 그가 서구 지식인의 비판의식에 천착하고 있다는 점이다. 사이드의 주장을 요약하면 동양담론은 서양이 식민지배를 정당화하기 위한 방편이며 동양을 위압하고 지배하기 위한 서양의 지식체계라고 할 수 있다. 로위(Lisa Lowe)는 『동양담론』에 대한 사이드의 설명은 모든 다양한 담론들이 고정될 수 없고 통일될 수도 없기 때문에 동양담론이 일관되게 작동하는 것처럼 설명하는 것은 지나치게 단선적이라고 비판한다.[37] 그럼에도 불구하고 사이드의 의미 있는 분석은 동양담론이

---

36 Michel Foucault, *The Archaeology of Knowledge and the Discourse on Language*(New York: Pantheon, 1972), 216.

서양이 동양을 부정적으로 정형화시켰다는 점을 밝혔다는 점에서, 그리고 동양담론에 대한 저항담론으로서 탈식민주의 이론을 면밀하게 구축하여 새로운 정체성 구축을 위한 대안을 제시하였다는 점에서 시사하는 바가 크다. 다시 말해 사이드가 개진하는 탈식민론은 서구적 시각에서 세계를 바라보는 것이 아니라 피지배자의 관점에서 역사를 보는 이론이라고 할 수 있다.

사이드의 '대위법적 조화'라는 것은 음악 용어를 사용하여 음악 악보를 읽을 때처럼 상이한 문화가 가진 표면적 요소와 이면적 요소를 읽어내는 방법이다. 이것을 탈식민 시각에 접목시킬 수 있다. 즉 이질적인 문화를 보유한 사회가 서로 조화로운 화음을 만들어내듯 문화적으로 서로 다른 두 문화 속에서 살고 있는 사람들 사이의 간극, 이질적인 두 집단 간의 역동적 상호작용은 서로에게 영향을 주어 전혀 새로운 형태의 대안적 정체성을 형성하여 상호공존적인 조화를 모색한다는 의미로 해석할 수 있다. 사이드의 『동양담론』은 담론이 권력이라는 점에서 푸코가 제시한 담론과 권력과 같은 맥락에서 설명할 수 있다. 사이드와 푸코의 차이점은 사이드가 제국과 식민지 관계를 설명하면서, 서구 중심적 가치체계인 동양담론을 문화적 권력으로 기능한다고 설명한다는 것이다. 사이드는 담론과 문화적 권력의 상호연관성을 제국주의와 식민지의 관계에서 찾아내어 동양담론이 학문으로서 작동하는 방식을 다음과 같이 밝힌다.

---

37 Lisa Lowe, *Critical Terrains: French and British Orientalism.* (Ithaca: Cornell UP, 1991), 8.

동양담론은 동양과 서양 사이에서 만들어지는 목적론적이자 인식론적인 구별에 근거한 사고방식이다. 따라서 시인, 소설가, 철학자, 정치학자, 경제학자, 식민제국의 관료를 비롯한 수많은 저술가들이 동양과 동양인, 동양의 풍습과 '정신' 운명 등에 대한 정밀한 이론, 서사, 소설, 사회적 설명, 정치론 등의 출발점으로서 동양과 서양이 서로 다르다는 점을 받아들였던 것이다. 이 점에서 동양담론은 심지어 아이스킬로스, 빅토르 위고, 단테, 칼 마르크스가 동양을 논할 때도 유용하게 수용되었던 것이다.

Orientalism is a style of thought based upon an ontological and epistemological distinction made between "the Orient" and (most of the time) "the Occident." Thus a very large mass of writers, among whom are poets, novelists, philosophers, political theorists, economists, and imperial administrators, have accepted the basic distinction between East and West as the starting point for elaborate theories, epics, novels, social descriptions, and political accounts concerning the Orient, its people, customs, "mind," destiny, and so on. *This* Orientalism can accommodate Aeschylus, say, and Victor Hugo, Dante and Karl Marx.[38]

사이드의 설명은 동양담론이 만들어낸 허구적인 지식체계가 동양을 열등한 타자로 인식하게 하는 담론을 형성하였다는 점에서 동양담론은 서양이 동양을 지배하기 위한 정치적 기획이라는 것이다. 푸코가 권력의 비가시

---

38 Edward Said, *Orientalism*, 2-3.

적인 작동을 분석하면서 "저항 없는 권력관계는 없다"[39]고 주장하였다면 사이드는 제국주의와 식민지 관계에 천착했다는 점에서 차이가 있다. 사이드의 『동양담론』은 그것을 지나치게 획일적, 단순도식적 발상인 것으로 환원적 논리라는 문제점을 노정한다.

아마드(Aijaz Ahmad)도 핵심적인 탈식민 이론가들이 제3세계 출신 지식인으로서 양가성, 혼종성과 같은 애매한 정체성에 특권을 부여하고 있다고 비판한다.[40] 이와 같은 맥락에서 사이드는 동양담론에 대한 저항을 외부에서, 즉 서구 문화권에 속한 지식인의 비판의식에서 찾고 있다는 점에서 한계가 있다. 동일한 맥락에서 사이드는 『문화와 제국주의』 (*Culture and Imperialism*)에서 탈식민화는 개인적 수준에서 자율성과 정체성을 형성하고 국가적 수준에서 배타적 민족주의의 경계를 넘어 다른 공동체의 문화를 존중해야 한다고 다음과 같이 주장한다.

그러므로 중요한 과제는 우리 시대의 새로운 경제학, 정치 사회적 이동과 형태들을 전 세계적 규모의 상호의존의 놀라운 현실과 연계시키는 것이다. 만약 일본, 동유럽, 이슬람 그리고 서구가 공통적인 것을 표현한다면, 그것은 새로운 비판 의식을 필요로 하고, 교육에 대한 수정된 태도에 의해서만 달성될 수 있다는 것이다. 그것은 단순히 학생들에게 스스로의 정체성, 역사, 전통, 독창성을 고집하도록 강요하는

---

39 Michel Foucault, *Power and Knowledge: Selected Interviews and Other Writings* 1972-1977. Ed. Colin Gordon(Brighton: Harvester, 1980), 142.

40 Aijaz Ahmad, "The Politics of Literary Postcoloniality," Ed. Padmin Mongia, *Contemporary Postcolonial Theory: A Reader*(London, Arnold, 1996), 284.

것은 아마 우선적으로 민주주의 체제를 유지하고, 하나의 확실하고 적합한 인간적 존재로 남을 수 있는 권리에 관한 기본적인 필수요소를 말하도록 하는 것일 수도 있다. 하지만 한걸음 더 나아가 이것들을 다른 정체성, 민족, 문화들의 지리학 속에 위치시키고, 그 후에 그들의 차이가 있음에도 불구하고, 그들이 어떻게 비위계 질서적 영향, 교차, 병합, 회상, 의도적 망각 그리고 물론 갈등을 통해 항상 서로 중복되었는가를 연구해볼 필요도 있다. 우리는 역사의 종말에 결코 가까이 접근하지 않았으나, 여전히 그 지점을 향한 독점적 태도로부터 자유로울 수 없다. 이와 같은 태도는 과거에는 별로 바람직하지 않았다. 분리주의적 정체성, 다문화주의, 소수 민족 담론의 정치학이 외치는 구호에도 불구하고 그랬다. 사실, 대부분의 국가적 교육 체계가 지금까지 꿈꾸어 보지 못한 방식으로 우리는 서로 뒤섞여 있다. 예술과 과학적 지식들을 이러한 통합적 현실과 연관시키는 것은 중요한 지적, 문화적 도전이라고 나는 생각한다.

The major task, then, is to match the new economic and socio-political dislocations and configurations of our time with the startling realities of human interdependence on a world scale. If the Japanese, East European, Islamic, and Western instances express anything in common, it is that a new critical consciousness is needed, and this can be achieved only by revised attitudes to education. Merely to urge students to insist on one's own identity, history, tradition, uniqueness may initially get them to name their basic requirements for democracy and for the right to an assured, decently humane existence. But we need to go on and to situate these in a geography of other identities, peoples, cultures, and then to study how, despite their differences, they have always overlapped one another, through unhierarchical influence, crossing, incorporation, recollection, deliberate forgetfulness, and, of course, conflict. We are nowhere near "the end of history," but we are still far from free from monopolizing attitudes toward it. These have not been much good in the past-notwithstanding the rallying cries of the politics of the separatist identity, multiculturalism, minority discourse-and the quicker we teach ourselves to find alternatives, the better and safer. The fact is, we are mixed in with one another in ways that most national systems of education have not dreamed of. To match knowledge in the arts and sciences with these integrative realities is, I believe, the intellectual and cultural challenge of moment.[41]

상호의존을 주창하는 탈식민 이론가 사이드의 문제의식은 다문화주의로 확장된다. 그것은 제국주의적 지배문화가 아닌 타문화에 대한 타협과 공존을 의미하기 때문이다. 상이하고 이질적인 주체들을 상호 인정하고 각 주체가 더 차이점과 이질성을 포용하는 원칙 위에서 상호공존적 가치[42]를

---

41 Edward W. Said, *Culture and Imperialism*(New York, Vintage Books, 1993), 330-31.

42 아피아(Kwame Anthony Appiah)는 문화 간의 만남을 충돌로 간주하지 않고 각각 다른 사람들이 서로를 이해하기 위한 지속적인 문화 교류의 필요성을 주장한다. 그는 『국제주의』(*Cosmopolitanism*)에서 사람들이 자기 자신의 사고의 틀과 도덕적 기준

으로 타문화를 바라볼 때 수많은 모순과 오류를 범할 수 있음을 철학적으로 고찰한다. 아피아는 이 책에서 지구촌 시대에 다른 사회와 다른 문화, 다른 지역에 살고 있는 타인들과의 교류는 불가피하며 우리 모두는 이방인에 대한 책무가 있으며 국적이나 지역, 민족, 종교를 넘어서서 국제주의 관점에서 세계를 바라볼 필요가 있다고 주장한다. 국제주의는 지역적 공동체나 문화를 완전히 배제하는 것이 아니라 지역적, 문화적 차이와 다양성을 포용하는 것을 의미한다. 그는 지난 수천 년 동안 지역의 주민으로 살아가면서 형성된 우리의 정신과 마음에 지구촌 민족(global tribe)으로 살아갈 수 있는 관념과 제도를 갖추어야 한다고 설명한다(Introduction Xiii). 그의 주장에서 흥미로운 점은 우리가 보편적인 인간의 삶뿐만 아니라 특수한 삶의 다양한 가치를 고려해야 하지만 우리가 이미 세계 민족이 되었다고 해서 우리가 나아가야 할 방향이 '세계화'(globalization)는 아니라고 주장한다. 왜냐하면 세계화는 한때 마케팅 전략이었고 경제의 한 주제였고 지금은 모든 것을 포괄하는 것처럼 보이지만 사실은 그것 때문에 그 어떤 것도 포괄하지 못하기 때문이라고 설명한다. 또한 국제주의는 지방인에 대한 우월감을 드러내는 용어가 될 수 있지만 이 말에는 확실한 생명력이 있다고 설명한다. "국제주의의 기원은 기원전 4세기 키니코스(Cynicos)학파로 거슬러 올라가는데 키니코스학파는 '국제시민'(Kosmopotés)이라는 표현을 최초로 사용했다. 이 용어는 역설적인 의미를 지녔는데 폴리테스(polités), 즉 시민은 충성을 맹세한 특정 폴리스에 속했고, 코스모스(Kosmos)는 지구라는 의미가 아니라 우주라는 의미에서 세계를 지칭했다. 따라서 국제주의는 본래 모든 시민들이 여러 공동체 중 한 공동체에 속해야 한다는 전통적인 관점을 거부했다"(Introduction xiv). 아피아는 '우리'와 '그들'을 구분하지 않는 정체성 윤리를 제시하면서 전지구적 책임과 지역적 차이를 존중할 것을 주장하면서 각 개인들 간의 대화를 통해 보다 계몽된 국제공동체 형성을 제시하는데 이것은 배타적인 지역적 공동체나 문화를 고집하는 '국제주의'가 아닌 다양한 문화적, 지역적 정체성을 존중하는 새로운 차원의 '국제주의' 건설을 말하고 있다. 그는 국제주의 형성을 위해서는 우리 모두가 최종적인 합의를 상정하지 말고 이웃이나 이방인 모든 사람과 대화해야 한다고 주장한다(44). 아피아는 타자의 정체성을 내 것보다 열등하다고 믿는 것은 서구가치관의 근본적인 믿음의 오류라고 지적한다. 그는 '차이에 대한 존중'이라는 시각에서 국제주의적 삶을 살기 위해서 가나의 아산티(Asante) 부족을 예로 든다. 한 선교사가 살균 처리되지 않은 우물들을 아산티 부족이 자신들의 아이들에게 먹이는 모습을 지켜온다. 아이들은 자주 설사를 하고 그 때문에 생명을 잃게 된다. 선교사는 물이 겉으로 보기에는 깨끗해도 물속에는 아이들을 병들게 하는 미생물이 있기 때문에 물을 끓여 먹으면 박테리아를 없앨 수 있다고 설명한다. 그러나 선교사의 과학적인 설명에도 불구하고 사람들은 아이들에게 오염된 물을 계속 먹인다. 이와 같은 상황에서 선교사

창출해야만 한다. 왜냐하면 타협과 공존 없이는 다문화주의의 발전을 기대하기는 어렵기 때문이다. 하지만 단순히 이질적 사회통합이 되어서는 안 될 것이다. 그리고 다문화주의의 목표는 사회통합은 아니기 때문이다. 다양한 문화 사이의 차이와 이질성, 특히 약한 이익들이 상대적으로 강한 이익에 매도되지 않고 그들의 목소리 표출이 가능하게 될 때, 영향력을 가진 집단이 영향력을 갖지 못한 약한 자들을 도울 수 있는 그런 삶이 이루어지는 것, 이것이야말로 탈식민론이 지향하는 가치와 부합될 것이다. 사이드가 저항의 계기를 피지배자보다는 서양의 지식인의 비판의식에 초점을 맞추면서 역사적, 사회적 문제를 폭로했고, 사이드의 이론이 바바의 핵심이론인 양가성과 문화적 혼종성에 영향을 미쳤다는 점에서 중요한 정치적 함의를 갖는다.

사이드의 이론을 확장한 바바는 양가성과 문화적 혼종성이라는 독특한 이론을 사용하여 식민권력의 지배에 대한 피식민자의 저항에 주목하여 식민담론의 양가성을 분석한다. 그는 탈식민 저항의 지점을 교섭과 식민지배자와 피지배자 간의 심리학적 접근을 통해 '교섭과 협상'이라는 피식

는 다른 해결책을 제시한다. 그는 물속에는 신령들이 존재하며, 물을 불 위에 올려놓으면 물을 끓일 때 기포를 볼 수 있고 이 기포가 아이들을 병들게 하는 신령들이라고 설명한다. 그리고 끓인 물은 신령들이 달아났기 때문에 마실 수가 있고 이제 아산티 부족의 아이들은 죽지 않는다는 점을 그들에게 제시한다(37-38). 즉 "믿음에 있어서도 우리는 우리 각자가 있는 곳에서 출발해야 한다"(38)고 아피아는 설득력 있게 주장한다. 결국 아피아가 말하고자 하는 것은 국제시민 상호 간의 이해, 다시 말해 차이에 대한 존중이라고 할 수 있다. 그의 기획은 공존적 삶과 다른 사람들에 대한 책임을 인정하고 대화와 발견을 통해 다양한 정체성 존중에 대해 깊게 사유하는 것이다. Kwame Anthony Appiah, *Cosmopolitanism*(New York: Norton), 2007.

민 주체의 시각이라는 의미 있는 개념을 제시한다.

내가 부정보다는 교섭에 대해 말하는 것은, 적대적이고 모순적인 요소들의 접합을 생각할 수 있는 시간성의 의미에 대해 전달하기 위해서이다. 시간성은 목적론적이거나 초월적 역사가 드러나지 않는 변증법이다. . . 이와 같은 담론적 시간성에서, 이론적 사건은 투쟁의 혼종적 위치와 목적을 열어주는 모순적, 적대적 문제들의 교섭, 그리고 지식과 지식의 대상, 이론과 실천적, 정치적 이성 간의 부정적 양극성을 무너뜨린다. 지금까지 내가 논의한 좌파/우파, 진보/보수반동이라는 미리 정해진 본원적인 분리에 반대해온 것은 단지 그들 간의 완전히 역사적이고 담론적인 차연을 강조하기 위한 것이었다. 나는 내가 말한 교섭의 개념이 노동조합주의적인 개혁주의와 혼돈되는 것을 바라지 않는다. 왜냐하면 그것은 나의 논쟁이 탐구하는 정치적 차원이 아니기 때문이다. 교섭을 통해, 나는 어떤 반복성의 구조에 주목하고자 하며, 지양이나 초월과 같은 합리성의 구원이 부재한 적대적, 대립적 요소들을 분명하게 하는 정치적 운동에 대해 말하고 싶다.

When I talk of *negotiation* rather than *negation*, it is to convey a temporality that makes it possible to conceive of the articulation of antagonistic or contradictory elements: a dialectic without the emergence of a teleological or transcendent History. . . In such a discursive temporality, the event of theory becomes the *negotiation* of contradictory and antagonistic instances that open up hybrid sites and objectives of struggle, and destroy those negative polarities between knowledge and its objects, and between theory and practical-political reason. If I have argued against a primordial and previsionary division of right or left, progressive or reactionary, it has been only to stress the fully historical and discursive *différance* between them. I would not like my notion of negotiation to be confused with some syndicalist sense of reformism because that is not the political level that is being explored here. By negotiation I attempt to draw attention to the structure of *iteration* which informs political movements that attempt to articulate antagonistic and oppositional elements without the redemptive rationality of sublation or transcendence.[43]

탈식민 저항 전략을 제시함과 아울러 탈식민 핵심 이론인 흉내 내기에 대해 바바는 다음과 같이 설명한다.

> 흉내 내기는 반어적인 타협을 나타낸다. [……] 식민적 흉내 내기는 거의 같으나 완전하게 비슷하지 않은 차이의 주체로서 개혁되고, 인식 가능한 타자에 대한 열망이다. 즉, 흉내 내기에 대한 담론은 양가성을 중심으로 구성된다. 이것[흉내 내기]이 효율적으로 작동되기 위해서는 흉내 내기는 끊임없이 미끄러짐, 그 초과, 그 차이를 생산해야 한다. 그와 같은 형태의 식민지적 담론의 권위는 내가 흉내 내기라고 부른 불확정성이라는 문제를 안고 있다. 바꿔 말해 흉내 내기는 그 자체가 부인의 과정인 차이의 표상으로 나타난다.

43　Homi K. Bhabha, *The Location of Culture*(London: Routledge, 2008), 37-38.

[M]imicry represents an ironic compromise. [……] colonial mimicry is the desire for a reformed, recognizable Other, as a subject of a difference that is almost the same, but not quite. Which is to say, that the discourse of mimicry is constructed around an ambivalence; in order to be effective, mimicry must continually produce its slippage, its excess, its difference. The authority of that mode of colonial discourse that I have called mimicry is therefore stricken by an indeterminacy: mimicry emerges as the representation of a difference that is itself a process of disavowal.[44]

바바는 제국주의 세력이 억압적 권력이기 때문에 식민지배 체제의 모든 폭력과 강권적 억압에 대한 탈식민화라는 문제의 해결을 단순히 폭력적 저항이나 폭력을 동원하고 사용하는 그런 대결구도를 추구하지 않고 흉내 내기를 통한 탈식민 저항을 모색한다. 흉내 내기는 탈식민 저항의 변화를 한층 정교하게 체계화시킨 이론적 논의라고 할 수 있는데 이것은 지배담론에 대한 전유의 표상이며, 서구 지배의 억압과 권력에 위협을 주는 차이와 저항의 비전유 기호이다. 다시 말해 바바 식의 탈식민 저항방식은 순수성이 아니라 보다 능동적인 저항이라 할 수 있는 문화적 혼종성의 주창이 개인의 정체성을 구축한다는 것이다. 서로 상극하는 지배체제와 피지배자 간에 발생하는 충돌, 지배와 종속이라는 대립구도에서 바바는 식민지배자와 피지배자 사이에 존재하는 갈등과 균열에 초점을 맞춘다. 파

---

44 Homi K. Bhabha, 122-23.

농(Frantz Fanon)이 흑인이 백인을 모방하기 위해 하얀 가면을 쓰고 있다고 전제한 것에 비해 바바는 저항전략을 지배와 저항을 양가적 틈새에 주목하여 탈식민 저항을 모색한다. 바바의 이론은 지배체제에 저항하고 지배구조를 해체하여 권력관계를 전복시키는 틀로서 문화적 혼종성으로 귀결된다. 그는 식민지배 구조가 갖는 지배담론에 대항하여 식민지배자에 대한 피지배자의 저항이라는 문제를 제기하면서 데리다(Jacques Derrida)의 '차연'[45]을 인용하였다. 즉 식민지배담론에 대한 저항담론의 형성 가능성과 그 과정의 역동성에 주목하여 지배담론과 피지배자의 이항대립적 구도로는 식민주의를 극복할 수 없다고 전제하면서 이질적이고 다양한 요소들이 교호와 상호작용을 통해 지배담론을 전복시킬 수 있는 문화적 교섭을 구성하는 지점을 상정한다. 문화적 교섭이란 이분법적 대립이나 배타

---

[45] 차연이란 동일성이 타자와의 관계(타자성) 속으로 미끄러짐으로써 끊임없이 운동하는 과정을 의미한다. 동일성을 멈추게 하는 것이 공식적인 체계(혹은 로고스적 공간)라면, 차연은 체계와 체계 사이의 공시-통시가 통합된 역사적 공간에서 운동한다. 나병철은 해체론에서 차연 개념을 다음과 같이 설명한다. 해체론의 '차연'은 개념을 만드는 차이 작용이 개념의 동일성을 연기하며 운동하는 미시 서사의 과정이다. 그것은 개념화 과정을 미학적으로(혹은 신비적으로) 부인하는 것이 아니며, 개념화 과정에는 항상 모순된 힘의 관계가 작용한다는 '인식'이다. 즉 개념화를 해체하는 차연은, 기존 체계 내부로 끌어들이는 개념화의 힘과 그것으로부터 이탈해 개념을 넘어서려는 힘의 관계를 드러낸다. 바로 그 같은 모순된 힘의 차이적 관계로부터 서사가 작동하기 시작하는 것이다. 또한 차연이라는 용어 역시 미학적 은유이기보다는 늘상 개념(그리고 체계)으로부터 이탈하려는 삶의 상태를 '인식'하려는 시도이다. 다시 말해, 그것은 개념을 넘어선 차원(미결정성)을 인식하려는 개념 아닌 개념이다. 즉 차연은 전통적 인식론의 헤게모니를 거부하는 동시에 그것으로 포착할 수 없는 불확정적인 삶의 공간을 탐색하는 것이다. 나병철, 『근대서사와 탈식민주의』(서울: 문예출판사, 2001), 49, 73. 이처럼 바바의 이론은 식민지배자가 피지배자를 종속시키는 대립을 넘어, 차이의 반작용에 의해 동일성의 미끄러짐과 분열의 틈새에서 주체적인 저항의 필요성을 강조한다.

적 관계를 넘어서서 경계선을 해체하고 이질적인 타자를 침투시켜, 타자와 상호작용하여 권력의 전복, 역동적인 작용이라고 할 수 있다. 다시 말해 바바는 피지배자의 저항이 아니라 식민지배체제에 내재하는 내적 균열에서 탈식민 저항을 모색한다. 바바의 논의에서 주목해야 할 것은 바바가 계급관계로 완전히 전유될 수 없는 물질적인 민족적(인종적) 문화에 근거한 정치학에 초점을 맞추고 있다는 점이다. 그는 탈식민주의를 마르크르주의적 유물변증법에 종속되지 않은 독자적인 영역으로 설정한 것이 바바의 공헌이라고 할 수 있다.[46] 또한 바바의 탈식민 이론은 혼종적 저항을 통해 계급문제나 식민문제를 넘어서는 문화 정치학에 대한 탈식민 서사라고 할 수 있다.

반면 바바 이론의 단점은 지나치게 지배/종속의 문화적, 담론적 영역에 천착함으로써 정치경제적 현실보다는 담론적 실천전략을 구사했다는 것이다. 탈식민주의가 담론적 실천이나 이론적 틀에 국한됨으로써 전지구적인 현실을 외면할 위험이 있다. 다시 말해 이론과 실천의 문제 사이의 괴리가 놓여있다. 그것은 탈식민주의가 갖는 문제와도 연관된다. 바꾸어 말하자면 탈식민주의는 서구 엘리트 계층이 기획하는 포스트모더니즘을 위한 이론으로, 서구 질서를 강화하는 역할에 머물거나 서구 이론의 지지 기반을 강화할 수 있는 위험성을 내포하고 있다.

탈식민론을 서구의 본질주의적 정체성 개념과 타자화에 대한 거부한 스피박은 남성과 여성관계에서 여성을 타자의 위치에 두고 남성제국주의

---

46 나병철, 『탈식민주의와 근대문학』, 11.

에 의해 왜곡된 제3세계 서발턴 여성들이 처한 상황에 주목하여 서발턴의 주체화 과정을 미시정치학의 관점에서 접근한다. 그가 식민지배자뿐만 아니라 같은 민족인 인도 남성들에 저항하여 여성의 목소리를 복원하려는 것은 이와 같은 배경에 기인한다. 서발턴의 주체구성과 관련하여 인도태생의 탈식민주의 이론가인 스피박은 제3세계 서발턴 여성들이 경험한 착취와 억압을 비판하면서 그들의 역사와 정체성에 천착하여 서발턴에 대한 문제를 다각도로 조명한다. 사이드가 『동양담론』에서 동양과 서양이라는 이항대립적 관계에 토대를 두고 서양이 동양을 타자의 자리에 위치시켰다고 설명했다면, 스피박은 인도 여성을 인도의 남성가부장제로부터 구원하겠다는 영제국주의에 대한 비판과 아울러 해체전략을 통해 인도 여성들의 삶을 억압한 식민지의 가부장제를 동시에 비판함으로써 제3세계의 여성들의 탈식민화를 위한 교두보를 구축하였다고 할 수 있다. 그는 탈식민주의 이론가로 제국주의에 의해 재현되었던 서발턴 여성들의 목소리를 회복하고 전제적 가부장제에 저항하고 도전하는 독립적 주체로서의 여성을 새롭게 제시한다.

주지하다시피, 페미니즘은 남성과 다른 여성적 차이, 문화와 인종 등 다양하게 존재하는 여성들의 가치에 주목하는 학문 영역이다. 페미니즘에 대해 컬러(Jonathan Culler)는 다음과 같이 언급한다.

> 페미니즘이 남성/여성의 대립과 서구 문화의 역사에서 남녀 대립과 관련된 대립을 해체하는 데 착수하는 한, 페미니즘은 후기구조주의의 또 다른 버전이다. 하지만 그것은 페미니즘 이론의 한 요소일 뿐, 페

미니즘은 통합된 하나의 학파라기보다는 사회적, 지적 운동이며 논쟁의 공간이다. 한편으로 페미니스트 이론가들은 여성의 정체성을 옹호하며, 여성의 권리를 요구하고, 여성의 체험에 대한 재현으로서 여성적 글쓰기를 격상시킨다. 다른 한편, 페미니스트들은 남성과 여성 사이의 대립에 의해 문화와 정체성을 조직하는 이성애 중심적인 모태를 이론적으로 비판한다. 일레인 쇼왈터는 남성적인 절차와 가정으로 된 페미니스트 비판을 여성 저자와 여성 체험의 재현에 관심을 두는 페미니스트 비평인 '여성비평'과 구별한다. 이 두 가지 비평양식은 영국과 미국에서 자주 '프랑스 페미니즘'이라고 불리는 것과는 반대적 비평양식이었다. 프랑스 페미니즘에서 '여성'은 가부장 담론의 개념, 가설, 구조를 전복하는 급진 세력을 상징한다.

In so far as feminism undertakes to deconstruct the opposition man/woman and the oppositions associated with it in the history of Western culture, it is a version of post-structuralism, but that is only one strand of feminism, which is less a unified school than a social and intellectual movement and a space of debate. On the one hand, feminist theorists champion the identity of women, demand rights for women, and promote women's writings as representations of the experience of women. On the other hand, feminists undertake a theoretical critique of the heterosexual matrix that organizes identities and cultures in terms of the opposition between man and woman. Elaine Showalter distinguishes 'the feminist critique' of male assumption and procedures from 'gynocriticism', a feminist criticism concerned with women authors and the representation of women's experience, Both of these modes have been opposed to what is sometimes called, in Britain and America, 'French feminism', where 'woman' comes to stand for any radical force that subverts the concepts, assumptions, and structures of patriarchal discourse.[47]

여기에서 페미니즘에 대한 논의를 페미니스트 문학비평으로 확장할 수 있다. 페미니즘 시각에서 볼 때, 페미니스트 문학비평은 남성중심의 위계질서와 문학비평을 벗어나 여성들이 자율적, 독립적, 주체적 존재로서 여성중심의 글쓰기를 통해 여성의 문학작품 창작 영역을 확장시킨 것이라고 할 수 있다. 윤호병은 페미니스트 비평에 대해 다음과 같이 설명한다.

> 페미니즘은 <여성학 gynesis> 연구에 역점을 두는 이론중심의 프랑스학파와 남성에 대립되는 혹은 남성과 대등한 <여성으로서의 역할>을 강조하는 실천중심의 미국학파로 대별된다. 전자의 경우는 후기구조주의 이후에 드러나는 급진적인 언어학 이론에 의해서 남성과 여성의 이원법을 떠나 이를 통합하는 여성으로서의 특성 ─ 여성은 여성일 뿐이지 남성에 대립되는 의미에서의 여성이 아니며 여성의 역할은 남성의 역할을 포함할 뿐만 아니라 남성이 할 수 없는 여성 고유의 역할, 예를 들면 출산활동 같은 것을 강조 ─ 을 언어, 철

---

47   Jonathan Culler, *Literary Theory: A Very Short Introduction*(Oxford: Oxford UP, 2000), 126-28.

학, 심리분석 및 다른 담화체계 내에서 새롭게 재정립하는 계기를 마련하였고, 후자의 경우는 여성의 전통적인 역사와 경험 및 그에 대한 분명한 표현을 강조함으로써 좌익비평, 흑인미학, 사회주의 리얼리즘 및 제3세계 여성운동과 밀접한 관계를 유지하였다. . . 페미니스트 문학비평은 남성이 주도해 온 가부장적 제도의 모순과 거기에서 비롯되는 여성에 대한 모순된 편견 제시, 여성중심의 문학관의 증진과 계발, 문학비평과 사회·정치·문화적 전후 상황과의 모색 등 세 분야로 구분된다. 성적인 특성보다는 성차별에, 전기적 요인보다는 사회적 요인에 중점을 두는 페미니스트 문학비평에서는 첫째, 여성보다 남성에 우위를 두는 성차별을 공격하였고, 둘째, 여성작가의 작품을 탐구하였으며, 셋째, 사회 심리론과 문화론에 근거하여 문학 이론을 집중적으로 연구하였다. 따라서 페미니스트 문학비평에서는 여성중심주의, 여권신장주의 및 여성해방운동에 남다른 관심을 보이게 되었다.[48]

여성의 목소리 회복이라는 맥락에서 탈식민 페미니즘은 탈식민주의와 페미니즘을 결합한 이론으로서 기존의 페미니즘에 대한 비판적 인식에서 형성된 것이다. 이것은 제국주의적 자본주의 가부장제에 저항함으로써 여성의 정체성 형성, 탈식민 여성이라는 새로운 문화정치에 천착하는 이론이다. 전통적인 페미니즘 이론에 대해 비판의식을 갖고 탈식민 페미니즘에 천착한 이론가로 제3세계 출신인 스피박을 들 수 있다. 스피박은 억압받는 제3세계 여성들의 삶에 주목하여 남성제국주의에 의해 타자화된 여성

---

48 윤호병, 『비교문학』(서울: 민음사, 1994), 214-15.

들의 성과 계급과 같은 서발턴의 정체성 구축과 관련된 문제를 포착해냄으로써 제3세계 여성들을 재현하고 정형화하는 식민주의적 사고체계에 대해 탈식민적 문제의식을 비판적으로 드러냈다. 그는 남성제국주의를 비판적으로 바라보면서 그것에 의해 재현되었던 서발턴 여성들의 정체성 구축을 새로운 각도로 조명하였던 것이다. 다시 말해 스피박은 서발턴 여성들을 남성제국주의 지배담론에 저항하는 역사적 주체로서의 서발턴 여성들의 정체성 문제에 천착한다. 스피박의 논지를 한마디로 요약하면 "탈식민 서발턴은 서구 백인 남성중심 사회의 해체되고 파편화된 주체들의 현란한 지적 유희를 넘어서서 새로운 사회와 인간을 창조하려는 주체"[49]라고 할 수 있다.

　　스피박이 돋보이는 것은 그가 제국주의 지배담론에 대한 저항담론으로 해체적 접근방식을 통해 남성제국주의 시각을 비판하면서 서발턴을 정치적 주체로 새롭게 구성하기 때문이다. 스피박의 논지는 타자와의 관계에서 모든 다양한 차이들을 이해하고 포월하여 남성제국주의 담론과는 전혀 새로운 차원에서 여성의 정체성을 구축하는 탈식민 저항이라고 할 수 있다. 스피박은 해체론자로서 제3세계 여성들이 제국주의 체제로부터 억압받을 뿐만 아니라 식민지 내부의 남성제국주의에 의해 이중으로 억압을 받고 있다는 사실을 통찰력 있게 분석했는데 그는 제국주의와 인도의 가장제하에서 억압당하는 인도 서발턴 여성들의 상황에 대해 과부 순장(殉葬) 관습(sati)를 예로 들어 설명한다. 「서발턴은 말할 수 있는가?」("Can

---

49　태혜숙, 『탈식민주의 페미니즘』(서울: 여이연, 2004), 124.

the subaltern speeak?")라는 자신의 논문에서 서발턴들의 피폐되고 억압적 삶을 드러낸다.[50] 이와 같은 스피박의 접근방식은 성이나 인종, 계급 문제로부터 야기된 제3세계 여성들의 정체성 찾기라는 문제를 통해 제3세계 여성문제를 대변하여 지배담론에 저항방식을 모색한다는 점에서 개인적 지평을 넘어 보다 넓은 지평의 확장, 서발턴에 대한 관심과 책무 같은 전지구적 문제에 대해 공통적인 인식을 갖고 있다. 그는 서구 중심적 지배담론에 대한 저항방식과 제3세계 여성들을 전유하고 배제하는 차이의 정치학 문제에 주목하여 전지구적 서발턴 여성들의 정체성과 역사를 주체적으로 조명하고 있다는 점에서 탈식민성을 구현하기 위한 담론적 실천을 이행하고 있다.

차이의 정치학이라는 것은 서구 백인여성과는 다른 제3세계 문화권 여성들의 정체성과 차이를 존중하기, 즉 주체성의 문제를 새로운 시각에서 재현하는 정치학을 의미한다. 스피박의 이론은 바바처럼 추상적 이론에 머물지 않고 인간주체의 재현에 천착한다는 점에서 의미심장하다. 바바가 양가성과 문화적 혼종성으로 지배와 저항을 설명하면서 지배자와 피지배자의 이분법적 대립구조를 넘어 다양한 문화적 교섭을 통해 지배와

---

50 고부응은 이 논문에서 스피박이 의도하는 것은 기본적으로 서구의 제3세계 담론 비판이라고 설명한다. 즉 서구의 이론틀을 갖춘 제3세계 출신 지식인이 제3세계 하층민과 어떤 관계를 설정하는 가의 문제라고 파악한다. 즉 스피박이 서구의 지배 담론이 비서구를 타자화시켜 제국주의 체제의 피식민인으로 구성하는 것과 마찬가지로 서구의 진보적 담론들도 비서구 세계를 타자화시키고 있다고 비판한다. "스피박에 의하면 권력 이론가인 푸코와 욕망 이론가인 들뢰즈의 결정적인 과오는 권력과 욕망에 관한 진보 담론이 피지배 계층을 구성하는 경제적 억압에 관심을 갖지 않는다고 것이다." 고부응, 『초민족 시대의 민족 정체성』, 19.

종속 관계를 포월하는 탈식민 전략을 모색했다면 스피박은 제3세계의 서발턴이 재현되는 타자의 윤리학에 초점을 맞춘다. 그의 주장의 핵심은 서발턴은 남성제국주의 담론에 의해 스스로 말할 수 없는 침묵당한 타자화된 존재이기 때문에 우리는 그들에게 말을 거는 방식을 배워야 한다는 것이다.

스피박은 제3세계 담론에 개입하는 서구 지배/종속담론 구성을 남성제국주의 기획이라고 전제하면서 그 담론 과정을 세밀하게 드러낸다. 그는 남성제국주의와 인도의 가부장제에 의해 성 차별51, 인종적 차별로 인

---

51 스피박은 현대 자본주의의 메커니즘에 대한 마르크스의 통찰을 수용하면서 동시에 계급을 중심으로 여성주체성이 다 설명되는 것처럼 슬쩍 넘어가 버리는 마르크스주의의 남성주의적 측면을 비판한다. 스피박은 마르크스주의가 갖는 이론적 가능성을 확대하기 위해 즉, 여성의 입장에서 마르크스주의의 페미니즘화를 모색한다. 현대의 마르크스주의자들 중에서 페미니즘에 큰 영향을 미친 이론가로는 알튀세르(Louis Pierre Althusser)와 그람시(Antonio Gramsci)를 들 수 있는데 스피박 역시 이들의 영향을 받았다. 특별히 스피박은 알튀세르보다는 그람시의 이데올로기론이 페미니즘에 초점을 맞춘다. 이데올로기의 영향아래 주체로 호명되는 개인이라는 알튀세르의 이데올로기 개념은 주체형성의 이데올로기적 과정을 밝혀주지만 주체의 생산적 측면을 간과하기 쉽다는 것이다. 이에 비해 그람시는 이데올로기를 상식과 철학의 두 층위로 구분하여 이미 사람들 마음속에 견고하게 자리를 잡고 있기 때문에 당연하게 여기는 상식 위에서 논리와 철학을 겸비한 새로운 세계관들이 경쟁한다고 본다. 그람시에게 이데올로기란 이런 경쟁의 산물이자 역사적 과정의 부분으로서 새로운 세계관들이 경쟁적으로 끼어드는 변혁의 장이다. 이와 같은 점에서 그람시의 이데올로기 개념은 알튀세르에 비해 더 유연하고 탄력적 개념이기 때문에 주체에 대한 새로운 이해와 페미니스트 주체의 생산에 도움이 된다. 다시 말해 그람시의 이데올로기는 개인 행위의 기초를 형성하면서 당대 대중의 의식을 현실적으로 반영하고 있는 개념들과 범주들이 지속적으로 경쟁하는 과정에서 치열한 헤게모니 싸움을 벌이는 생성의 지형(terrain)으로서 중요하다. 마르크스주의의 경제결정론과 계급본질론을 극복할 수 있다는 점에서 그람시의 이데올로기 개념을 페미니즘 입장에서 활용할 수 있다. 스피박은 여성억압의 특수성을 결정하는 성차별 이데올로기나 가

해 자신들의 목소리를 상실할 수밖에 없는 인도 여성을 재현한다. 이런 맥락에서 「서발턴은 말할 수 있는가?」라는 질문은 시사하는 바가 크다. 인도의 나이 어린 과부는 남편이 죽었을 때 자신의 의지와는 무관하게 남편을 화장하기 위해 쌓아둔 장작 속에서 고통스럽게 남편과 함께 죽어야만 한다. 스피박은 순사제도의 반인륜적이고 비윤리적 순사제도를 보여주면서 남성제국주의를 고발한다.

스피박의 글에서 주목해야 할 중요한 것 영국과 인도의 첨예하게 다른 관점이다. 영제국주의 시각에서 인도의 과부순장제도는 폐지되어야 할 악습이듯이, 과부순장제도는 영제국주의자나 스피박에게 제거해야 할 악습이다. 왜냐하면 과부순장제도는 인도 여성들이 거부할 인간의 기본적 권리문제이면서 남성중심적인 제도권 내에서 여성에 대한 부당한 성 차별이라는 점에서 부당하기 때문이다. 영제국주의는 인도 사회의 반인륜적, 비윤리적 관행으로부터 인도 여성을 구출하겠다는 제국주의적 사명을 외치며 인도 문화의 악습을 제거하기 위해 분신을 허용하지 않았다. 반면에 인도 남성들은 과부순장제도를 인도의 전통문화로 과부순장제도를 낭만

부장제 사회관계들에 대한 기존 페미니즘적 탐구를 수용하여 이데올로기를 자신의 페미니즘 이론의 구심점으로 삼는다. 동시에 가부장제 사회관계의 자본주의 체제와의 구체적인 여러 양상을 유물론적인 입장에서 해명하는 과제를 수행하려 한다. 여기서 스피박의 페미니즘은 여성적 섹슈얼리티나 여성적 글쓰기를 규정하는 토대로서 육아, 여성임금노동, 성별 노동분업 등이 중요한 개념으로 의미를 갖는다. 다시 말해 현대 자본주의 생산양식과 여성의 관계를, 자본주의 계급구조에서 여성이 차지하는 위상이라는 문제를 핵심 이슈로 제기하여 자본주의 생산양식의 일반적 작용과 연관된 여성억압의 특수성을 보여주는 섹슈얼리티 문제에 천착하여 여성주체성을 이해하려고 한다. 태혜숙, 74-76.

화하거나 전통관습으로 신비화하였다. 그런데 문제는 인도 여성이 순사하기로 결정하면 여성의 자유의지를 존중한다는 명목으로 제국주의자들은 이데 대해 심각한 비판을 가하지 않고 오히려 과부순장제도를 묵인했다는 점에서 드러난다. 그것은 영제국주의가 인도 남성들에게 제도권 내에 성적, 사회적 특권을 부여함으로써 식민 사회에서 성적, 사회적 분열을 초래하였다. 다시 말해 인도 남성들이 인도 여성들에 비해 성적, 계급적으로 지배적 위치에 있으나 제국주의 지배 구도 안에서 인도 남성들은 지배담론으로부터 자유로울 수 없음을 보여준다. 표면적으로 인도 여성의 해방이라는 구호를 외치지만 영제국주의는 성적, 사회적 이데올로기를 동원하여 반식민 저항을 부정하며 인도 사회와 인도인들을 역사의 밖으로 위치시킨다. 영제국주의는 인도 여성들을 구출한다는 명목 아래 인도 여성들을 재현하고 그들이 처한 위험에 대해 허구적인 수사학을 구사하면서 문화적 우월감을 표출하고 동시에 인도 여성들의 정체성을 위협하는 존재로서 인도 남성들과 공모함으로써 제국주의 지배를 강화한다. 그리하여 궁극적으로 인도 남성들과 여성들이 직면한 상황을 이용해 제국주의 지배를 확장, 가동시킨다는 점에서 제국주의 체제를 영속화시키고 제국주의 담론 기획을 더욱 공고화시킨다. 인도사회의 남성들과 여성들이 영제국주의에 의하여 착취되는 식민주의 타자라면, 인도의 전통 과부순장제도에 희생되는 인도 여성들은 인도 남성들의 폭력과 횡포에 억압당하는 이중적 타자로 존재한다. 더욱이 영제국주의자들이 인도의 과부순장제도를 옹호하는 인도의 남성제국주의자들과 은밀하게 공모하였다는 점을 고려할 때, 영국 제국주의가 가부장적 이데올로기와 협력했다는 혐의로부터 자유롭지 못하다.

스피박의 새로운 텍스트 읽기는 페미니스트 비평의 지평을 확장했다는 점에서 탈식민 페미니즘 분야의 선구적 역할을 담당하였다. 그는 남성 제국주의 이데올로기 중심으로 구축된 남성중심적 가치를 배제하고 그것에 의해 함몰되어 있는 여성들을 새로운 주체로 구성함으로써 제국주의 이데올로기를 비판함과 동시에 주체로서의 여성성을 회복할 수 있는 방향을 모색했다. 또한 스피박의 탈식민 페미니즘은 영미문학에서 다채롭고 풍요로운 접근을 할 수 있는 데 큰 역할을 담당했다는 점에서 획기적이다. 그는 샬럿 브론테(Charlotte Bronte)의 『제인 에어』를 탈식민 페미니즘 시각에서 남성제국주의 지배이데올로기와 여성의 종속이라는 이항대립적 대립구도를 벗어나 제국주의 이데올로기를 비판하며 또 이 소설이 어떻게 제국주의와 공모하는지 밝혀냈다. 이에 대해 조애리는 다음과 같이 설명한다.

> 브론테의 『제인 에어』(*Jane Eyre*)는 항상 페미니스트 비평의 중심에 있었다. 페미니즘 비평의 고전이 된 길버트(Sandra Gilbert)와 구바(Susan Gubar)의 『다락방의 미친 여자』(*Mad Woman in the Attic*)라는 제목은 바로 『제인 에어』의 극중 인물인 버사(Bertha)로부터 따온 것이다. 길버트와 구바는 19세기 영성 작가의 텍스트는 이중적이어서 사회적으로 받아들이기 더 힘든 의미를 담은 심층과 그것을 감추는 표층으로 되어 있고, 여성 작가는 이러한 이중적인 태도로 가부장적 문학적 기준에 순응하며 동시에 전복시킴으로써 여성의 문학적 권위

를 성취한다고 한다. 제인의 사회통합이 표층을 이룬다면 심층에는 음화적 텍스트로서 버사가 도사리고 있다는 것이다. 페미니스트 비평이 버사를 통해 표출되는 제인의 숨겨진 분노에 집중하는 반면 1980년대 중반 이후 탈식민주의 비평에서는 버사가 소설에서 사라지는 것에 관심을 둔다. 버사라는 인물을 제거하는 데 인종차별이 내포되어 있다는 것이다. 이러한 비평의 선두주자는 스피박이다. 스피박은 브론테가 제국주의 이데올로기와 공모하고 있다고 생각한다. . . 이 때 제국주의의 원리는 유럽인 외의 다른 인종을 문명화해야 한다고 생각하는 세인트 존이 대표하는 문명화의 임무다.[52]

빅토리아 시대 여성들은 남성제국주의적 젠더 이데올로기에 의해 여성의 영역인 가정에 한정된 삶을 살았다. 이런 이유에서 여성들은 '집안의 천사'나 가정성(domesticity), 순종과 같은 가부장적 지배논리나 가정 이데올로기에 의해 규정되었기 때문에 남성적 가치를 구현하거나 그 규범에 순응해야만 하는 침묵할 수밖에 없는 종속적 존재였다. 예를 들어 『제인 에어』에 등장하는 세인트 존(St. John)은 남성제국주의적 가치관과 가부장적 권위를 극명하게 드러내는 인물이라고 할 수 있다. 그는 제인에게 문명화의 사명이라는 대의명분으로 선교사의 아내가 될 것을 요구하며 청혼한다. 하지만 문명화를 위해 제인을 동참시키는 세인트 존의 제안은 표면적으로 그녀를 가정의 영역으로부터 해방시켜줄 수 있는 계기를 제공하는 것처럼 보이지만 기실 여성을 제국주의 경영과 제국의 확장에 끌어들임으

---

52 조애리, 「제국과 여성: 샬롯 브론테의 『제인 에어』」, 『페미니즘 시각에서 영미소설 읽기』(서울: 서울대학교 출판부, 2002), 109-10.

로써 제국을 확장하기 위한 교묘한 유혹에 불과하다. 같은 맥락에서 사이 드는 제인 오스틴의『맨스필드 파크』(*Mansfield Park*)에 나오는 안티구아 라는 장소가 차지하는 의미와 역할에 대해 다음과 같이 설명한다.

오스틴에 의하면 영국의 장소(맨스필드와 같은)가 아무리 고립되고 동떨어진 지역에 있다할지라도 그것을 유지하기 위해서는 해외재산 이 필요하다. 카리브에 있는 토마스 경의 재산은 노예 노동으로 운영 된 설탕 농장일 수밖에 없었다(노예 노동은 1830년에 폐지되었다). 이것은 진부한 역사적 사실이 아니라, 오스틴이 명확히 알고 있었듯 이, 분명한 역사적 현실이었다. 영불 간의 경쟁이 발생하기 이전에 서 구 제국(로마, 스페인, 포르투갈)은 명백한 특징을 가지고 있었다. 그 이전의 제국들은 콘라드가 언급했던 것처럼, 식민지 자체의 발전, 조 직 혹은 체제에 아무런 관심 없이, 단지 식민지에서 유럽으로 약탈한 물건과 보물을 싣고 오는 데에만 관심이 있었다. 프랑스는 자신들의 제국을 장기적으로 이윤을 추구한다는 점에서 지속적인 관심의 대상 으로 삼았다. 그리고 이와 같은 경쟁이 치열했던 곳이 바로 카리브의 식민지였다. 그곳에서는 노예 수송, 설탕 농장의 기능, 설탕 시장의 발전과 같은 문제가 지속적이고 경쟁적인 논란이 되었으며 보호주의, 독점, 가격과 같은 문제가 제기되었다.

According to Austen we are to conclude that no matter how isolated and insulated the English place(e.g., Mansfield Park), it requires overseas sustenance. Sir Thomas's property in the Carribean would have had to be a sugar plantation maintained by slave labor (not abolished until the 1830s): these are not dead historical facts but, as Austen certainly knew, evident historical realities. Before the Anglo-French competition the major distinguishing characteristic of Western empires (Roman, Spanish, and Portuguese) was that the earlier empires were bent on loot, as Conrad puts it, on the transport of treasure from the colonies to Europe, with very little attention to development, organization, or system within the colonies themselves; Britain and, to a lesser degree, France both wanted to make their empires long-term, profitable, ongoing concerns, and they competed in this enterprise, nowhere more so than in the colonies of the Caribbeans, where the transport of slaves, the function of large sugar plantations, and the development f sugar markets, which raised the issues of protectionism, monopolies, and price—all these were more or less constantly, competitively at issue.[53]

사이드가 설명한 것처럼, 영국의 해외 식민지 소유는 제국주의 팽창을 위한 주요한 원료공급지였다는 사실을 알 수 있다. 하지만 제인은 세인트존의 제국주의 기획과 청혼을 단호히 거절한다. 그것은 남성제국주의의 틀에 갇히지 않는 고유한 여성성을 지닌 자기 정체성이 강한 여성이라는 점에 기인한다.

---

53 Edward Said, *Culture and Imperialism*, 89-90.

당신은 제가 당신에게 불필요한 존재가 되는 데도 당신 곁에 남아있으리라고 생각하세요? 저를 자동인형이나 감정도 없는 기계라고 생각하시나요? 누가 제 입에서 빵을 빼앗아 가고 생명력이 있는 제 컵을 내동댕이쳐도 참아낼 것이라고 생각하시나요? 제가 가난하고 신분도 낮고 작고 못생겼기 때문에 영혼도 없고 감정도 없는 여자라고 생각하시나요? 당신은 잘못 생각하고 있어요!—저도 당신처럼 영혼을 소유하고 있고—게다가 당신처럼 풍부한 감정이 있는 여자랍니다!

Do you think I can stay to become nothing to you? Do you think I am an automaton?—a machine without feelings? and can bear to have my morsel of bread snatched from my lips, and my drop of living water dashed from my cup? Do you think, because I am poor, obscure, plain, and little, I am soulless and heartless? You think wrong!—I have as much soul as you,—and full as much heart![54]

세인트 존의 청혼을 단호히 거부하는 제인의 태도에서 알 수 있듯이 그녀의 거절은 제국주의적 지배 이데올로기에 대한 거절일 뿐 아니라 위계질서를 강요하는 가부장적 질서와 남성적 원리에 종속되는 여성의 틀을 넘어서려는 독립적 여성상을 함축한다. 탈식민주의 관점에서 스피박은 크리올(Creole) 출신의 버사 메이슨(Bertha Mason)을 비인간적인 타자나 광인(狂人)처럼 묘사한 것은 광기를 통해 남성제국주의 체계의 성적, 심리적

---

54 Charlotte Bronte, *Jane Eyre*(Harmonsworth: Penguin, 1966), 391.

억압구조를 해체하고 지배/피지배 관계를 전복시키기 위한 인물로 설명하고 있다. 이 점은 지금까지 간과했던 자본주의 팽창과 서구의 제국주의 억압과 착취를 드러내기 위한 것이라 하겠다.

이와 같은 맥락에서 스피박은 제국주의 담론과 가부장제의 공모가 식민지배체제를 공고화하고 타자화된 인도 여성들을 말할 수 없는 존재로 생산하였다는 점을 지적하면서 동시에 인도 여성들을 구출하겠다는 영제국주의의 허구적 수사학을 날카롭게 비판한다. 이를테면 식민지배담론은 제국주의에 의해 각인된 인도 여성들을 인도의 가부장제 사회구조를 통해 인도 여성을 다시 타자화함으로써 남성제국주의 지배를 강화하고 여성들의 정체성 형성을 근본적으로 가로막게 되는 것이다. 담론의 주체가 영제국주의든, 아니면 인도 가부장제든, 스피박이 천착하는 것은 남성제국주의를 폭로하고 불합리한 인도 가부장적 권위에 순응하기를 거부하는 데 있다. 가부장제에 저항하여 여성의 목소리를 내는 스피박의 작업은 필연적으로 인도의 남성제국주의적 문화와 충돌할 수밖에 없다. 그럼에도 불구하고 스피박은 주변부가 갖는 정치적 함의, 즉 제3세계 여성들에 대한 관심과 고민을 공명하고, 영제국주의가 갖는 보편주의적 오류를 지적하고 과부순장제도의 사회적 모순을 제시하여, 인도 여성들의 참상을 고발하는 탈식민 의제를 정교하게 다루었다. 이와 같은 점에서 그는 제3세계의 말할 수 없는 목소리를 이해하고 영제국주의 지배 이데올로기와 인도의 가부장제 이데올로기가 안고 있는 사회적 문제를 객관적으로 분석하는 성과를 거두었고 문학비평가로서 역사적 책무를 감당하였다고 말할 수 있다.

탈식민 기획이 백인남성중심 사회의 해체되고 파편화된 주체들의 현란한 지적 유희를 넘어서서 성, 계급, 인종적인 약자들이 이질적 타자로부터 자신의 주체성을 재확보함으로써 주체화를 이루는 탈식민 방식을 모색[55]이라고 할 때, 스피박은 제국주의 지배체제와 서발턴을 타자화하는 가부장제에 동화되지 않고 가부장제의 인식론적 폭력에 대해 저항한다. 그는 서발턴의 정체성에 대해 새로운 패러다임을 제시하여 제3세계 여성을 역사의 주체로 새롭게 인식하였다. 달리 표현하면 스피박은 전통을 고집하는 인도의 가부장제에 저항하여 여성들의 주체적인 목소리를 내는 과정에서 야기되는 충돌을 회피하지 않고 남성제국주의에 의해 구속되는 삶을 거부하고 침묵할 수밖에 없는 서발턴들의 현실을 여실히 드러낸다. 나아가 그는 인도 여성들이 처한 복합적 상황을 인도에 국한시키지 않고 성적, 인종적, 계급적 착취를 제3세계 여성들이 직면한 보편적 의제로 상정한다. 그것은 거창한 젠더 이데올로기적 구호가 아니라 여성들의 일상적인 삶을 보여주어 탈식민화를 모색하였다는 사실을 유의해야 한다.

이와 같은 측면에서 스피박의 탈식민론은 서발턴을 타자로 구성하면서 그들에게 가한 제국주의적 가부장제의 인식소적 폭력을 비판적으로 제시하고 제3세계 여성들의 탈식민화를 구현하기 위한 문화적, 이론적 토대를 구축하기 위한 다양한 방법과 인식틀을 제시한 이론가라고 할 수 있다. 남성제국주의는 물리적, 강압적 성격을 띠기 때문에 여성들에게 정치적 공간을 부여하지 않았다. 바꾸어 말하면 제국주의 지배체제는 압도적 폭력으로 식민지 종속민들을 강경하게 탄압함으로써 권력기반을 강화하게

---

55 태혜숙, 124.

되는 것이다. 같은 맥락에서 남성제국주의는 억압적 통치구조를 가진 권위주의적 지배체제이기 때문에 여성에 대한 지배는 여성들의 삶의 방식과 언어, 자율성, 문화적 순수성을 제한하거나 정체성을 왜곡시켰던 주요한 동인이다. 남성 지배자와 여성들 간의 관계를 통해 전제적 가부장제를 비판적으로 드러내고 식민이데올로기를 해체한다는 점에서 로렌스의 소설을 탈식민론에 접맥시킬 수 있다. 왜냐하면 이 작품은 남성제국주의 지배담론을 비판하면서 남성과 여성 사이의 문화적, 경제적, 차별적 위계질서와 갈등을 포착할 수 있는 텍스트이기 때문이다. 로렌스의 소설은 남성제국주의 지배의 역사적 사실을 확인시켜주면서 영국 중심적 패러다임을 해체하는 데 기여하였고 식민주의 문제에 대해 비판의 가능성을 새롭게 제시하고 다양한 탈식민 의제들을 제공하였다는 점에서 매우 의미심장한 탈식민 텍스트라고 할 수 있다. 그의 텍스트는 문학작품으로서의 가치를 담고 있는 것은 물론, 남녀 간의 갈등과 문제에 대한 유효한 해결방식을 모색함으로써 우리 사회, 특히 여성들이 직면한 다양한 문제를 축약하고 있다. 여성의 정체성이 취약해질 때 그것이 초래하는 부정적 결과는 사회의 불평등을 확대하고 인간공동체의 결속력을 약화시켜 남성제국주의적 지배를 강화할 수밖에 없게 된다. 앞서 언급한 것처럼, 로렌스의 소설은 추상적 담론이나 추상적 가치에서 벗어나, 여성들이 직면한 문제를 구체적으로 드러내면서 이를 통해 삶의 기회와 정체성 형성을 구축할 수 있는 괄목할 만한 해결방식을 제시하고 있다. 즉 폐쇄적 구조를 가지는 남성우월적 지배구조에서 로렌스의 소설이 여성들의 존재가치와 정체성을 구축할 수 있는 조건들을 모색하고 있다는 점을 강조하고 싶다.

III

『무지개』의 탈식민성

『사랑하는 여인들』과 더불어 로렌스의 최대 걸작인 『무지개』[56]는 산업화 과정에서 도시화 되어가는 농민들의 삶의 애환을 그리고 있다. 급격히 진행되는 산업화의 과정 속에서 시골에서 농장을 경영하는 브랭윈 가 (The Brangwens)의 삶과 의식의 변화와 함께 변화해 가는 동태적 남녀 관계와 사랑을 조명한다. 다시 말해 이 소설은 도시화와 도시로의 이주 과정 속에서 평범한 여성으로서의 삶을 거부하고 주체적이고 독립적인 정체성을 추구하는 여성들의 삶을 제시한 작품이다. 로렌스의 성숙한 사유가 반영된 『무지개』는 여성의 정체성 구축이라는 주제를 관통하면서 동시에 남녀관계에서의 여성의 존재와 정체성을 심각하게 위협하는 억압적인 남성제국주의적 사고방식에 대한 비판을 복합적으로 담아낸다. 남성중심적 사고에 대한 로렌스의 비판은 이상적인 남녀관계뿐만 아니라 여성들의 주체적 삶을 모색하려는 시도에서 비롯되었다고 할 수 있다.

이 장에서는 기존 논의를 비판적으로 검토하고 여성들의 삶과 정체성 형성이라는 주제를 중심으로 탈식민주의 시각에서 이 소설을 살펴볼 것이다. 이를 위해 남성우월주의에 대한 동기를 밝혀내고 식민주의에 대한 저항적 가치와 식민지 사회의 문제를 부정적으로 드러내고 있고 전제적 가부장제가 초래한 다양한 형태의 여성 억압론을 비판적으로 고찰할 수 있는 탈식민 텍스트로 중요한 통찰력을 제공한다.

전제적 가부장제는 식민제국주의체제가 구축해놓은 남성중심적 지배질서와 권력을 외표화시키고 남성가부장적 권위를 통해 여성의 삶을 통

---

56 이 책에서는 *The Rainbow*(Harmondsworth: Penguin. 1994)를 사용하며 본문 인용은 *RB*로 간략히 표기할 것이다.

제함으로써 그들의 정체성을 훼손시킨다. 그것은 여성들이 처한 다양한 문제를 남성중심적 틀 속에서 제국주의 세력의 문화적, 정치적 잔재의 조직화된 권력구조를 의미한다. 식민주의가 종식되었음에도 불구하고 강력한 정치문화로서 전제적 가부장제와 그 제도적 기반은 여성들의 정체성 형성에 지속적으로 부정적 영향을 미쳤던 것이다. 가부장제 정치문화는 남성권력을 체화하는 체계로서 남성을 사회조직의 최상층에 위치시킴으로써 여성의 자율성과 그들의 정체성을 구현하기보다는 남성중심적, 위계적으로 질서 지어진 구조에 절대적 복종을 강요한다.

우리가 『무지개』를 전제적 가부장제와의 충돌과 갈등을 일으키면서 강화되는 여성들의 정체성 형성이라는 시각, 바꾸어 말하면 가부장제에 대한 강한 반대시각으로 읽어내는 것은 그러한 목적이 있다고 하겠다. 이와 같은 목적은 여성의 존재에 대해 새로운 의미를 부여해줄 뿐만 아니라, 여성에 대한 과거와는 다른, 완전히 새롭게 여성존재를 인식하게 하고, 또 여성들의 삶을 재구성할 수 있는 이해의 지평을 확장할 수 있게 해주기 때문에 각별히 중요하다. 그것은 강력한 남성제국주의 체제가 존재하는 정치적 상황에서 이에 저항하는 강력한 저항담론이라는 시각에서 출발한다. 왜냐하면 제국주의적 헤게모니가 가장 강력하게 작동하는 영역은 여성에 대해 차별을 두는 전제적 가부장제 사회구조라고 할 수 있기 때문이다. 그런데 식민지배 담론, 전제적 가부장제와 남성중심의 젠더 이데올로기에 대한 문제를 보는 시각은 지배층의 시각만은 아니라는 것이다. 그것은 미시적 삶의 영역에 있어서 여성들에 대한 차별두기나 여성들의 정체성 형성에 대한 무관심과 같은 현실적 문제로 확장될 수 있는 것이다.

로렌스 소설에 등장하는 여성들이 전제적 가부장제와 남성우월주의에 의한 지배, 여성의 대상화를 넘어 주체적이고 독립적인 여성 정체성을 구축하기 위해 치열하게 투쟁하듯이, 로렌스는 『무지개』를 통해 구체적으로 성과 결혼의 문제, 세대 간의 갈등, 신여성이라는 이슈들과 더불어 여성들의 정체성 구축이라는 주제를 조명한다. 여성의 정체성 형성에 장애물인 전제적 가부장제의 근저에는 남성의 성적 우월의식, 여성들에 대한 타자화, 정형화와 같은 차별의식이 내포되어 있는 것이다. 그것은 피지배 종속민을 정당한 삶의 궤도에서 이탈하게 만드는 제국주의 지배체제의 지배방식과 동일하다. 환언하면 여성을 강압적, 물리적인 통제, 더 나아가 여성들의 의식을 식민화함으로써 가부장적 지배담론을 재현하는 방식으로 남성우월의식을 정당화하고 가부장체제를 효과적으로 이행할 수 있는 강력한 동인으로 작동한다. 이와 같은 전제적 남성우월주의는 제국주의 문화적 담론을 재구성하며 남녀 간의 차별적 관계를 더욱 심화시킬 수 있는 위험이 있다.

성을 상품화 하는 시대에 로렌스의 『무지개』는 이상적인 남녀관계와 신비롭고 아름다운 성에 대한 의미를 성찰하기 때문에 시사하는 바가 크다. 전술한 바와 같이 로렌스는 '별들의 균형' 관계처럼 상대에게 자신의 의지를 강요하거나 예속하지 않고, 상호존중을 통한 균형을 통한 이상적 남녀관계를 추구한 것처럼 『무지개』에서 남성의 지배도구로서의 여성의 역할에 함몰되지 않는 주체적이고 독립적인 여성의 삶과 정체성을 구현하고자 한다. 자연과 주어진 삶에 만족하며 살아가는 남성들과 달리 브랭윈 가문의 여성들은 보다 높은 이상적 삶을 추구한다.

로렌스는 상호 간의 주체적 독립성을 인정하는 톰과 리디아의 관계를 통해 바람직한 남녀관계를 상정하면서 이것을 인간의 구원 문제로 확장시키고 있다. 리비스(F. R. Leavis)는 이 소설의 주제를 인간의 구원의 문제라고 설명한다.[57] 인간의 구원이라는 맥락에서 허프(Graham Hough)도 "이 소설의 제목이 무지개라는 것에 초점을 맞출 필요가 있다. 그 이유는 무지개가 이 소설의 시작과 마지막의 상징이기 때문이라고 지적하고 있다."[58]

구약에서 최초로 언급되는 무지개의 출현과 구원은 성경적 배경에 근거한다. 창세기 말씀에 의하면, 인간의 죄와 성적인 타락이 관영하고 윤리가 무너지게 되자 창조주 하나님께서 인류를 심판하시기로 작정하셨다. 하나님의 심판은 의로운 자와 불의한 자를 구분하여 전자에게는 멸망을 후자에게는 구원하시는 역사를 의미한다. 역사적 사실로서 노아(Noah)의 방주와 구원의 관계는, 패역한 사회 속에서 하나님을 믿고 경건한 삶을 사는 자들은 하나님의 은혜로 구원을 받지만 회개치 않고 끝까지 구원을 거부하는 자들에게는 형벌이 내려지게 된다는 것이다. 하나님의 말씀에 순종한 노아는 하나님의 완전하시고 치밀한 구원 계획, 긍휼하심과 은혜로 구원을 얻게 된다. 40일간 지속되는 심판의 홍수에 대비해 방주를 만들라는 하나님의 말씀에 순종한 노아와 그의 가족들은 방주를 짓고 방주 안에서 1년 17일을 지낸다. 노아는 방주 안에서도 변함없이 하나님을 경

---

57 F. R. Leavis, *D. H. Lawrence: Novelist*(Harmondsworth: Penguin Books, 1981), 177.

58 Graham Hough, *The Dark Sun*(Duckworth: Compton Printing Ltd, 1975), 59.

외하고 그 분께 순종하고 예배드린다.

방주에서 나온 노아와 가족들은 하나님께서 구원해 주신 은혜에 감격하여 감사와 찬양을 드렸다. 홍수 후에 하나님께서는 노아와 그 아들들을 축복하시고 다시는 홍수로 인류를 심판하시지 않겠다고 약속하신다. 왜냐하면 죄로 인해 타락한 인간이 범죄할 때마다 창조주께서 심판하신다면 살아남을 사람은 단 한 명도 없기 때문이다. 그래서 하나님은 무지개를 구름 속에 두셔서 무지개가 나타날 때마다 그것을 보시고 인간을 물로 심판하시지 않겠다고 약속하신다. 노아와 그 자손들 그리고 모든 피조물에게 이르기까지 이 약속을 적용하신다. 하나님의 긍휼과 은혜 아래 있을 경우에 인간은 구원을 받지만 창조주의 섭리를 거부하고 죄와 더불어 타락한 삶을 살아갈 때 그 인생은 심판의 대상이 되어 구원을 받지 못한다는 말씀이다. 하지만 구약의 노아가 구원을 받은 것과는 달리 톰(Tom Brangwen)은 산업화의 상징으로서 마쉬 농장에 침투하여 농장의 둑을 무너뜨리는 홍수에 휩쓸려 익사하게 되는데 이것은 남성중심의 가부장체제의 몰락을 상징적으로 보여주는 것이라 하겠다. 로렌스는 이 소설을 통해 이념의 여성화를 역설하며 남성 지배세계의 몰락은 여성의 창조적 힘을 수혈 받아 새로운 평화의 공간인 무지개를 세워야 한다고 믿고 있다.[59]

구원이라는 주제와 관련하여 브랭윈 가문이 살고 있는 마쉬 농장(Marsh Farm)은 하늘과 땅 사이의 경계지점인 지평선과 그 너머 2마일

---

59 박창도, 「로렌스 소설의 여성들」, 『D. H. 로렌스 연구』 창간호(한국로렌스학회, 1991), 78.

떨어진 교회 첨탑이 보이는 곳에 위치하고 있다. 창조주 하나님께서 인간들을 위해 직접 만드신 에덴동산이 인간의 상상을 초월하는 아름다운 곳이었던 것처럼 이 소설의 첫 번째 배경이 마쉬 농장은 '즐거움'을 의미하는 에덴동산을 연상시킨다.

브랭윈 가의 사람들은 여러 세대 동안 마쉬 농장에서 살았다. 초원에서는 에레워시 강이 오리나무 사이로 굽이쳐 흘러 더비셔 군과 노팅엄셔 군을 경계 지었다. 2마일 떨어진 교회 탑이 우뚝 솟아 있고, 그 언덕 꼭대기까지 읍내의 집들이 모여 있었다. 브랭윈 집안사람이 밭에서 하던 일을 멈추고 고개를 돌리면, 으레 텅 빈 하늘 아래 일커스턴 교회 탑을 볼 수 있었다. 지평선 쪽으로 몸을 돌리면 멀리 머리 너머 무엇인가 솟아 있다는 것을 인식하고 있었다.

The Brangwens had lived for generations on the Marsh Farm, in the meadows where the Erewash twisted sluggishly through alder trees, separating Derbyshire from Nottinghamshire. Two miles away, a church-tower stood on a hill, the houses of the little country town climbing assiduously up to it. Whenever one of the Brangwens in the fields lifted his head from his work, he saw the church-tower at Ilkston in the empty sky. So that as he turned again to the horizontal land, he was aware of something standing above him and beyond him in the distance. (*RB* 9)

전술한 바와 같이 『무지개』는 급격하게 변화하는 산업화의 이행 과정 속에서 1820년대부터 20세기 초까지 산업화 과정 속에서 살아가는 사람들의 삶과 산업화가 야기한 농촌 사회의 붕괴를 섬세하게 묘사하고 있다.

브랭윈 집안은 그들의 토지에 운하가 개통되어 상당한 보상을 받았다. 그리고 얼마 지나지 않아 운하 건너편에 탄광이 개발되었다. 그 후 얼마 안 되어 미들랜드 철도가 일커스턴 언덕 기슭의 계곡까지 들어왔다. 그렇게 외부 세력의 침입은 완벽했다. 읍내는 급속하게 성장했고, 브랭윈 집안은 그들이 생산한 약식을 공급하느라 무척이나 바빴다. 그들은 더욱 부유해졌고 거의 장사꾼이 되었다.

The Brangwens received a fair sum of money from this trespass across their land. Then, a short time afterward, a colliery was sunk on the other side of the canal, and in a while the Midland Railway came down the valley at the foot of the Ilkeston hill, and the invasion was complete. The town grew rapidly, the Brangwens were kept busy producing supplies, they became richer, they were almost tradesman. (*RB* 13)

이처럼 농촌 사회에서 도시로의 이주는 브랭윈 가에 속한 가족공동체 구성원들의 의식의 변화를 초래한다. 특히 브랭윈 가의 여성들은 남자들과 달리, 가사나 농장에서 노동력을 공급하는 역할에서 벗어나 자신의 존재가치와 자아를 실현하기 위해 의식의 변화와 주체적인 여성 정체성을 모색한다.

브랭윈 가의 남자들은 자신들에게 주어진 삶의 환경에 만족하며 안으로 넘쳐흐르는 창조적 생명을 응시하지만(*RB* 9) 이 집안의 여성들은 남성들에게 예속되는 현실을 벗어나 보다 더 크고 새로운 세계를 갈망하며 의식의 자유를 꿈꾼다.

여자들은 달랐다. 젖을 빠는 송아지들, 떼를 지어 몰려다니는 암탉들, 목구멍에 모이를 밀어 넣을 때 손에서 펄떡거리는 어린 거위 등 그들에게도 뜨거운 피의 친교에서 나오는 나른함이 있었다. 하지만 여자들은 농장생활의 뜨겁고 맹목적인 교섭으로부터 저 너머 언급되는 세계의 입과 정신을 의식하고 있었고, 멀리서 드리는 소리를 들으며 그것을 듣기 위해 귀를 기울였다. . . 하지만 여자는 이것과는 뭔가 다른 형태의 삶을 소망했다. 그것은 피의 친교와는 다른 것이었다. . . 여자는 일어서서, 도시와 관청이 들어서 있고 남자들의 활동이 영역이라 할 수 있는 저 먼 세계를 바라보았다. 그곳은 마술의 세계로, 온갖 다양한 비밀이 누설되고 욕망이 성취되는 곳처럼 보였다. 여자는 바깥을 향하고 있었는데 그곳에서 남자들은 맥박의 고동처럼 생식의 열정에 등을 돌리고, 권력을 쥐고 창의적으로 움직였다. 그것은 생식의 열정을 뒤에 남긴 채, 그들의 시야와 범위와 자유를 확장하기 위해 길을 떠나는 것이었다. 이와는 대조적으로 브랭윈 가의 남자들은 생식의 충만한 삶을 향하여 내부로 고개를 돌렸으며, 그 삶은 그대로 그들의 혈관 속으로 흘러들었다.

The women were different. On them too was the drowse of blood-intimacy, calves sucking and hens running together in droves, and young geese palpitating in the hand whilst food was pushed down their throttle. But the women looked out from the heated, blind intercourse of farm-life, to the spoken world beyond. They were aware of the lips and the mind of the world speaking and giving utterance, they heard the sound in the distance, and they strained to listen. . . But the woman wanted another form of life than this, something that was not blood-intimacy. . . She stood to see the far-off world of cities and governments and the active scope of man, the magic land to her, where secrets were made known and desires fulfilled. She faced outwards to where men moved dominant and creative, having turned their back on the pulsing heat of creation, and with this behind them, were set out to discover what was beyond, to enlarge their own scope and range and freedom; whereas the Brangwen men faced inwards to the teeming life of creation, which poured unresolved into their veins. (*RB* 10-11)

현실에 만족하며 살아가는 인습적이며 가부장적 문화를 고수하는 브랭윈 가의 남성들과 남성의 보조자 역할을 넘어 자신들의 정체성을 새롭게 구성하고 정체성을 획득하려는 여성들의 사고방식은 완전히 대조적이다. 브랭윈 가의 여성들은 기존의 남성중심적 가부장적 권위주의에 함몰되지 않는 독립적, 주체적 존재로서의 새로운 삶과 자유를 적극적으로 사고하고 남성제국주의 담론이 내재화한 왜곡된 젠더 이데올로기를 해체한다는 점에서 여성해방적 임무를 띠고 있다고 할 수 있다.

여자는 집 앞에 서서 남자들이 활동하는 세계를 전체적으로 조망하였고, 한편 남편은 뒷마당에서 하늘과 추수와 짐승과 토지 쪽으로 눈을 향했다. 아내는 남자들이 지식을 향해 투쟁하면서 그들이 성취한 것을 보기 위해 애썼고, 정복의 이야기를 듣기 위해 그에게 귀를 기울였다. 아내의 깊은 욕망은 미지의 세계의 가장자리에서 벌어지고 있는 전장에 가 있었다. 전장에서 벌어지는 처절한 소리가 멀리서 들려왔다. 아내는 전쟁에 대해 알기를 원했을 뿐만 아니라, 그 전쟁에 직접 참여하고 싶었다.

Looking out, as she must, from the front of her house towards the activity of man in the world at large, whilst her husband looked out to the back at sky and harvest and beast and land, she strained het eyes to see what man had done in fighting outwards to knowledge, she strained to hear how he uttered himself in his conquest, her deepest desire hung on the battle that she heard, far off, being waged on the edge of the unknown. She also wanted to know, and to be of the fighting host. (*RB* 11)

위의 인용문에서 알 수 있듯이, 로렌스는 남자들과 상반된 긴장관계를 유지하는 여성들의 욕구를 제시하는데 이것은 여성들이 어떻게 자기들의 취약한 정체성을 주체적으로 만들어가느냐 하는 과정의 치열함과 목적, 의도를 반영하고 있다. 이것은 이후 전개될 미지의 세계로 나아가는 여성들의 주체적 삶의 과정과 그들이 겪게 될 삶의 질고를 예견한다. 여성들의 정체성은 남성들과의 관계라는 외적 조건에서 여성의 자아실현을 강화하는 이데올로기적 기제로서 작동될 수 있기 때문에 그것은 여성들의 정체성이 실현될 강력한 잠재력과 계기를 만들게 됨으로써 정체성을 구축하지 않으면 안 되는 절실한 동기에서 나타난 구상이라 하겠다. 이런 관점에서 보다 더 중요한 것은 남녀쌍방의 끊임없는 대립 속에서 대립 그 자체를 위해서가 아니라 이상적인 남녀관계라는 삶의 존재양식과 균형의식을 획득하는 것이다. 많은 비평가들이 이 소설을 주제를 인간의 구원의 시각에서 읽는 것과 다르게 『무지개』를 탈식민적 시각, 남성제국주의에 대한 저항, 여성들의 삶의 존재방식, 여성 정체성 형성이라는 측면에서 읽어낼 수 있는 것도 그러한 이유에서이다.

전술한 바와 같이, 『무지개』의 첫 장면에서 로렌스는 현실에 안주하는 남성들과 달리 현실의 삶을 벗어나기 위해 몸부림치는 브랭윈 집안의 여성들을 보여줌으로써 그들의 정체성 추구 과정을 표면화시키고 있다. 로렌스는 브랭윈 가의 여성이 응시하는 세계를 남성들이 지배적이고 창조적인 활동을 하는 세계, 그리고 고동치는 창조적 열정으로 그 너머를 탐구하며 자기들의 활동범위와 자유를 확장하기 위해 여행을 떠나는 세계로 묘사한다(*RB* 11). 산업화와 기계문명은 마쉬 농장 구성원들의 관계에도 상당한 변화를 가져와 정적인 인간관계를 단절시키게 될 것을 보여준다.

브랭윈 집안사람들은 그들 주위에 변화가 일어나자 모두 놀랐다. 그들의 농토 한가운데로 운하가 건설되자 그들은 낯선 지역에 사는 것 같은 착각이 들었다. 흙으로 조잡하게 쌓아올린 운하의 둑이 그들을 외부 세계와 단절시키자 그들은 불안감을 느끼게 되었다. 들에서 일을 하다가 이제는 그 소리에 익숙해졌지만, 둑 너머로부터 들려오는 기차의 엔진소리를 들었을 때, 깜짝 놀랐다. 그 후에는 마치 최면제처럼 두뇌에 되새겨졌다. 그리고 기차의 기적 소리가 가슴 속에 메아리치면 멀리 떨어진 세계가 가까이 그리고 임박해진 것처럼 느껴 두려움과 즐거움이 교차하면서 가슴에 메아리쳤다.

The building of a canal across their land made them strangers in their own place, this raw bank of earth shutting them off disconcerted them. As they worked in the fields, from beyond the now familiar embankment came the rhythmic run of the winding engines, startling at first, but afterwards a narcotic to the brain. Then the shrill whistle of the trains re-echoed through the heart, with fearsome pleasure, announcing the far-off come near and imminent. (*RB* 14)

인간의 존재가치와 인간성 회복에 천착하는 로렌스는 산업화의 영향에 대해 비판적인 시각을 표출하고 있는데 그것은 단순히 산업화와 기계화에 대한 비판을 구성함과 더불어 새로운 각도에서 인간성과 공동체의 붕괴에 대한 경고라고 할 수 있다. 다시 말해 작가는 인간주체의 가치와 기계 사이의 간극을 명확히 대조시켜 물질문명의 부정적 효과를 드러낸다. 이때 산업화는 역사적 사실로서 인간성을 대신하는 물질과 기계의 힘을 구성하는 반면, 개별적 인간주체는 산업화가 야기한 파괴적 영향력 때문에 파편화되어 무력해질 수밖에 없게 된다. 즉 산업화와 기계에 의해 타자화, 식민화되는 인간주체, 물질문명에 의해 지워진 존재로의 전락하게 되는 개별주체를 암시한다.

　　이 마을 농부들은 읍내에서 집으로 마차를 타고 오다가 검은 석탄 가루를 뒤집어쓰고 터벅터벅 걸어오는 광부들과 마주쳤다. 농부들이 추수할 시기가 되면 서풍이 불어 석탄 찌꺼기가 타는 유황 냄새를 풍겼다. 11월에 무를 뽑는 시기가 되면, 빈 화차가 철로 위를 달려가면서 땡그랑 땡그랑 소리를 냈다. 이 소리가 농부들의 가슴에 와닿자 저 너머에 또 다른 활동이 펼쳐진다는 사실을 깨닫게 되었다.

　　As they drove home from town, the farmers of the land met the blackened colliers trooping from the pit-mouth. As they gathered the harvest, the west wind brought a faint, sulphurous smell of pit-refuse burning. As they pulled the turnips on November, the sharp clink-clink-clink-clink-clink of empty trucks shunting on the line, vibrated in their hearts with the fact of other activity going on beyond them. (*RB* 14)

이 소설의 첫 세대인 탄광경영주 톰 브랭윈은 창세기에 등장하는 노아처럼 브랭윈 집안을 이끌어나가는 부족장이다. 브랭윈 집안은 아들 넷과 딸

둘이 있었는데 톰은 막내로 태어났다. 그는 정서적으로 주위 환경에 민감하게 반응할 정도로 섬세하였고 자신의 한계를 알고 있었다. 두뇌 회전이 느려 아무짝에도 쓸모없다는 것도 알았다. 그래서, 그는 늘 겸손한 태도를 취할 수밖에 없었다(*RB* 17). 톰은 폴란드 출신의 망명자인 렌스키(Paul Lensky)라는 젊은 의사의 미망인 리디아(Lydia Lensky)를 만나게 된다. 리디아는 폴란드 지주의 딸이었다. 그녀의 아버지는 유대인에게 빚을 진 후 경제적으로 부유한 독일 여자와 결혼해 살다가 대반란이 일어나기 직전에 세상을 떠났다. 리디아는 애나(Anna Lensky)라는 딸을 데리고 톰의 가정에 들어오는데 그녀는 자신의 꿈을 추구하기보다는 딸 애나를 통해 자신의 꿈을 성취하고자 한다.

리디아는 어린 나이에 폴 렌스키와 결혼하였다(*RB* 49). 리디아 부부는 폴란드의 독립을 위해 영국에 망명하게 되는데 리디아의 남편은 정신과 몸이 병들어 영국에서 사망하게 된다. 그 이후 그녀는 남편의 부속물로 살아온 자기 자신에 대해 고민하다가 톰과 결혼한다. "톰에게 리디아의 타자성은 미지의 지평을 열어줄 그 무엇인 것이다. 그러나 그녀가 이방인이라는 점은 미지에 대한 그의 열망을 충족시켜주는 만큼이나 두려움도 일으킨다."[60] 톰은 리디아에게서 남성으로서의 자기 인식, 자신의 삶을 새롭게 구성할 수 있는 이상적 여성으로 생각한다. 그녀의 존재는 톰이 삶을 살아가는 이유가 되는 것이다. 톰은 리디아가 그에게 완전함을 가져다주리라 기대하면서 그녀가 없으면 자신은 아무것도 아니라는 것을 인정한다.

---

60 윤영필, 『D. H. 로렌스의 소설과 타자성』(서울: 동인, 2009), 127-28.

그녀가 자신에게 다가오지 않는다면 그는 아무것도 아닌 존재로 남아 있어야만 했다. 그것은 그에게 힘든 경험이었다. 하지만 그녀가 그의 존재를 거듭 망각했다는 점을 알게 된 후에, 그녀에게 그는 존재하지 않는다는 사실을 그렇게 자주 확인한 후, 톰은 화가 나서 그것으로부터 벗어나고 싶었지만 현실적으로 불가능했다. 그는 남자이고 혼자서도 자립할 수 있다고 말한 이후에도, 별들이 가득 들어선 밤에 그는 자신을 겸허하게 낮추어야만 했고, 그녀가 없으면 자신은 아무것도 아닌 존재라는 것을 인정해야만 했고 또 그것을 알고 있었다. 그는 아무것도 아닌 존재였다. 하지만 그녀와 함께 있으면 그는 자신의 존재감을 확인할 수 있었다. . . 그녀는 그에게 완전함과 완벽함을 가져다줄 것이다. 그렇게만 된다면, 그녀가 그에게 오기만 한다면! 그래야만 했다. 그렇게 운명 지어진 것이었다.

Unless she would come to him, he must remain as a nothing. It was a hard experience. But, after her repeated obliviousness to him, after he had seen so often that he did not exist for her, after he had raged and tried to escape, and said he was good enough by himself, he was a man, and could stand alone, he must, in the starry multiplicity of the night humble himself, and admit and know that without her he was nothing. . . He was nothing. But with her, he would be real. . . she would bring him completeness and perfection. And if it should be so, that she should come to him! It should be so, that she should come to him! It should be so—it was ordained so. (*RB* 40)

주지하다시피, 남성중심적 가치관은 여성들의 독자적인 정체성 수립을 심각하게 훼손하였고 역사적 주체로서의 여성의 정체성 구성을 방해하였다. 그것은 보수적 사회의 남성중심적 틀, 달리 표현하면 남성제국주의적 가부장제와 불가분한 사고에 기인한다. 남성제국주의 이데올로기는 남성의 시선으로 여성을 재구성할 뿐만 아니라 여성들을 성적으로 차별하였다. 리디아에 대한 톰의 의존은 여성의 독립적 주체성 형성 문제와 맞닿아 있다. 이것은 기존의 남성제국주의적 지배와 그것에 종속된 여성주체 간의 역학관계를 역전시킬 수 있는 가능성을 반영한다. 톰은 리디아가 자신의 내면을 주시하고 있다는 사실을 알게 된다. 그에게 리디아는 절대적 존재로 보였다.

갑자기 눈 깜짝할 사이에, 브랭윈은 아내가 외롭고 고립되어 있으며 확신이 없어 보인다고 생각했다. 지금까지 그의 눈에는 아내가 자신을 배척한 채 철저히 자신만만하고 만족하며 사는 절대적 존재로 보였다. 아내가 무슨 부족을 느낄 수 있을까?

"당신은 왜 나에게 만족하지 못하죠? 나도 당신이 불만이에요. 전 남편인 폴은 네게 와서 남자답게 나를 취하곤 했어요. 하지만 당신은 나를 외롭게 내버려두지요. 아니면 내가 가축인 양 나를 빨리 취하고는 나를 금세 잊어버리지요. 다시 나를 잊기 위해서 말이에요."

"당신의 어떤 점을 내가 기억해야 한단 말이요?" 브랭윈이 말했다.

"당신 자신 말고도 내가 곁에 있다는 걸 알아주기를 바라요."

"내가 그걸 모른단 말이요?"

"당신은 아무 일도 아닌 것처럼, 마치 내가 거기 존재하지 않는 듯이 내게 다가와요. 폴에 내게 올 땐 난 그에게 어떤 존재였어요. 여자였단 말이에요. 당신에게 난 아무런 존재도 아니죠. 가축이나 다름없어요. 아무것도 아니거나."

"당신이야말로 내가 아무것도 아닌 것처럼 느끼게 하오," 그가 말했다. . . 그녀는 낯설고 적대적이며 지배적인 존재였다. 그러나 꼭 적대적이라고 할 수 없었다.

Suddenly, in a flash, he saw she might be lonely, isolated, unsure. She had seemed to him the utterly certain, satisfied, absolute, excluding him. Could she need anything?

"Why aren't you satisfied with me?—I'm not satisfied with you. Paul used to come to me and take me like a man does. You only leave me alone, or come to me like your cattle, quickly, to forget me again—so that you can forget me again."

"What am I to remember about you?" said Brangwen.

"I want you to know there is somebody there besides yourself."

"Well don't I know it?"

"You come to me as if it was for nothing, as if I was nothing there. When Paul came to me, I *was* something to him—a woman, I was. To you I am nothing—it is like cattle—or nothing—"

"You make feel as if it was nothing." he said. . . She was a strange, hostile, dominant thing. Yet not quite hostile. (*RB* 88-89)

톰과 리디아의 대화에서 알 수 있듯이 리디아는 단순히 전 남편 폴과 톰을 비교하는 것이 아니라 톰이 남편으로서 자신을 진정한 관심과 사랑으로 대해 달라고 요청한다. 엄정옥은 톰과 리디아에 대해 다음과 같이 언급한다.

> 리디아와 결혼하게 되는 톰은 로렌스의 이원론(dualism)에 의하면 여성원리(female principle)에 속하는데 여성원리에 포함된다는 면에서 『아들과 연인들』(*Sons and Lovers*)의 월터 모렐(Walter Morrel)과 유사하다. 리디아는 남성원리(male principle)에 속하며 지나치게 정신적이어서 생명력이 고갈되었다는 면에서 "잠자는 숲속의 공주"(Sleeping Beauty)이다. 리디아는 생명력이 고갈되어 잠자는 미녀처럼 잠들어 있는 상태에 있다. 이제 리디아는 원초적 생명력을 지닌 강력한 남성의 입맞춤을 받고 긴 잠에서 깨어나야 한다. . . 리디아는 잠들어 있는 상태에서 봄과 함께 깨어나듯이 생명력을 기반으로 하는 강력한 사랑에 의하여 재생하게 된다.[61]

리디아가 지평선 '저 너머 세계'에서 삶을 갈망하는 지성적인 여인이라면 톰은 지성에는 관심이 없고 리디아를 관능의 대상으로 보며 그녀를 육체적으로 욕망한다. 자신의 정체성과 독립적 자아를 모색하려는 리디아와 관능에 집착하는 톰의 관계에서 표출되는 육체와 정신의 불균형 때문에 두 사람은 갈등을 경험하게 된다. 그 이유는 톰이 리디아를 자신의 성적 욕망을 충족시켜주는 여성으로 생각하고 리디아도 자신의 독립성과 정체

---

61 엄정옥, 「로렌스의 여성인물 연구」, 『D. H. 로렌스 연구』 6(1998), 33-34.

성을 끊임없이 추구하기 때문이다. 그러나 시간이 지남에 따라 톰은 관능에 치우친 자신을 발견하고 리디아의 여성으로서의 주체적 자아와 정체성을 인식하게 된다. 이것은 앞서 버킨과 어슐러가 남녀관계의 대립이나 갈등을 넘어서 '별들의 균형' 이론에 대한 상호이해를 통해 이상적인 남녀관계를 모색한 것과 일맥상통한다.

톰과 리디아의 관계는 갈등과 대립의 양상을 벗어나서 여성의 개별적 주체를 인정하는 조화로운 균형관계를 이루게 된다. 이러한 사고방식은 남녀관계의 기본구조의 변화를 가져오는 탈식민적 인식에 바탕을 두고 있다. 이것은 브랭윈 가의 제1세대 가장인 톰의 익사사건과도 관련이 있다. 다시 말해 그의 죽음은 리디아의 정체성 형성의 과정을 규명함과 동시에 그녀가 직면한 상황과 가부장적 사고를 해체할 수 있는 포괄적으로 중요한 의미를 내포하고 있다.

브랭윈 가문의 제2세대인 애나와 윌(Will Brangwen)은 전통적인 사회에서 현대사회로 변화되는 과정에 놓인 세대에 속한다. 애나는 전통적 사회가 붕괴되고 근대사회로 진입하게 된 시대를 살아가는 여성으로서 어머니 리디아보다 자기의 정체성에 새롭게 눈을 뜸으로써 자신의 정체성과 자아의식을 보다 적극적으로 추구하는 여성이다. 사촌 윌과 결혼하는 어슐러의 어머니 애나는 농장을 벗어나 보다 넓은 세계로 나아가기를 갈망하여 윌과 결혼한다. 그녀가 윌을 자기의 남편으로 선택한 것은 자신의 삶의 영역을 확장하기 위한 욕망에 기인한다. 그 후 애나는 전통적으로 아이를 낳고 기르는 어머니의 역할에 충실한 여성으로 삶에 안주하게 된다. 프리처드(R. E. Pritchard)가 애나를 자기중심적이며 새로운 미지에 저항하는 인물로 설명하듯이,[62] 지적인 어머니의 혈통을 전수받아 강한 개성을 소유한 애나는 마쉬 농장을 벗어나 여성으로서의 정체성을 구축할 수 있는 보다 넓은 세계를 갈망한다. 이와 같은 상황에서 윌은 애나의 소망을 충족시킬 수 있는 새로운 삶을 돌파구, 새로운 삶의 안내자로 등장한다. 동시에 그녀는 가부장적 관습에 젖어있는 윌에게 적대적이다.

재빠르게 돌아가는 윌의 연갈색 눈은 마치 새의 눈을 연상시켰다. 새의 눈처럼 두려움을 모를 것 같았다. 애나는 그 젊은이를 다시 이상한 눈으로 힐끗 쳐다보았다. 그 젊은이는 애나가 자기를 아는 체 해주길 기다리고 있는 것 같았다. 윌은 애나의 의식의 주변부에 들어갈 준비가 되어 주위를 서성거리고 있었다. 애나는 그를 쳐다보고 싶지 않았다. 애나는 윌에게 반감을 느꼈다.

He had golden-brown, quick, steady eyes, like a bird's, like a hawk's, which cannot look afraid. . . Anna glanced at the strange youth again. She felt him waiting there for her to notice him. He was hovering on the edge of her consciousness, ready to come in. She did not want to look at him. She was antagonistic to him. (*RB* 102)

---

62 R. E. Pritchard, *D. H. Lawrence: Body of Darkness*(London: Hutchinson, 1971), 71.

윌에 대한 애나의 반응은 복잡하다. 한편으로는 윌이 자신의 삶의 인도자처럼 보이지만 다른 한편으로 그에게는 근접할 수 없는 장벽, 어떤 반감이 교차하기 때문이었다. 결혼 이후에 두 사람은『사랑하는 여인들』의 제럴드와 거드런처럼 서로를 지배하기 위해 자신의 의지를 행사하기 때문에 갈등을 겪게 된다.

> 그는 변하지 않았고 여전히 별개의 존재로 남아 있었다. 그는 그녀가 자기의 일부, 즉 그의 의지의 확장이 되기를 기대하는 듯 했다. 그녀는 윌이 애나 자신에 전혀 관심이 없는 태도를 취했으며 애나를 자신의 의지에 복속시키려 한다고 느꼈다. 그는 무엇을 원하는 것일까? 애나를 괴롭히고자 하는 것일까?

> He did not alter, he remained separately himself, and he seemed to expect her to be part of himself, the extension of his will. She felt him trying to gain power over her, without knowing her. What did he want? Was he going to bully her? (*RB* 157)

애나는 윌과의 결혼생활 동안 남편을 자신의 의지에 굴복시키는 여장부, 집안의 여가장으로 변함으로써,[63] 윌의 남성제국주의적 가부장제 질서에 저항한다. 나이븐(Niven)은 윌을 동물에 비유하였는데 그는 윌을 최초에는 고양이와 매의 형태를 취하지만 결혼 이후에는 사자와 호랑이의 형태

---

63 Mark Spilka, *The Love Ethic of D. H. Lawrence*(Bloomington: Indiana UP, 1955), 98.

로 변화하는 인물로 설명한다.[64] 브랭윈 가문의 강한 혈통을 이어받은 윌은 본능에 충실하고 공격적 성향을 지니고 있기 때문에 암흑과 같은 인물이다. 시간이 경과함에 따라 윌과 애나의 격렬한 투쟁은 윌이 아내의 의지력에 굴복함에 따라 끝이 나게 되고 결국 여성인 애나가 삶을 능동적으로 이끌어간다는 점이다.

여기서 흥미로운 문제가 제기될 수 있다. 즉, 그녀가 여성으로서 정체성 형성을 가능하게 한 요인은 무엇인가? 탈식민 지형에서 볼 때, 가장 현저한 요인은 애나의 정체성이 남성제국주의적 지배욕망의 위협에 직면함에 따라 가부장제에 의해 식민화되거나 위축된 존재로 전락할 수 있는 위기상황에 처할 수 있다는 점이다. 즉 애나의 정체성 형성은, 그것이 그녀가 경험한 삶의 과정과 주체적 자아의식이 없으면 결코 형성될 수 없는 것이다. 가부장적 권위를 행사하는 윌로부터 정체성을 형성하기 위해서 애나가 자율성을 확보하는 것은 그녀의 정체성 형성을 위한 필수조건이다. 그렇기 때문에 애나는 자신의 정체성 형성과정에서 억압적인 구조를 가진 남성제국주의가 가하는 위협을 극복할 정도로 자신의 자율성을 강화하거나 여성의 정체성을 구축할 수 있도록 충분히 강해져야만 한다. 여성으로서의 존재의 자각, 즉 여신의 정체성을 통제하고 지배했던 강권적 남성권력으로부터 자유와 해방을 누리는 것은 애나가 자신의 여성으로서의 정체성을 내면화시킬 수 있는 강력한 의지와 여성의 정서와 자의식을 강화하기 때문이다.

---

64 Alastair Niven, *D. H. Lawrence, The Novels*(Cambridge: Cambridge UP, 1978), 59.

그녀가 스크리벤스키(Anton Skrebensky) 남작의 가정을 방문했을 때 애나는 남작이 그의 아내에게 대단히 예의바르게 행동하거나 관심어린 태도로 대하는 것을 보고 신선한 충격을 받는다(*RB* 184). 무엇보다도 그녀는 남편 윌과 비교되는 남작의 성품과 행동에 매료된다.

애나는 야위어 노령에 걸맞은 지적인 열정, 남작의 날카로우면서도 신중하게 반응하는 능력을 남작에게서 느꼈다. 그는 아주 초연하고, 순수하게 객관적인 인물이었다. 여자는 완전히 그의 관심 밖에 있었고 혼동이란 없었다. . . 남작은 남들과는 떨어져 있는 개별적이며 흥미로운 남자였다. 그의 강건하고 본질적인 성정은 나이가 들면서 순수하고 솔직해졌다. 거의 죽음처럼 잔인해보였지만 그의 행동에는 확고부동한 자신감이 있었고, 그 자신감은 너무나 분명해서 애나는 그에게 매료되었다.

She recognized the quality of the male in him, his lean, concentrated age, his informed fire, his faculty for sharp, deliberate response. He was so detached, so purely objective. A woman was thoroughly outside him. There was no confusion. . . He was something separate and interesting; his hard, intrinsic being, whittled down by age to an essentiality and a directness almost death-like, cruel, was yet so unswervingly sure in its action, so distinct in its surety, that was attracted to him. (*RB* 184)

또한 아들을 열렬히 사랑하는 스크리벤스키 남작이 자녀에게 귀족적인 태도를 취하고 동시에 고전적인 아버지의 태도를 취하는 모습, 그리고 자식으로부터 존경 받는 집안 분위기에 압도된다(*RB* 185). 애나는 이미 자신의 존재를 부정하는 남편 윌과는 확연히 구분되는 남작의 성품과 행동에 자극받아 남편에 대한 저항과 함께 자신의 정체성 형성을 열망한다.

그녀는 자기 자신의 삶을 원했다. 그는 그녀를 그의 존재, 다시 말해 그의 뜨거운 삶으로 그녀의 삶을 덮고 자신을 온갖 차가운 외부로부터 단절시키는 밀접한 피의 친교가 있는 세계 속에서 그와 하나가 됨으로써 그녀 자신의 존재인지, 아니면 자신이 아닌 다른 존재인지 전혀 알 수 없었다.

그녀는 자신만이 가진 본래의 옛 자아, 즉 남편으로부터 떨어져서, 동적이면서도 그 어떤 것에 흡수되지 않는, 그녀 자신만의 동적이고 주고받는, 결코 흡수되지 않는 자기 자신의 자아를 소망했다. 반면에 그는 그녀와의 이해할 수 없는 이상한 흡수를 소망했고, 그녀는 여전히 그것에 대해 저항하였다. 하지만 그녀는 저항하는 데 부분적으로 무기력했다. 그녀는 예전부터 너무 오랫동안 톰 브랭윈의 사랑을 받고 살아왔던 것이다.

She wanted her own life. He seemed to lap her and suffuse her with his being, his hot life, till she did not know whether she were herself, or whether she were another creature, united with him in a world of close blood-intimacy that closed over her and excluded her from all the cool outside.

She wanted her own, sharp self, detached, detached, active but not absorbed, active for her own part, taking and giving, but never absorbed. Whereas he wanted this strange absorption with her, which still she resisted. But she was partly helpless against it. She had lived so long in Tom Brangwen's love, beforehand. (*RB* 185-86)

여성 정체성 형성이 좌절된 것은 직접적으로 남성제국주의 지배의 산물이다. 이런 점에서 애나의 주체적 자기인식은 외적으로 주어진 남성제국주의 지배질서로부터의 이탈과 저항을 의미한다. 남성제국주의적 가부장제를 해체하는 변혁 과정으로서 탈식민주의는 여성의 재현을 포괄한다. 여기에서 주목해야 할 것은 억압적인 남편에 대한 저항을 통해 애나가 내면적으로 여성으로서 자기 자신의 존재에 대해 자율적, 주체적 여성으로 새롭게 인식하게 된다는 사실이다. 그리고 그것은 사회적 관습을 넘어 남성제국주의 중심 사회에서 주체적 여성으로서의 삶을 살고자 하는 여성 의식의 표출이며 기존 남성중심사회에 대한 공격이자 동시에 남성제국주의를 극복하고자 하는 정체성 구축의 과정이라 할 수 있다.

윌과 애나의 2세대, 그리고 3세대 어슐러 사이에 놓여있는 「늪 지대와 홍수」("Marsh and the Flood") 장은 톰의 죽음에 대한 이야기를 중심으로 전개된다. 윤영필은 이 장에 대해 다음과 같이 설명한다.

대략 작품의 중심부에 위치한 이 장은 첫 두 세대의 삶으로부터 이어지는 어슐러의 삶이 본격적으로 시작되는 전환점이다. 이 장은 브랭윈 집안의 집안의 3대(代)가 한 자리에 모두 등장하는 유일한 부분으로서 톰의 죽음을 계기로 모인 이들이 흩어지는 순간은 브랭윈 집안의 창조적 전통을 계승할 어슐러와 그 전통으로부터 완전히 결별하는 삼촌 톰이 갈라져 나가는 역사적 분기(分岐)점이기도 하다. 이러한 역사적 분기의 중요성은 이 장의 제목 "Marsh and the Flood"에도 반영되어 있다. 일차적으로는 마쉬 농장에 일어난 홍수를 뜻하지만 이 제목은 한층 깊은 의미로서, 톰의 술 취한 발언에서 암시되는 노아의 대홍수와 신세계의 창조, 그리고 이와 대비되어 삶의 해체와 부패를 암시하는 '늪'을 동시에 함축한다.[65]

"침대에 놓여 있는 그의 시신은 고요하며 장엄하게 보였다. 죽음을 맞이한 그의 모습은 완벽하게 평온하였다. 이제 반듯하게 누인 그의 시신은 아무도 접근할 수 없었다. 애나에게 그는 그녀가 접근할 수 없는 남성적 위엄, 죽음의 위엄이었다. 그를 보면서 그녀는 조용해졌고 경외감에 사로잡혀, 그녀가 거의 기쁨을 느낄 정도였다"(*RB* 233). 톰의 장엄한 죽음은 노아 홍수에 대한 역사적 기억을 환기시키면서 가부장제의 해체, 그리고 제3세대인 어슐러의 본격적인 등장을 예고한다. 할머니 리디아와의 대화에서 리디아는 어슐러에게 다음과 같이 말한다.

---

65   윤영필, 159-60.

"할머니, 누군가가 절 사랑할까요?"

"아가, 많은 사람들이 너를 사랑한단다. 우리 모두 너를 사랑하고 있어."

"하지만 제가 어른이 되었을 때도 누가 절 사랑할까요?"

"물론이지, 누군가 어떤 남자가 널 사랑하게 될 거야. 넌 그렇게 타고 났단다. 난 그 사람에 너에게 무엇을 원해서가 아니라 있는 그대로의 너를 사랑하는 그런 사람이길 바라. 하지만 우리는 우리가 원하는 것을 누릴 권리가 있단다."

"Will somebody love me, grandmother? "

"Many people love you, child. We all love you."

"But when I am grown up, will somebody love me?"

"Yes, some man will love you, child, because it's your nature. And I hope it will be somebody who will love you for what you are, and not for what he wants of you. But we have a right to what we want." (*RB* 241)

위 인용문에서 주목할 것은 할머니 리디아가 어린 어슐러에게 "우리는 우리가 원하는 것을 누릴 권리가 있다"고 언급한 부분이다. 그것은 여성으로서의 고유한 주체적 권리의 의미와 여성의 정체성 형성의 중요성을 함축하며 동시에 리디아가 경험할 위험을 암시한다.

브랭윈 가문의 제3세대 여성인 어슐러에 이르러서는 1, 2세대의 여성들과 비교할 때 자기 인식에 대한 보다 강화된 주체적 여성상이 나타나며 자신 자신의 존재에 대해 깊이 고민한다.

어떻게 행동해야 할까, 바로 그것이 문제가 되었다. 어디로 가야 할
것이며 어떻게 자기 자신이 될 것인가? 인간은 자기 자신이 못 되고,
단지 절반쯤 진술된 질문에 불과한데, 어떻게 자기 자신이 되고 어떻
게 자기 자신에 대한 질문과 대답을 할 것인가? 인간은 하늘에서 불
어대는 바람처럼 고정되지 않은 대단한 존재인 것 같기도 하고 아무
것도 아닌 존재인 것 같기도 한데.

How to act, that was the question? Whither to go, how to become
oneself? One was not oneself, one was merely a half-stated question.
How to become oneself, how to know the question and the answer
of oneself, when one was merely an unfixed something-nothing,
blowing about like the winds of heaven, undefined, unstated. (*RB*
264)

여성으로서 성장을 하며 새로운 세계에 뛰어드는 어슐러는 자기 자신의
존재에 대해 고민하면서 불확실한 미래에 대한 두려움과 책임과 그리고
내적 혼돈을 경험하게 된다. 그녀는 이전 세대와는 다르게 자신의 삶에
대한 도전적 여성이라는 점에서 자기 자신의 정체성을 모색하는 현대적
여성이다. 여성의 정체성 구축이라는 관점에서 어슐러에게 주목할 필요가
있는데 그것은 그녀가 여성으로서의 주체적인 삶을 추구하기 때문에, 그
리고 브랭윈 가문의 가부장적 지배로부터의 탈출을 열망하며 인생이라는

힘든 모험에 뛰어들기 때문이다. 이와 같은 현대적 여성으로서의 특성은 스크리벤스키와의 관계에서 드러난다. 하지만 두 사람은 서로가 자기 자신의 주장을 표출하기 때문에 갈등하게 된다.

그는 그녀 앞에서 자기를 주장하며 자신이 한없이 남자답고 한없이 남자로서 압도적인 매력을 소유한 존재라는 것을 깨달았고, 그녀 또한 그 앞에서 자기 자신을 확인했고 자신이 한없이 사랑스러운 여성이며, 따라서 한없이 강한 여성이라는 것을 알고 있었다. 결국 이들이 그러한 열정으로부터 얻어내는 것은 나머지 모든 삶에 대비해서 각자가 그 자신의 혹은 그녀 자신에 대한 최대 자아를 느끼는 것이 아닐까? 거기에는 유한하고 슬픈 그 무엇인가가 있었다. 왜냐하면 인간의 영혼이 최고 상태에서 원하는 것은 무한성이라는 의식이었기 때문이다.

그럼에도 불구하고, 이와 같은 열정은 이제 시작되었고, 계속되어야 했다. 그에 대해 제한되고 규정되는 그녀 자신의 최대 자아에 대해 알기를 원하는 어슐러의 열정 바로 그것이다 그녀의 자아와 여성임을 최대한 누릴 수 있었다. 남자와 대비되는 여성임을 기묘하게 확인하면서 한순간 기분이 들떠 있었다. 남자와 지고한 대비를 이루었기 때문이다.

[H]e asserted himself before her, he felt himself infinitely male and infinitely irresistible, she asserted herself before him, she knew herself infinitely desirable and hence infinitely strong. And after all, what could either of them get from such a passion but a sense of his or of her own maximum self, in contradiction to all the rest of life? Wherein was something finite and sad, for the human soul at its maximum wants a sense of the infinite.

Nevertheless, it was begun, now, this passion, and must go on, the passion of Ursula to know her own maximum self, limited and so defined against him. She could limit and define herself against him, the male, she could be her maximum self, female, oh female, triumphant for one moment in exquisite assertion against the male, in supreme contradistinction to the male. (*RB* 281)

관능적, 육체적 사랑에 빠진 스크리벤스키와 어슐러는 감각적, 육체적 욕망에 탐닉한다. 두 사람이 내면적 갈등을 겪는 원인은 여성을 인격적 존재, 영혼을 소유한 주체적 존재로 인식하지 않고 육체적 욕망의 대상으로 바라보기 때문이다. 바바가 정체성 형성과정의 조건을 "존재한다는 것은 타자, 다시 말해 타자의 시선이나 위치와 관련된 관계 속에서 구성된다"[66]고 했을 때, 어슐러를 대하는 스크리벤스키의 남성우월적 시선은 어슐러의 정체성 형성을 왜곡하고 방해한다. 두 사람 사이의 갈등을 불러일으킨 것은 남성제국주의적 시각으로 어슐러를 규정하는 스크리벤스키의 태도에 기인한다.

왜 그 자신은 여자를 그런 식으로 갈망할 수 없는가? 왜 온몸과 정신을 다 바쳐서 한 여자를 진정으로 원하지 못하는 것일까? 그는 그런 식으로 단 한 번도 여자를 사랑하지 않았으며 흠모한 적도 없었다.

---

66 Homi K. Bhabha, 63.

단지 여자를 육체적 대상으로만 생각했다.

그는 몸으로 어슐러를 욕망할 것이고 정신은 자기 멋대로 방치하도
록 내버려두었다.

Why could not be himself desire a woman so? Why did he
never really want a woman, not with the whole of him: never
loved her, never worshipped, only just physically wanted her.

But he would want her with his body, let his soul do as it
would. (*RB* 294)

스크리벤스키는 어슐러를 고유하고 독립적 주체성을 가진 여성으로서 대
하는 것이 아니라 단지 자신의 육체적 욕망을 위한 성적인 대상으로 간주
한다. 그는 어슐러를 "오브제 아"(objet a), 바꿔 말하면 "욕망의 기표"[67]
로 파악하여 어슐러의 정체성을 부정한다. 여성을 자신의 욕망에 맞게 재
구성하고 개별적 여성 주체성을 파괴하는 스크리벤스키는 남성제국주의
를 표상한다. 이런 점에서 어슐러를 타자화하고 그녀를 대하는 스크리벤
스키의 의식과 태도는 명확히 여성의 탈식민 주체구성을 가로막는 남성제
국주의적 폭력이라고 할 수 있다.

『무지개』의 13장에서 또 다른 남성제국주의적 인물을 발견할 수 있
는데 그는 다름 아닌 웰링버로우 그린 초등학교(Wellingborough Green
School)의 하비 교장(Mr Harby)이다.

---

[67] Anika Lemaire, *Jacques Lacan*, Trans. David Macey(London: Routledge, 1977),
174.

교장은 아이들에게 매질을 하고 위협했다. 그로 인해 학생들은 교장을 혐오했다. 그래도 그는 교장이었다. 어슐러는 반 아이들에게 늘 부드럽게 대해 주고 세심하게 대해주었지만, 아이들은 교장의 학생들이지 어슐러의 학생들이 아니었다. 교장 선생은 어떤 대항할 수 없는 조직의 근간이라도 되는 듯 자기 마음대로 권력을 행사했다. 아이들은 교장의 그러한 권력을 인식했다. 그리고 학교에서 중요한 것은 권력, 권력만이 중요했다.

He thrashed and bullied, he was hated. But he was master. Though she was gentle and always considerate of her class, yet they belonged to Mr Harby, and they did not belonged to her. Like some invincible source of the mechanism he kept all power to himself. And the class owned his power. And in school, it was power and power alone that mattered. (*RB* 350-51)

로렌스가 『무지개』에서 비판하는 것은 여성과 주변부 사람들 위에 군림하려는 남성중심적 권위주의, 남성지배 이데올로기와 허위의식이다. 이와 같은 비판을 통해 그는 여성들의 정체성 문제를 총체적으로 조명함으로써 여성에 대한 탈식민적 새로운 질서를 모색한다. 남성제국주의적 권위적 태도는 식민종주국이 식민지를 대상으로 권력과 압제를 행사하는 행태와 등치된다는 맥락에서 로렌스는 남성제국주의적 가치의 전복, 더 나아가 여성을 고귀한 영혼을 소유한 존재로, 여성의 존재가치, 여성의 자아를 새롭게 의식하고 있는데, 이것은 로렌스의 선구적 조망이라고 할 수 있다. 이런 의미에서 여성의 자아를 인식하는 것은 여성 정체성 형성의 필수조건이다.

인간이 최고의 상태에서 열망하는 것은 자아를 인식하여 무한성과 합일을 이루는 것이다. 생명을 일종의 기계에 비유하는 프랭크스톤 박사(Dr. Frankstone)의 시각에 대해 어슐러는 자신의 자아와 자신의 삶의 목적이 무엇인가에 대해 생각하면서 "자아란 무한성과 하나가 되는 것이며 자기 자신이 된다는 것은 무한성의 최고의, 빛나는 승리"(*RB* 409)라는 것을 깨닫게 된다. 그런데 이것은 생명을 과학적으로 알고 있는 다른 작용과 같은 하나의 체계로 보는 물리학 교수인 프랭크스톤 박사의 관점과 충돌한다. 프랭크스톤 박사는 다음과 같이 말한다.

"생명에다 특수한 신비성을 부여하는 지 이유를 알 수 없군요. 그렇지 않아요? 우리가 전기를 이해하는 것처럼 생명을 이해하는 것은 아니죠. 그렇다고 해서 생명이 우주 속의 다른 것과는 별개의, 혹은 특별하다고 말할 수도 없어요. . . 학생은 그렇다고 생각해요? 생명이란 것도 우리가 이미 과학적으로 잘 알고 있는 다른 작용과 같은 체계로 구성되어 있고 물리, 화학적 작용으로 형성된 복합적인 체계라고 할 수 있지 않아요? 정말 난 그 이유를 도무지 알 수 없어요. 왜 생명이라고 해서 특별한 체계가 있어야 하는지, 또 생명만이 유독. . . . . ."

"I don't see why we should attribute some special mystery to life
—do you? We don't understand it as we understand electricity,
even, but that doesn't warrant our saying it is something special,

something different in kind and distinct from everything else in the universe—do you think it does? May it not be that life consists in a complexity of physical and chemical activities, of the same order as the activities we already know in science? I don't see, really, why we should imagine there is a special order for life, and life alone— — — —" (*RB* 408)

또 다른 측면에서 로렌스는 어슐러를 통해 물질문명, 산업화의 문제를 개입시켜 문학작품을 윤리적 관점으로 연결시키고 있다는 점에서 그는 『무지개』를 탈식민적 관점에서 읽어낼 수 있는 새로운 가능성을 열어주고 있다. 로렌스는 요크셔 지방에 거주하는 사람들의 실상을 비판적으로 제시하면서 산업화에 따른 인간의 파괴적 양상을 구체적으로 보여주고 있다. 이곳 광산의 경영주인 톰은 죽음과 같은 영혼을 소유한 자로서 광산 노동자들의 육체와 삶을 기계에 종속시켜 그들의 삶과 생명력을 파괴시킨다. 광부들은 살아 있으나 살아 있는 사람이 아니라 유령에 불과하다.

> 그곳은 이상할 정도로 황량한 폐허였다. 광부들은 무리를 지어 여기저기 다녔고 그들은 살아 있는 사람이 아니라 마치 유령 같았다. 딱딱하게 굳어버린 텅 빈 거리들, 한결 같이 형체 없는 모습에 살아 있는 것이 아니라 죽어있는 죽음의 암시만이 있을 뿐이었다. 만남의 장소도, 중심도, 동맥도, 유기적 형태도 찾아볼 수 없었다. 단지 피부병처럼, 급속하게 퍼지는 붉은 벽돌의 형태만이 있을 뿐이었다.

The place had the strange desolation of a ruin. Colliers hanging about in gangs and groups, or passing along the asphalt pavements heavily to work, seemed not like living people, but like spectres. The rigidity of the blank streets, the homogeneous amorphous sterility of the whole suggested death rather than life. There was no meeting place, no centre, no artery, no organic formation. There it lay, like the new foundations of a red-brick confusion rapidly spreading, like a skin-disease. (*RB* 320)

기계에 종속되어 인간성을 상실한 톰의 실상과 노동과 자본의 대립을 목격한 어슐러는 타락한 자본주의와 물질주의에 반감을 갖게 된다. 로렌스는 파괴된 영혼의 소유자인 톰을 광산노동자들의 비참한 현실에 눈감고 오로지 탄광사업과 기계에 탐닉하는 타락한 자본가로 묘사하고 있다. 같은 맥락에서 톰과 결혼하는 여교사 잉거(Winifred Inger)도 기계에 탐닉한다는 점에서 톰과 다를 바가 없는 정신적으로 병든 퇴영적 여성이다.

그가 유일하게 기쁨을 누리는 온전한 순간은 그가 기계에 봉사할 때뿐이다. 그리고 그는 자신의 혐오로부터 벗어나 완전하게 아무런 비판도 없이 비현실적이 아니라 완전히 그 자신 스스로 행동할 수 있는 순간은 기계가 그를 사로잡았을 때였다. 그의 진짜 애인은 기계였다. 그리고 위니프레드의 진짜 애인은 기계였다. 그녀 또한 불순한 추상, 기계의 메커니즘을 경배했다. 거기서 기계 속에서 기계를 섬길 때만 인간의 감정의 타락이나 모든 막힌 것으로부터 자유를 누릴 수 있었다. 모든 물체를 붙잡고 있는 그 괴물 같은 체제 속에서 그녀는 최고의 성취감을 맛보았고 완전한 결합과 영혼의 불멸감 같은 그런 기분을 느낄 수 있었다.

His only happy moments, his only moments of pure freedom, were when he was serving the machine. Then, and then only, when the machine caught him up, was he free from the hatred of himself, could he act wholly, without criticism and unreality. His real mistress was the machine, and the real mistress of Winifred was the machine. She too, Winifred, worshipped the impure abstraction, the mechanism of matter. There, there, in the machine, in service of the machine, was she free from the clog and degradation of human feeling. There, in the monstrous mechanism that held all matter, living or dead, in its service, did she achieve her consummation and her perfect unison, her immortality. (*RB* 325).

기계에 사로잡혀 있는 톰이 기쁨을 누리는 순간은 기계에 봉사할 때이다. 그는 기계에 탐닉하는 순간, 자기혐오에서 해방되는 기계화된 인물이다. 아울러 어슐러는 톰뿐만 아니라 기계와 다름없는 잉거를 혐오한다. 이와 같은 점에서 로렌스는 남성제국주의적 자본주의 지배, 피지배 구도 속에서 여성의 저항과 여성의 정체성의 인정과 권리, 타자적 상상력, 차이와 탈식민 해방담론을 예측할 수 있는 토대를 제공하였다. 남성제국주의적 자본주의가 지배하는 사회에서 그는 여성들을 독립적이고 자유의지에 따라 행동하는 인물로 묘사하고 있는데 이것은 남성중심적 불평등한 위계적 구조를 타파함으로써 여성의 정체성 형성을 부각시키는 것이다. 로렌스는 어슐러처럼 독립적이고 주체적인 여성이 남성제국주의적 지배에 구속되면 이상적인 남녀관계의 불균형을 초래한다는 사실을 객관적으로 명확히 제시하고 있다. 달리 표현하면, 로렌스의 서사에는 '남성 대(對) 여성'이라는 이분법적 구도를 전복적으로 차용하여 건강하지 못한 남성적 지배담론과 가치치계에 의문을 제기하면서 동시에 여성 정체성 형성에 초점을 맞추고 있다.

작품의 후반부에서 말떼들로부터 공격을 받아 2주 동안 앓아누워 정신적인 충격에 휩싸인다. 이 사건은 어슐러에게 말의 생명력에 대해 깊이 성찰할 수 있는 계기를 제공한다. 말의 공격에 의해 신비로운 영감을 얻은 어슐러는 남성중심적인 스크리벤스키로부터 벗어나 자유와 해방을 추구함으로써 자신의 주체적 자아를 새롭게 각성함으로써 정체성 형성을 강화한다.

어슐러는 앓고 있는 동안 자신과 스크리벤스키에 관한 문제가 왜곡되고 일그러진 형태로 희미하게 다가왔다. 그것은 일종의 피상적인 아픔에 불과했기 때문에 그녀의 내면 속에 있는 움직이지 않는 실체의 핵심을 건드릴 수는 없었다. 그의 부식성은 어슐러의 몸속에서 활활 타올라고 마침내 부식성 자체도 전소(全燒)되었다. 그녀가 스크리벤스키에게 속해야 하는 것일까? 그에게 집착해야 하나? 그 무언가가 그렇게 하라고 그녀에게 강요했지만, 그것은 진실은 아니었다. 그녀가 스크리벤스키에게 속해야 한다는 아픔, 비현실적인 아픔이 늘 그녀를 따라다녔다. 그녀가 그에게 구속되어 있지 않은데, 그 무엇이 그녀를 그에게 구속되게 하는가? 왜 허위의식이 집요하게 따라다니는가? 왜 허위의식이 그녀를 갉아먹고, 갉아먹고 또 갉아먹는 것일까? 왜 어슐러 자신은 현실에서 깨어나지 못하는가? 만일 깨어날 수만 있다면, 아, 깨어날 수만 있다면 스크리벤스키와의 꿈 같은 허위적 관계는 사라질 것이다.

Throughout her illness, distorted into vague forms, persisted the question of herself and Skrebensky, like a gnawing ache that was still superficial, and did not touch her isolated, impregnable core of reality. But the corrosion of him burned in her till it burned itself out. Must she belong to him, must she adhere to him? Something compelled her, and yet it was not real. Always the ache, the ache of unreality, of her belonging to Skrebensky. What bound her to him when she was not bound to him? Why did the falsity persist? Why did the falsity gnaw, gnaw, gnaw at her, why could she not wake up to clarity, to reality? If she could but wake up, if she could but wake up, the falsity of the dream, of her connection with Skrebensky, would be gone. (*RB* 455)

어슐러는 독립적이고 주체적인 여성으로서의 정체성을 추구하고 그 가능성을 실현하기 위해 새로운 세계로 나아가기를 소망한다. 이 점에서 어슐러와 스크리벤스키의 결합은 불가능하다. 왜냐하면 어슐러가 스크리벤스키와의 인습적인 결혼을 거부하기 때문에 그리고 그것은 전제적 가부장제라는 지배담론에 균열을 내는 어슐러의 저항이라고 말할 수 있다. 이런 측면에서 어슐러가 인습적인 결혼을 거부하는 것은 어슐러 스스로 자신의 정체성을 확인하는 정치적 의미를 함축하며 정치적 행위로서, 불평등한 남녀관계를 만들어낸 남성제국주의적 가부장제의 권력과 젠더 이데올로기에 의해 함몰되기를 거부하는 여성의 저항, 더 나아가 여성을 이상화하였던 가부장제에 대한 도전을 의미하는 상징적 행위라고 할 수 있다. 다시 말해 어슐러의 전제적 가부장제의 견고한 구조와 권위에 대한 저항과 거부는 남성제국주의 토대에 균열을 가함으로써 그 구조를 해체, 남성지배담론의 구조와 계급관계에 대한 공격이며 남성제국주의가 초래한 양극화된 계급구조의 불평등에 대한 거부행위이자 탈식민화를 위한 추동력을 구성한다. 정체성 형성이라는 주제는 탈식민주의 이론의 중요한 개념으로서 남성중심적 사회에서 여성들의 새로운 정체성을 제시한다는 점에서, 여성 정체성 주제에 대한 관심, 그리고 여성들의 문화를 이해하고, 남성과 여성 간의 문화적 이질성, 성적, 계급적 갈등을 극복한다는 점에서 의미가 있다.

정체성 형성에 대해 바바는 다음과 같이 설명한다.

정체성 형성의 문제는 결코 미리 주어진 정체성의 승인이나 자기 수행적인 예언은 아니다. 오히려 그것은 항상 정체성의 이미지 생산과 그 이미지를 가장하는 주체의 변형의 생산물이다. 타자에 대해 존재하는 것, 즉 정체성 형성의 요구는 타자성의 질서를 차이화하는 과정 속에서 주체의 표상작용을 수반한다. [⋯⋯] 정체성 형성과정은 항상 그것이 경유하는 타자의 위치에 분열의 표시를 갖는 정체성 이미지의 귀환이다.

[T]he question of identification is never the affirmation of pre-given identity, never a self-fulfilling prophecy—it is always the production of an image of identity and the transformation of the subject in assuming that image. The demand of identification —that is, to be for an Other—entails the representation of the subject in the differentiating order of otherness. Identification, [⋯⋯] is always the return of an image of identity that bears the mark of splitting in the Other place from which it comes.[68]

정체성 형성은 남성제국주의와 여성 서발턴이라는 대립적 지배/종속 관계를 넘어 주체적, 자율적 주체형성과 직접 관련된다. 탈식민 관점에서, 여성의 정체성은 남성에 의해 결정되는 수동적 정체성이라기보다는 남성우월주의를 근본적으로 전복시킬 수 있는 저항의 지점이 될 수 있음을 의미하는 것이다. 일커스톤에서 초등학교 교사로 재직 중인 어슐러는 산업화되고 물질문명이 지배하는 교육현장에서 주체성을 상실하고 부품화되는 어린 아이들을 목격하고 정신적, 인간적 따뜻함이 결여된 학교의 기계적이고 파괴적인 학교교육에 반감을 갖게 된다. 그 이유는 이 학교가 주체

---

68 Homi K. Bhabha, 64.

적이고 창조적인 교육이 아니라 하나의 자동화되고 훈련된 기계의 틀 속에 아이들을 집어넣어 어린이들을 기계의 생산품으로 전락시키는 비인간화시키기 때문이다.

브런트 선생, 하비 선생, 스코필드 선생, 그밖에 모든 여선생들은 많은 아이들을 하나의 기계 같은 틀 속에 강제로 집어넣어 모든 아이들을 복종과 주목의 자동기계로 만든 다음, 여러 가지 단편적인 지식을 받아들이라고 명령해야만 하는 과업을 비자발적으로 하고 있다는 것을 알았다. 무엇보다도 가장 먼저 해야 할 일은 60명의 아이들을 하나의 정신상태, 하나의 존재로 만드는 일이었다. 이와 같은 상태는 아이들의 의지 위에 강요되는 의지를 통해, 다음에는 학교 전체의 의지를 통해 자동적으로 이루어져야만 하는 것이었다.

She saw Mr Brunt, Miss Harby, Miss Schofield, all the school teachers, drudging unwillingly at the graceless task of compelling many children into one disciplined, mechanical set, reducing the whole set to an automatic state of obedience and attention, and then of commanding their acceptance of various pieces of knowledge. The first great task was to reduce sixty children to one state of mind, or being. This state must be produced automatically, through the will of the teacher and the will of the whole school authority, imposed upon the will of the children. (*RB* 355-56)

물질문명의 발달과 산업화, 기계화의 치명적인 결과는 아이들의 자아를 억압하고 아이들이 기계에 복종하게 되는 자동기계로 만들어버린다. 어슐러는 건조하고 메마른 학교교육을 변화시키고자 하지만 자신의 소망대로 되지 않는 현실의 한계를 경험한다. 기계적인 학교교육체계에 실망한 그녀는 자유를 누릴 수 있고 자신의 정체성을 형성할 수 있는 또 다른 세계를 꿈꾼다. 결국 어슐러는 교사 생활을 그만두고 노팅엄(Nottingham) 대학에 입학한다. 하지만 그곳은 어슐러가 상상했던 이상적인 대학이 아니라 시험을 위한 자료를 준비하는 작업장, 돈벌이를 위한 장비를 갖추기 위한 견습생 양성소에 불과했다.

> 교수들은 삶과 지혜의 심오한 신비를 전수하는 사제들이 아니었다. . . 라틴어란 무엇인가? 그것은 겨우 지식이라는 건조한 지식의 상품과 같았다. 라틴어를 가르치는 교실은 골동품을 파는 골동품 가게의 고물상에 불과했다. 다시 말해 이곳에 사는 사람들은 골동품을 구입해서, 그 시장 가격을 아는 것이다. . . 모든 것이 허위와 가짜처럼 보였다. 고딕식의 아치형도 가짜요, 정적도 가짜, 라틴어도 가짜, 프랑스식의 위엄도 가짜, 초오서의 순박함도 가짜, 그곳은 고물상이요, 시험을 준비하기 위해 자료를 사러온 것 같았다. 시내의 공장에 비하면 이곳은 작은 쇼를 보여주는 곳에 불과했다. . . 이곳은 장래 돈벌이를 위한 장비를 갖춘 견습생 양성소였다. 대학 그 자체가 공장을 위한 게으른 자들의 작은 실험실에 불과했다.

The professors were not priests initiated into the deep mysteries of life and knowledge. . . What was Latin? — so much dry goods of knowledge. What was the Latin class altogether but a sort of second-hand curio shop, where one bought curious and learned the market value of curious. . . But the whole thing seemed sham, spurious: spurious Gothic arches, spurious peace, spurious Latinity, spurious dignity of France, spurious naïveté of Chaucer. It was a second-hand dealer's shop, and one bought an equipment for an examination. This was only a little side-show to the factories of the town. . . It was a little apprentice-shop where one was further equipped for making money. The college itself was a little, slovenly laboratory for the factory. (*RB* 402-03)

라틴어도 일종이 골동품 고물상점에 지나지 않았다. 물질주의의 팽배와 인간적 가치관의 부재로 어슐러에게 노팅엄 대학은 더 이상 자유와 진리를 탐구하는 학문의 터전이 아니라 물질적 동기만을 추구하는 타락한 교육현장으로 비친다. "대학은 황량하고 보잘 것 없는, 가장 비천하고 자질구레한 사업장으로 전락한 사원 같았다. . . . 교수들은 가운을 입고 시험장에서 좋은 값에 팔릴 수 있는 상업적 상품만 생산할 뿐이다"(*RB* 404). 어슐러는 대학의 실상을 겪으면서 자신이 꿈꾸던 대학에 대한 표상이 송두리째 와해되고 대학교육 자체에 대해 회의를 품게 된다. 진리와 정의를 추구하며 자유와 학문에 천착해야 할 대학이 맘모니즘에서 배태된 효율성과 물질주의를 추구함에 따라 대학의 본질적인 사명은 위축되고 그 역할도 물질주의의 도구로 전락되었다. 이와 같은 대학교육의 현실을 깨달은 어슐러는 자신의 정체성을 새롭게 수립하기 위해 또 다른 탈출구를 모색한다. 그것은 물질주의에 의해 오염된 대학교육에 대한 저항과 비판, 더 나아가 정체성, 차이와 차별, 남성중심의 젠더 이데올로기 문제, 지배와 종속 등 제반 문제에 대한 새로운 열망을 함축하면서 동시에 대학교육이 갖는 허위적 지배 이데올로기를 폭로한다.

이곳은 건조한 잿더미에 묻혀버린 그런 곳이었다. 어슐러가 살고 있는 이 세계는 등불이 비치는 하나의 원과 같았다. 인간의 완전한 의식으로 말미암아 이 빛이 비치는 구역만이 자신의 세계요, 또한 그 세계 속에서 사물이 영원히 자태를 뽐내고 있다고 생각되었다. 하지만 어슐러는 바깥 어둠 속에도 짐승의 눈빛이 켜졌다 꺼졌다 다시 반짝이면서 뚫고 들어오는 몇 줄기 빛을 의식할 수 있었다. 그리고 그녀의 영혼은 커다란 공포 속에서 저 바깥의 어둠만을 의식했다. 그리고 그 안에 살며 활동하고, 내부의 빛이 비치는 영역은 아크 등불 아래의 밝은 구역인 것 같았다. 그 속에서 놀고 있는 모기와 아이들은 지금 그들이 빛 속에 있다는 것만으로 밖에는 어둠이 있다는 것도 모르고 그 빛 속에서 마음에 안전감을 누리고 있었다.

It was like a seed buried in dry ash. This world in which she lived was like a circle lighted by a lamp. This lighted area, lit up by man's completest consciousness, she thought was all the world: that here all was disclosed for ever. Yet all the time, within the darkness she had been aware of points of light, like the eyes of wild beasts, gleaming, penetrating, vanishing. And her soul had acknowledged in a great heave of terror, only the outer darkness. This inner circle of light in which she lived and moved, wherein the trains rushed and the factories ground out their machine-produce and the plants and the animals worked by the light of science and knowledge, suddenly it seemed like the area under an arc-lamp, wherein the moths and children played in the security of blinding light, not even knowing there was any darkness, because they stayed in the light. (*RB* 405)

로렌스는 어슐러를 통해 대학교육이 학문과 진리탐구는 부차적인 이슈가 되어버리고, 효율성과 유물주의에 함몰되어 인간의 의식과 사고를 타자화 하거나 식민화할 수 있는 위험을 내포하고 있음을 비판적으로 통찰하고 있다.

　이 소설의 결말 부분에서 신비스러운 색채를 띠면서 희미하게 나타나는 무지개 형상은 광선과 넓은 창공을 재료로 삼고 장대한 건축물을 형성한다(*RB* 495). 구약에서 인간을 두 번 다시 물로 심판하지 않겠다고 말씀하신 하나님의 언약을 나타내듯이 이것은 인간의 모든 허물과 부패를 제거하고 새로운 희망과 구원을 표상한다.

　대지 위에 무지개가 떠 있었다. 어슐러는 이 타락한 세상을 비늘처럼 굳은 몸으로 기어다니는 인간들이 아직도 생존하고 있다는 것을,

그리고 무지개가 인간들의 핏속까지 흘러들어 생명력 넘치는 진동으로 그들의 정신을 새롭게 일깨우고, 인간들의 굳은 타락의 껍데기를 벗어던짐으로써 새롭고 깨끗한 육신이 새로운 싹을 발아시켜 성장하며 빛과 바람 그리고 깨끗한 비에 자신들을 드러낼 것을 어슐러는 잘 알고 있었다. 어슐러는 무지개 속에서 지상의 새로운 건축물을 보았다. 오래되어 낡고, 부서지기 쉽고 오염된 집들과 공장들은 사라졌고 진실이라는 살아 숨 쉬는 자재로 새롭게 건축된 세상이 도래했다. 그것은 둥근 하늘에 꼭 들어맞았다.

And the rainbow stood on the earth. She knew that the sordid people who crept hard-scaled and separate on the face of the world's corruption were loving still, that the rainbow was arched in their blood and would quiver to life in their spirit, that they would cast off their horny covering of disintegration, that new, clean, naked bodies would issue to new germination, to a new growth, rising to the light and the wind and the clean rain of heaven. She saw in the rainbow the earth's new architecture, the old, brittle corruption of houses and factories swept away, the world built up in a living fabric of Truth, fitting to the over-arching heaven. (*RB* 458-59).

산업화된 물질문명 사회에서 로렌스의 『무지개』는 새로운 윤리학을 요구하는 시대에 기존의 문학작품의 영역을 확장하여 여성의 정체성 형성, 남성제국주의적 자본주의와 현대 문명사회에 대한 비판이라는 새로운 문제

설정을 가능케 하는 탈식민 텍스트라는 점에서 바가 크다. 다시 말해 이 소설은 남성제국주의적 지배가 함축하는 총체성과 그것에 종속된 여성들의 존재, 남성과 여성들 간의 차이, 주체적이고 독자적인 여성 정체성에 대한 차이를 인정하고 있기 때문이다.

> 우리는 전체와 하나에 대한 향수에, 그리고 개념적이고 지각할 수 있는 것, 명료한 것과 전달할 수 있는 체험의 조화에 대해 충분히 대가를 치르었다. 느슨함과 진정에 대한 전반적인 주장 가운데서 우리는 사실을 파악하기 위해 공포에의 복귀와 환상의 의식을 바라는 소리를 들을 수 있다. 그 대답은 바로 이러하다. "총체성에 대항하여 싸워 보자, 그리고 표현할 수 없는 것에 대한 증언이 되면서 차이점들을 명백히 하고 차이의 명예를 지키자."[69]

총체성에 대한 저항이라는 관점에서 탈식민주의, 탈식민주의 문학은 남성과 여성 간의 차이를 제거하고 여성들의 정체성을 인정하고 그것을 명확히 표출함으로써 타자와 약자에 대한 담론이라고 할 수 있다. 이러한 맥락에서 탈식민 담론은 일상의 삶 속에서 타자들에 대한 관심, 여성정치학, 남성제국주의 지배담론에 대한 비판과 저항, 전복이라는 정치적 의미를 구성하는 '미시정치학'을 포괄한다고 할 수 있다. 그것은 남성/여성이라는 이분법적 대립과 흑백논리를 넘어 양자 간에 다양하게 표출되는 차이를 인정하여 남성제국주의가 가하는 억압을 폭로하는 차이의 정치학, 타

---

69 정정호, 강내희 편, 『포스트모더니즘론』(서울: 도서출판 터, 1989), 137.

자와 약자에 대한 중심가치, 새로운 문화 윤리학을 의미한다. 달리 표현하면 파괴적인 남성제국주의적 가치에 대한 비판적 입장을 밝히고 여성의 주체적 자아와 정체성을 인정하는 새로운 문화정치학의 영역에서, 여성들이 의식적으로 자각된 주체로서 인정받는 여성존재의 의미지평을 확대시킴으로써 함의를 갖는 것이라고 할 수 있다.

IV

『사랑하는 여인들』의 탈식민성

소설은 우리가 살고 있는 현실의 일상적 삶이 아닌 소설 나름대로의 법칙을 갖고 있는 예술 작품이다. 그렇다면 현실의 법칙과 예술 사이의 차이점은 무엇인가? 소설은 예술작품으로 일상의 것과 다른 그 자체의 법칙이 있다. 소설 속의 등장인물은 소설의 법칙에 의해 살아갈 때 진실을 발견할 수 있고 일상의 우리와 유사하기 때문이 아니라 소설이 갖고 있는 설득력으로 인해 등장인물은 진실한 인물이라고 말할 수 있다. 그것은 질문에 대한 미학적 해답이 될 수 있다. 심리학적인 면에서 "그녀는 왜 여기에 있을 수 없을까? 그녀는 왜 우리와 분리되는가?"[70]라고 질문을 던질 수 있다. 예술의 법칙이 현실 속에서 우리 속에서 가르쳐 주는 것이 많다. 소설은 역사보다 더 진실하다(*Aspects of the Novel* 70). "인생의 비밀이 보이는 세계, 우리의 것이 아니며 우리가 소유할 수도 없는 세계, 화자와 창조주가 하나인 세계에 속해 있기 때문에, 이곳에 있을 수 없다"(*Aspects of the Novel* 69-70). 소설 속의 등장인물이 실제적인 것은 소설가가 그에 대해 모든 것을 알고 있기 때문이다.

다른 한편으로 소설가는 자신이 알고 있는 것을 우리들에게 다 말하지 않을 수도 있다. 그런 이유로 우리는 일상의 삶에서 얻을 수 없는 또 다른 현실을 누릴 수 있다. 현실의 삶에서 우리는 서로를 잘 이해할 수 없지만 소설 속에서는 우리는 인간을 완전하게 이해할 수 있다. 이런 측면에서 소설은 역사보다 진실하다. 그 이유는 소설은 증거를 넘어서기 때문에, 그리고 우리 자신은 우리가 체험한 경험을 통해 증거를 넘어서는 무

---

70 E. M. Forster, *Aspects of the Novel*, Ed. Oliver Stallybrass(Harmondsworth: Penguin Books, 1977), 69.

엇인가가 있다는 것을 알고 있기 때문이다. 심지어 악한조차도 우리들에게 위안을 준다(*Aspects of the Novel* 70).

이처럼 소설은 우리가 현실에서 경험할 수 없는, 일상의 것과 다른 진실을 내포하고 있다. 같은 맥락에서 로렌스의 『사랑하는 여인들』[71]을 통해 우리는 소설 속의 등장인물의 삶을 체험할 수 있고 전제적 가부장제에 대한 비판적 시각을 발견할 수 있기 때문에 이 소설을 탈식민주의 관점으로 읽어낼 수 있다. 그것은 텍스트를 사회적, 역사적 맥락과 연결시켜 텍스트가 여성들이 차지하는 역사적, 사회적 현실과 긴밀한 연관성을 갖고 있기 때문이다. 이 장에서는 식민 담론에 대한 대항 담론으로서 탈식민 시각에서 『사랑하는 여인들』이 탈식민주의에 어떤 함의를 지내는지, 그리고 탈식민 페미니즘 이론 틀로 텍스트와 담론을 접맥하여 이 소설에 나타난 전제적 가부장제와 남성중심적 젠더 이데올로기 비판에 초점을 맞춘다.

탈식민 페미니즘의 서사 전략은 여성들이 직면해 있는 복잡하고 불합리한 상황을 여성의 관점에서 보고, 여성들의 입장을 대변한다는 점에서 효과적 담론을 구성한다. 환언하면 지배적인 가부장 문화 속에서 자신들의 역사가 왜곡된 여성들은 여성으로서의 존재가치의 회복과 정체성 형성을 가장 효과적으로 달성할 수 있는 가능성을 시사하고 있기 때문에 중요하다. 따라서 탈식민 페미니즘이 여성의 정체성을 강조한 점은 남성제국주의와 가부장제에 대한 저항 전략이며 여성 개인의 주체적 자아를 모

---

71 이 책에서는 로렌스의 *Women in Love*(London: Penguin. 1960)을 사용하며 본문 인용은 *WL*로 축약해서 표기할 것이다.

색하여 여성 정체성을 구현한다는 점에서 탈식민 페미니즘은 의미가 깊다고 하겠다.

탈식민 페미니즘의 시각에서 볼 때 전제적 가부장제는 남성중심적인 가치관, 남녀관계의 이분법적 구별, 수직적 질서, 불평등한 권력구조를 토대로 삼고 있다. 그것은 지배와 복종이라는 불평등한 구도 속에서 여성들의 정체성을 왜곡하고 여성들의 자율성을 심각하게 훼손함으로써 여성들의 자유와 존엄성을 피폐시켰다. 그 주된 요인은 식민주의에 기인한다. 식민지배체제는 열등한 타자라는 식의 부정적 고정관념을 생산하여 피지배자를 정형화하거나 타자화함으로써 피지배자들의 생존권을 침해하거나 정체성을 부정한다. 열등한 타자라는 이미지를 통해 식민지배자가 통치권력을 획득하고 식민주의적 세계관에 근거하여 식민통치를 정당화하기 위해 열등한 타자를 필요로 하듯이, 전제적 가부장제는 자신들의 지배를 합리화하기 위해 열등한 여성 타자가 필요하다. 그것은 자신들의 성적, 도덕적, 지적, 신체적 우위를 강조하고 싶은 왜곡된 사고방식 때문이다. 그들은 성적 우월성을 확인함으로써 여성들에 대한 지배를 합리화할 수 있게 되었고 여성들은 남성들의 지적 우월성을 확보해주는 존재로 인식되었던 것이다. 환언하면 남성우월주의자들은 여성을 지배당하는 타자로 인식하여 전제적 가부장제를 영속화하고자 하였고 남녀 간의 불평등을 심화시켰다. 이처럼 타자화는 남성의 우월성과 지배를 정당화한다. 타자화에 대한 대안 부재는 여성들을 사회적으로 부당하게 배제시키는 결과를 초래하기 때문에 여성들의 정체성 구축을 침식할 가능성이 높다. 즉 여성은 가부장제 구조에서 자녀출산이나 육아와 같은 차세대 재생산을 담당하기 때문에 주체적이고 독립적인 정체성 형성에 어려움을 경험하거나 정체성 구축에 한계가 있다. 이런 맥락에서 로렌스의 『사랑하는 여인들』은 전제적 가부장제, 남성우월주의와 타자화에 대한 비판이며 동시에 이상적인 남녀관계와 결혼의 가능성에 대한 논의를 균형감 있게 구현하기 때문에 수많은 독자들의 시선을 사로잡는 문학작품이라고 할 수 있다.

우리가 로렌스 소설에 매력을 갖게 되는 이유 중의 하나는, 그의 소설에 등장하는 여성들이 남성중심의 가부장적 사회 구조에서 여성 주체로서 자신들의 삶에 대한 인식과 주체적인 정체성 형성을 추구하는 인물이기 때문이다. 이들은 남성들과의 관계를 적대적 대립관계로 파악하지 않고 남성과의 평등한 관계, 균형성을 모색하여 자신들의 정체성을 확립하게 위해 적극적으로 삶을 살아간다. 로렌스가 여성의 정체성 형성에 있어서 자신의 시대를 앞질렀던 작가라는 사실에서 알 수 있듯이 그는 균형감 있고 정확하게 여성들을 묘사하였다. 분명한 것은 로렌스가 그가 살던 사회의 구조와 가치를 그대로 수용하지 않고 여성들을 개인과 사회의 관계에서 자율적인 존재로, 명확하게 표현하였다는 점에서 여성의 정체성 형성에 막대한 영향을 끼친 소설가로 평가할 수 있다.

1921년 발표된 『사랑하는 여인들』에서도 서구 중심적 시각과 담론, 지배적 가치를 작품 도처에서 발견할 수 있다. 제럴드(Gerald Crich)는 기술에 의한 지배, 환언하면 서구문명 특유의 한계를 반영한다. 두루 알다시피 서구사회의 기계문명은 공업화를 기제로 식민지를 만들고 후진민족을 수탈하는 데 기여해 왔다. 그 과정에서 제럴드와 같은 영국인 또는 서구인은 식민수탈에 큰 몫을 했던 것이다. 서구내의 진보세력이라 해서 반드시 덜 제국주의적이거나 덜 인종주의적이지도 않았고 밀(John Stuart Mill) 같은 철학가의 『자유론』(*On Liberty*)조차도 식민종주국인 대영제국의 지배가치를 식민지에 전파해야 한다는 제국주의 이데올로기를 주창하였다. 기술지배의 상징으로서 제럴드의 운명에는 이러한 서구인 공통의 경험이 작용하고 있는 것이다. 아버지 토마스 크라이치(Thomas Crich)의 인도적 자본주의와 대조적으로 제럴드가 대표하는 기술적 가치에 대한 인식은 북극의 얼음과 눈을 배경으로 갖는 차디찬 추상적, 파괴적 지식에 지나지 않는다[72]. 버킨(Rupert Birkin)은 제럴드의 일을 상기한다.

> 버킨은 제럴드를 생각했다. 제럴드는 파괴적인 서리의 신비 속에서 완성된 북방에서 온 사탄 가운데 한 사람이었다. 그런데 그는 이 지식 속에서, 완전히 차가움, 곧 서리의 지식의 과정 중에서 죽어가도록 운명 지어진 사람인가? 그는 이 우주가 완전히 하얗고 눈 속에서 분해되는 것을 전해주는 심부름꾼인가, 그는 그러한 징조인가?

> Birkin thought of Gerald. He was one of these strange white wonderful demons from the north, fulfilled in the destructive frost mystery. And was he fated to pass away in this knowledge, this one process of frost-knowledge, death by perfect cold? Was he a messenger, an omen of the universal dissolution into whiteness and snow? (*WL* 287)

---

[72] D. H. Lawrence, *Women in Love*, 287.

제럴드는 감각세계에 치우친 결과 그것 때문에 망하게 된다. 그의 지식은 정신이 결여된 감각에서 끝난 지식에 지나지 않는다. 감각의 영역, 순전히 관능적인 경험만이 강조될 때 영혼은 파괴되고 와해된다. 이처럼 차가운 지식은 모든 것을 파괴하는 비창조적 지식일 뿐이다. 그것은 파괴적인 결빙의 신비극에서 완성된 북극의 기이하고 신비스러운 흰 악마의 하나였다 (*WL* 287). 생각이 여기에 미치자 버킨은 두려움에 휩싸인다. 또한 피곤하기도 하여 그는 갑자기 마음을 돌려먹고 삶의 길, 자유에의 길, 사랑을 하되 순수하고 온전한 인간됨을 포기하지 않는 길이 있다고 결심한다. 버킨의 갑작스러운 돌이킴은 제럴드가 가지지 못한 생명력이며 삶에 대한 깊은 책임감의 발현인 것이다. 버킨의 제의를 거부한 제럴드는 알프스의 눈 속에서 브랭윈 가의 거드런(Gudrun)과 감각적 사랑에 집착하다가 삶의 의욕을 상실하고 동사하게 됨으로써 버킨의 예감이 적중하게 된다. 이 소설이 너무나 뻔한 알레고리로 전락하지 않는 것은 그러한 결말까지의 과정이 심리적으로도 박진감 있게 형상화되어 있기 때문이다. 제럴드의 실패는 그의 기계적인 사고방식, 기계화, 남성중심적 가치를 지니고 있다는 점과 깊은 연관성이 있다고 할 수 있다. 예컨대 제럴드는 노동자들에게 관용을 보이기는커녕 기계적 가치관으로 인간에 대해 혐오감을 표현하고 있고 노동자들의 존엄성을 진지하게 고려할 줄 모른다는 사실은 서구 가치의 한계이다. 그렇다면 탈식민 관점에서 버킨과 어슐러가 어떻게 남녀 간의 갈등을 극복하고 이상적인 남녀관계를 형성하는지 좀 더 자세히 살펴보고자 한다.

1. 버킨과 어슐러의 관계

『사랑하는 여인들』에서 발견할 수 있는 의미 있는 주제 중 하나는 남녀관계에서 가장 이상적인 남녀의 결합과 여성의 정체성 구축이다. 이 소설은 남녀관계를 중심축으로 결혼의 가능성에 대한 토론으로 시작해서 문명 사회에서 모색해야 할 가장 이상적인 인간관계로의 확장을 포함한다. 영국 역사상 가장 위대한 소설가 중 한 사람인 로렌스는 『사랑하는 여인들』에서 버킨과 어슐러(Ursula Brangwen)의 사랑과 남성제국주의 가치관으로 자신의 의지를 맹목적으로 강요하며 감각적이고 왜곡된 관능을 추구하는 제럴드와 거드런의 사랑을 대조하면서 로렌스 자신이 추구하고자 하는 남녀관계의 새로운 패러다임을 제시하고 있다.

로렌스가 추구하는 이상적인 남녀관계는 버킨과 어슐러의 관계이다. 그는 버킨과 어슐러를 통해 '하나 속의 둘'(Two-in-One)이라는 이상적인 관계를 통해서 자기 문학 사상을 드러내고 있고 다른 한편으로 버킨과 어슐러와는 확연히 대비적인 관계를 형성하는 제럴드와 거드런을 통해 파괴적인 양성관계를 제시함으로써 그의 작품 세계를 완성시켜 간다. 그런데 이들 관계에는 등장인물 각자의 개성과 환경만이 아니라 그들이 살고 있는 인간 사회의 다양한 가치들이 내포되어 있다. 이상적인 관계를 수립하기 위해서는 사회 상황에 대한 판단과 그에 따른 새로운 삶의 지표와 끊임없는 노력이 수반되어야 한다. 소설 전반에 걸쳐 버킨이 고민하는 문제는 생중사의 삶의 상황 속에서 보편적 인간의 삶의 방식과 이에 대한 거부라는 양자 간의 선택 문제, 혼탁한 시대를 살아가는 인간 삶의 구원의 방식이라고 표현할 수 있다.

　제럴드와 거드런의 갈등은 한쪽이 승리하거나 패배하는 영원한 시소게임이지만(*WL* 500), 버킨과 어슐러의 갈등은 한 사람의 일방적인 파멸을 지양하고 서로 합일해가는 과정으로 표출된다. 후자의 경우 갈등 자체를 이상적인 남녀의 결합을 위해 겪어야 하는 창조적 과정을 보여준다. 버킨은 현대사회가 기계화되고 파편화되는 상황을 냉철하게 비판하는 인물이다. 제럴드가 기계에 자신을 종속시키는 것과 대조적으로 버킨은 물질주의와 기계문명에 함몰되지 않고 자신의 정체성을 추구하여 미래의 삶에 대한 창조적 인간관계를 모색하고 있다.

　바바는 "정체성 형성의 요구는 타자성의 질서를 차이화하는 과정 속에서 주체의 표상작용을 수반한다"고 설명했는데,[73] 여기서 말하는 차이는 여성들의 정체성 구축을 위한 새로운 시각에서 재현하는 차이의 정치학을 말한다. 즉 가부장 사회에서 발생하는 다양한 억압은 여성들에게 전가되어 왔기 때문에 가부장적 구조에서 주변화되고 여성으로서의 주체적 자아 형성에 대한 인식을 할 수 없도록 부정적 역할을 했다는 점에서 정체성 형성을 방해하는 내재적 원인이 된다. 이러한 맥락에서 차이의 정치학은, 간명하게 말해서, 차이를 재생산하는 남성중심적 사회구조의 토대를 뒤흔드는 저항을 의미한다. 로렌스의 대변인이라 할 수 있는 버킨을 통해 여실히 드러나듯이 로렌스는 이 소설에서 기술이 지배하는 시대 유럽문명의 파괴성을 '창조의 강'과 '해체의 검은 강'이라는 말을 사용하여 상징적으로 서술하고 있다.

73　Homi K. Bhabha, 64.

"우리들은 늘 생명의 은빛 강을 생각하고 있어요. 그 강은 흘러감에 따라 전 세계에 밝은 빛을 비춰주고, 하늘나라까지 나아가, 천사 무리들로 붐비는 하늘나라로, 빛나는 영원한 바다로 흘러 들어가는 것이죠. 그러나 다른 또 하나의 강, 그것은 우리들의 진실한 현실 — "

"하지만 다른 강이란 뭐예요? 다른 강 같은 건 도무지 알 수 없어요," 어슐러가 말했다.

"그렇지만 그것은 당신의 현실이지요," 하고 버킨이 말했다. "어두운 용해의 강이죠. 부패의 검은 강처럼 이 강이 우리들 속에서 흐르고 있는 것을 당신도 알 수 있을 거예요—부패의 검은 강이라고 할 수 있죠. 우리들의 꽃은 이 강의 꽃이에요. —우리들의 바다에서 태어난 아프로디테, 관능이 완성된 하얀 인광(燐光)을 뿜어내는 우리들의 모든 꽃, 오늘날 우리들이 직면한 모든 현실이라고 할 수 있어요."

'We always consider the silver river of life, rolling on and quickening all the world to a brightness, on and on to heaven, flowing into a bright eternal sea, a heaven of angels thronging. But the others our real reality —'

'But what other? I don't see any other,' said ursula.

'It is your reality, nevertheless,' he said; 'that dark river of dissolution. You see it rolls in us just as the other rolls — the black river of corruption. And our flowers are of this — our sea-born Aphrodite, all our white phosphorescent flowers of sensuous perfection, all our reality, nowadays.' (WL 192-93)

로렌스가 이원론에서 밝히고 있는 빛과 어둠의 이미지는 양자가 공존하지만 이미 그 속에 갈등을 내포하고 있기 때문에 긴장과 균형이 도달하지 못하고 바람직한 존재를 실현하는 데 실패하게 되어 해체와 부패의 과정을 겪을 수밖에 없다는 것을 의미한다.

『사랑하는 여인들』에서 반복해서 강조하는 것은 기계적인 사랑이 아니라 생명력이 있고 균형 있는 삶인데 그것은 로렌스가 구현하고자 하는 남녀 간의 이상적인 사랑이다. 버킨에 대한 어슐러의 첫 인상은 첫 장인 「자매들」("Sisters") 장에 나타나 있다. 어슐러는 과거에 장학관으로서 버킨을 만난 적이 있지만, 그녀는 버킨의 외모가 아닌 버킨에게서 내면적 유사성을 느껴 그에게 끌리게 되고 다른 한편으로 버킨에게 끌리는 것을 막는 적대심 같은 무엇인가가 그것을 막고 있다는 것을 느끼게 된다.

> 어슐러는 버킨에 대해 더 많이 알기를 원했다. 이미 한두 번 버킨과 대화를 나눈 적이 있지만, 그것은 다만 장학관에 대한 사무적인 위치에서뿐이었다. 그때 그는 두 사람 사이의 어떤 친밀함 같은 것을 인정해주는 것 같았다. 그것은 자연스러운 어떤 것에 대한 이해, 같은 말을 사용하고 있다는 그런 느낌이었다. 하지만 그 이해를 발전시킬 시간이 없었다. 그리고 그에겐 어슐러를 끌어당기는 매력과 동시에, 멀리하는 무언가가 있었다. 그것은 감추어진, 차가운, 가까이하기 어려운 절대적인 자기 억제, 일종의 적대감이었다.

> She wanted to know him more. She had spoken with him once or twice, but only in his official capacity as inspector. She thought he

seemed to acknowledge some kinship between her and him, a
natural, tacit understanding, a using of the same language. But
there had been no time for the understanding to develop. And
something kept her from him, as well as attracted her to him.
There was a certain hostility, a hidden ultimate reserve in him,
cold and inaccessible. (*WL* 22)

「교실」("Class") 장에서 버킨은 허마이어니(Hermione)에게 여성적 정열
과 관능적인 면을 찾아볼 수 없고 단지 의지와 지식만 추구하는 여성이라
고 비난하자 어슐러는 그의 발언에 당황하게 된다(*WL* 47). 버킨의 사고
방식은 자유 속의 개성을 지닌 존재로서의 인간관계, 평등하고 균형감 있
는 남녀관계에 대한 그의 사고방식과 강력한 의지와 지적 욕구만을 추구
하는 허마이어니와의 만남에서 나타난다. 버킨은 남성을 지배하려는 강
력한 의지와 지적 욕구에 집착하는 허마이어니로부터 벗어나려고 한다.
그녀는 스무살 때 옥스퍼드에서 버킨을 만난 후 버킨의 지성을 부러워하
며 그를 흠모한다. 미들랜드(Midlands) 지방 상류 계층의 사교장소인 브
레들비(Breadalby)의 여주인인 허마이어니는 사회적 지위와 부, 그것과
어울리는 교양과 지성을 갖춘 여성 지식인으로서, 차가운 지성이 지배하
는 여성으로서 인간적 따뜻함이 결여된 과다한 지성을 추구하는 여성이
다. 그녀의 지나친 정신적 성향과 지식욕구는 작품의 첫 번째 장인 「자매
들」에서 묘사된 외모에서 발견할 수 있다.

허마이어니는 자신이 옷을 잘 차려입고 있는 것을 알고 있었다. 그리고 또 윌리 그린에서 만날 것 같은 어떤 사람이라도 사회적으로 평등하다는 것을 알고 있었고, 자기가 다른 사람보다 더 월등하다고는 생각하지 않았다. 그녀는 그녀가 교양과 지성의 세계에서 받아들여지고 있다는 사실도 알고 있었다. 이른바 문화의 매체였다. 사회에서나, 사상에 있어서, 혹은 공적인 활동에 있어서, 심지어는 예술분야에서도 권위자들과 조화를 이루고, 늘 앞장을 섰으며, 동시에 그것에 익숙해져 있었다.

Hermione knew herself to be well-dressed; she knew herself to be the social equal, if not far the superior, or anyone she was likely in Willey Green. She knew she was accepted in the world of culture and of intellect. She was a *Kulturträger*, a medium for the culture ideas. With all that was highest, whether in society or in thought or in public action, or even in art, she was at one, she moved among the foremost, at home with them. (*WL* 17)

현대 미술에서 볼 수 있는 인위적인 비례를 연상시키는 허마이어니의 두상의 육중함은 핼리데이(Halliday)의 집에 있는 아프리카 여인상과 유사성이 있다. 반복해서 제시되는 그녀의 긴 머리와 큰 키, 독특한 외모(*WL* 41)는 뒤틀리고 왜곡된 자아를 반영한다. 문제는 허마이어니의 메마른 지성이 감각과 관능을 무시할 수 있을 만큼 강력하다[74]는 점이다. 다시 말해

---

[74] Stephen J. Miko, *Toward Women in Love: the Emergence of a Lawrentian Aesthetic* (New Haven: Yale UP, 1972), 246.

지식욕에 치우친 허마이어니의 지성과 아프리카 여인이 상징하는 지성과 관능은 시대의 균형을 잃은 상태는 문명의 파괴적 양상을 드러내는 요소들이다.

정신적 세계에 침잠해서 왜곡된 삶을 영위하는 허마이어니의 지식욕은 남녀 간의 양성관계에서 부정적으로 나타난다. 그녀는 인간의 자연스러운 감성이나 본능까지 억압하고 철저히 이론화시킨다. 버킨과 '지식의 효용성'에 대한 토론 장면에서 허마이어니는 지식 무용론을 주장한다.

> "우리가 지식을 갖게 되면, 지식 이외의 다른 모든 것을 잃는 게 아닐까요?" 허마이어니가 애처롭게 물었다. "제가 꽃에 대해서 알게 되면, 그땐 저는 꽃을 잃어버리고 지식만 남지 않겠어요? 우리는 본질을 그림자와 바꾸고, 생명을 잃어버리고 대신 죽어버린 지식만 남는 게 아닐까요? 결국 그것이 저한테 무슨 의미가 있나요" 이 모든 지식이 저한테 무슨 의미가 있나요? 아무 의미도 없어요."

> 'When we have knowledge, don't we lose everything but knowledge' she asked pathetically. 'If I know about the flower, don't I lose the flower and have only the knowledge? Aren't we exchanging the substance for the shadow, aren't we forfeiting life for this dead quality of knowledge? And what does it mean to me after all? What does all this knowing mean to me? It means nothing.' (*WL* 45)

허마이어니의 주장에 대해 로렌스의 철학을 대변하는 버킨은 다음과 같이 상술한다.

"당신은 그저 말장난만 하고 있을 뿐이죠," 버킨이 말했다. "당신에게는 지식이 모든 것을 의미할 뿐이고요. 당신의 그 동물론만 보더라도, 당신은 당신의 머릿속에서만 그것을 원하고 있어요. 당신은 동물이 되고 싶은 게 아니라고요. 자기 자신의 동물적 기능을 관찰함으로써 이성적인 전율을 맛보려는 것뿐입니다. 동물론이라는 것도, 그것은 어디까지나 부차적인 것―그것은 완고한 이지주의라기보다는 퇴폐적인 것이라고요. 이지주의의 최악의 마지막 형태라는 것도, 당신의 열정이나 동물적 본능에 대한 사랑 말고 다른 무엇이 있습니까? 열정과 본능―당신은 그것을 상당히 갈망하고 있지만, 당신의 머리를 통한 것, 당신의 의식 속에 있는 것입니다. 그것은 모두가 당신의 머릿속에서, 당신의 그 두개골 밑에서만 일어나는 일입니다. 당신은 당신의 재능에 걸맞는 거짓말만 원하고 있어요."

'You are merely making words,' he said; 'Knowledge means everything to you. Even your animalism, you want it in your head. You don't want to *be* an animal, you want observe your own animal to get a mental thrill out of them. It is all purely secondary―and more decadent than the most hide-bound intellectualism. What is it but the worst and last form of intellectualism, this love of yours for passion and the animal instincts? Passion and the instincts―you want them hard enough, but through your head, under that skull of yours. Only you won't be conscious of what *actually* is: you want the lie that will match the rest of your furniture.' (*WL* 45)

이것은 허마이어니의 지식무용론에 주장과 그녀의 이중성에 대한 로렌스의 목소리를 투영한 것이다. 그의 말 속에서 반복해서 말하는 '머리'는 다름 아닌 허마이어니의 큰 머리, 뒤틀리고 왜곡된 지식을 상징적으로 보여주는 것이라 하겠다. 예를 들어 거드런이 건네주는 스케치북을 물에 빠뜨리는 노골적, 오만한 행동(*WL* 134)이나 버킨과 어슐러가 보는 앞에서 이태리어로 고양이와 대화를 나누는 장면(*WL* 167-68)은 허마이어니의 자만과 지성에 대한 과시를 증명한다.

　그녀는 타인에 대한 자신의 지적 우월성을 과시하고 상황에 따라 변하는 이중적 성격을 소유한 여성이다. 버킨이 남녀관계의 균형을 추구하는 남성이라면 지식을 절대시하는 허마이어니의 오만은 왜곡된 자아상, 왜곡된 여성상을 드러낸다. 이상에서 살펴본 바와 같이, 그녀의 지식과 자만심은 생명력이 부재한 가식, 위선을 표상한다. 지식에 맹목적 대한 숭배와 타인에 대한 오만 때문에 허마이어니의 정신은 공허함과 소외감에 사로잡힌다. '끔찍한 공허감'이나 '자신의 내적 존재의 결여' (*WL* 18)를 보충하고자 하는 그녀의 노력은 버킨에 대한 집착과 그를 소유하고자 하는 상태로 발전하게 된다. 허마이어니의 왜곡된 지성은 혼돈의 시대에서 구원의 가능성을 가로막는 장애물로 존재한다. 여기서 알 수 있는 것은 지성에 대한 과도한 몰입은 정상적인 관능과 본능을 억압하거나 성장을 방해할 뿐만 아니라 지식과잉의 기형적인 문화를 배태함으로써 인간사회의 분열에 일조한다는 점이다.

버킨과 허마이어니 간의 논쟁은 교육에 관한 것이다. 허마이어니는 학교 교육에 있어서 아이들이 지나치게 짓눌려 자발성을 상실하고 있다고 주장하는데 이에 대해 버킨은 격양된 목소리로 다음과 같이 외친다.

"하지만 당신의 열정은 거짓입니다." 버킨은 격렬하게 말을 이었다. "그것은 결코 열정이 아니라고요. 그것은 다른 사람을 괴롭히는 의지에 불과해요. 당신은 사물을 꼭 붙들고 그걸 당신의 손아귀에 넣고 싶은 겁니다. 모든 것을 당신의 권력 안에 가두어 두고 싶은 거라고요. 왜 그럴까요? 그건 당신이 진정한 육체를, 생명의 은밀한 관능적 육체를 가지고 있지 않기 때문이죠. 당신에게는 관능이라는 것이 없어요. 당신은 오직 의지만, 의식의 자만심만, 권력에 대한 갈망만이 있을 뿐이에요."

'But your passion is a lie,' he went on violently. 'It isn't passion at all, it is your *will*. It's your bullying will. You want to clutch things and have them in your power. You want to have things your power. And why? Because you haven't got any real body, any dark sensual body of life. You have no sensuality. You have only your will and your conceit of consciousness, and your lust for power, to *know*.' (WL 46)

버킨의 열띤 공격에도 허마이어니는 한 발자국도 물러서지 않고 "죽은 것이나 다름없는 이런 지식을 추구하느라 우리는 삶을 상실하고 있는 것은 아닐까? 그것은 아무런 의미도 없어"라고 단언하거나 감정과 본능의 중요성을 피력함으로써 버킨의 사상에 동조하는 이율배반적인 모습을 보이기도 한다. 이는 그녀의 메마른 지성의 힘이 인간의 감정을 철저히 외면할 정도로 강력한 것임을 시사한다. 사회개혁, 철저하게 지성과 관념만을 추구하는 그녀의 모습은 버킨이 생각하는 이상적인 남녀관계와는 거리가 멀기 때문에 그는 허마이어니와의 관계에서 벗어나고자 한다. 또한 허마이어니와의 만남에서 아무런 생명력을 경험할 수 없기 때문에 그녀에게서 사랑을 느낄 수 없게 된다. 「브레들비」 장에서 버킨과 허마이어니는 다시 동등성에 대해 열띠게 토론하는데 허마이어니는 우리는 정신적으로 완전히 동등하다고 주장하며 이렇게 말한다.

"만약에," 하고 허마이어니가 마침내 말했다. "우리가 정신에 있어서 모두가 하나이고, 모두가 평등하며, 모두가 형제라는 것을 이해할 수만 있다면―다른 것은 문제가 되지 않아요. 남의 흠집을 잡는 거라든가, 또는 시기하는 거라든지, 아니면, 그저 오직 파괴만이 있는 권력 투쟁 같은 것은 더 이상 사라질 거예요."

'If,' said Hermione at last, 'we could only realize that in the *spirit* we are all one, all equal, in the spirit, all brothers there―the rest wouldn't matter, there would be no more of this carping and envy and this struggle power, which destroys, only destroys.' (*WL* 115)

허마이어니의 주장에 대해 버킨은 다음과 같이 즉시 응수한다.

"그건 정반대랍니다. 완전히 정반대라 할 수 있죠. 허마이어니, 정신 적으로 우리들은 모두가 다르고 불평등합니다－그것은 우연한 물질 적 조건에서 오는 사회적 차이일 뿐이죠. 당신 좋은 대로 말한다면, 우리는 모두가 추상적으로나 수학적으로는 평등해요. 어느 누구나 배 가 고프고 목이 마르며, 두 개의 눈과 한 개의 코, 두 개의 다리를 가 지고 있죠. 평등이나 불평등과 같은 그런 문제가 아니란 말이죠. . ." 정신에 있어서 나는 하나의 별이 다른 별과 다른 것처럼 질과 양에 있어서도 다른 사람과 다르다는 것이죠. 이러한 사실 위에 국가를 건 설하려는 겁니다. 한 사람이 다른 사람보다 우수하지 못하다고 하는 것은 사람들이 평등하기 때문이 아니라, 본질적으로 사람들이 저마다 별개의 존재이며, 비교할 만한 말이 없기 때문이죠.

'It is just the opposite, just the contrary, Hermione. We are all different and unequal in spirit－it is only the *social* differences that are based on accidental material conditions, We are all abstractly or mathematically equal, if you like. Every man has hunger and thirst, two eyes, one nose and two legs. We're all the same in point of number. But spiritually there is pure difference and neither equality nor inequality counts. . .' In the spirit, I am as separate as one star is from another, as different in quality and quantity. Establish a state on *that*. One man isn't any better than another, not because they are equal, but because they are intrinsically *other*, that there is no term of comparison. (*WL* 115-16)

그들 사이에 팽팽한 논쟁과 토론이 지속되는 동안 버킨의 목소리는 한편으로 우세한 듯 보인다. 하지만 다른 한편으로 허마이어니의 집요한 공격에 그는 뒤로 물러서게 되는 양상을 띤다. 한편 버킨은 무언극에서 나오미 역할을 담당했던 어슐러를 보고 강하게 이끌리게 된다.

구멍 속의 은둔자 같은 게처럼 바라보고 있던 버킨은 어슐러의 빛나는 좌절과 절망을 보았다. 그녀에게는 풍요함과 위험스러운 힘이 가득 차 있었다. 그녀는 힘찬 여성성의 낯선, 무의식적인 꽃봉오리 같았다. 버킨은 무의식적으로 어슐러에게 마음이 이끌렸다. 그녀는 그의 미래였다.

Birkin, watching like a hermit crab from its hole, had seen the brilliant frustration and helplessness of Ursula. She was rich, full of dangerous power. She was like a strange unconscious bud of powerful womanhood. He was unconsciously drawn to her. She was his future. (*WL* 102)

버킨과 어슐러는 「섬」("An Island") 장에서 우연히 만나 대화를 나누게 된다. 여기에서 그녀는 버킨에게 '그렇다면 왜 당신은 인간을 사랑하느냐?'고 질문하자 그는 '내가 인간을 사랑한다면 그것은 자신에게 있는 병 때문이다'고 대답한다. 버킨은 어슐러와의 대화 중 그녀 속에서 살아 있는 불꽃이 타오르는 것을 보고 어슐러의 순수함에 이끌리게 된다. 이 장에서 버킨의 인간에 대해 부정적인 견해에 대해 어슐러는 다음과 같이 강력하게 항의한다.

"만약에 인간이 지구 표면에서 없어진다면, 창조는 비인간적인 새로운 출발점에서 놀랍게 진행될 것입니다. 인간이란 잘못 창조된 것 가운데 하나라고 할 수 있죠.─어룡(魚龍)처럼 말입니다. 오직 인간만이 사라진다면, 해방된 날에서 얼마나 아름다운 것이 나타날까 생각해보세요─모든 것은 불에서 곧바로 태어납니다."

"하지만 사람은 결코 사라지지 않을 거예요," 어슐러는 인간은 영원한 공포에 대한 음흉한, 악령과 같은 이해력을 소유하고 있어요. 그녀가 말했다. "이 세상은 인간과 함께 존속할 거예요."

"아아, 그렇지 않아요," 버킨이 대답했다. "그렇지 않아요. 나는 우리의 선조였던 자랑스러운 천사들이나 악령의 존재를 믿습니다. 그들은 우리를 멸망시킬 겁니다. 왜냐하면, 우리는 충분한 자부심을 가지고 있지 않기 때문이에요. 어룡은 자부심이 없습니다. 그들은 인간들이 하는 것처럼 기어 다니고 빈둥거리고 있었죠. 그밖에 접골목이나 히아신스를 보세요─이것들은 순수한 창조가 이루어진다는 징조랍니다.─심지어 나비조차도. 하지만 인간이란 쐐기벌레의 단계를 결코 넘어서지 못한다고 할 수 있죠─인간은 번데기 속에서 썩어버리고, 결코 날개를 갖지 못할 겁니다."

'If only man was swept off the face of the earth, creation would go on so marvellously, with a new start, non-human. Man is one of the mistakes of creation ─ like the ichthyosauri. If only he were gone again, think what lovely things would come out of the liberated days; ─ things straight out of the fire.'

'But man will never be gone,' she said, with insidious,

diabolical knowledge of the horrors of persistence. 'The world will go with him.'

'Ah no,' he answered, 'not so. I believe in the proud angels and the demons that are our fore-runners. They will destroy us, because we are not proud enough. The ichthyosauri were not proud: they crawled and floundered as we do. And besides, look at elder-flowers and bluebells — they are a sign that pure creation takes place — even the butterfly. But humanity never gets beyond the caterpillar stage — it rots in the chrysalis, it never will have wings.' (*WL* 142-43)

의미심장한 주제에 대한 토론을 이어가면서 어슐러는 버킨의 주장을 조롱하며 다시 자신의 견해를 피력한다.

"하지만," 하고 어슐러가 말했다. "비록 인류를 사랑한다는 것을 믿지 않는다 하더라도, 당신은 개별적인 사랑은 믿으시겠죠—?"

"나는 모든 사랑을 믿지 않아요—말하자면, 증오나 슬픔을 믿는 것만큼은 믿지 않는다는 뜻입니다. 사랑이란 다른 모든 것과 같은 일종의 감정입니다. 그러므로 당신이 그것을 느끼는 동안은 그것으로서 좋은 것이죠. 하지만 어떻게 해서 그것이 절대화되는지, 그 이유를 모르겠어요. 사랑이란 인간관계의 일부에 지나지 않아요. 그 이상의 것이 아니죠. 그리고 그것은 오로지 어떤 인간관계의 일부일 뿐입니다. 그런데 왜 사람들은 사랑을 느끼고 있어야 한단 말입니까. 그것은 슬픔이라든가 아득한 기쁨 같은 것을 늘 느껴야 한다는 것, 나는 그것을 상상할 수도 없어요. 사랑이 필수불가결한 것은 아니지요. ─그것은 상황에 따라 느낄 수도 있고 느끼지 않을 수도 있는 감정일 뿐이에요."

"그렇다면, 당신은 왜 사람들에 대해 관심을 가지고 있나요?"하고 어슐러가 물었다.

"내가 왜 괴로워하느냐고요" 그것은 인간으로부터 도망칠 수가 없기 때문이에요"

"당신이 인간을 사랑하고 있기 때문이죠," 하고 어슐러가 끈질기게 주장했다. . .

"당신이 사랑을 믿지 않는다면, 당신은 무엇을 믿습니까?" 하고 어슐러는 조롱하듯이 물었다.

"오직 세상의 종말과 풀만 믿나요?"

버킨은 바보가 된 것 같은 느낌이 들기 시작했다.

"나는 눈에 보이지 않는 것들을 믿어요."

"그밖에 다른 것들은 아무것도 믿지 않아요? 나무하고 새 말고는 눈에 보이는 것은 아무것도 믿지 않는다고요? 당신의 세계는 보잘 것 없는 그런 것이군요."

"아마 그럴 거예요," 버킨은 이제 마음이 상해서 차갑고 오만하게 말했다. 그는 어떤 견딜 수 없는 우월감에 자신의 내부 세계로 깊숙이 물러섰다.

'But,' she said, 'you believe in individual love, even if you don't believe in loving humanity─?'

'I don't believe in love at all─that is, any more than I believe

in hate, or in grief. Love is one of the emotions like all the others
—and so it is all right whilst you feel it. But I can't see how it
becomes an absolute. It is just part of human relationships. no
more. And it is only part of *any* human relationship. And why
one should be required *always* to feel it, any more than one
always feels sorrow or distant joy, I cannot conceive. Love ins't a
desideratum—it is an emotion you feel or you don't feel,
according to circumstance.'

  'Then why do you care about people at all?' she asked, 'if you
don't believe in love? Why do you bother about humanity?'

  'Why do I? Because I can't get away from it.'

  'Because you love it,' she persisted . . .

  'And if don't believe in love, what *do* you believe in?' she
asked, mocking. 'Simply in the end of the world, and grass?'
He was beginning to feel a fool.

  'I believe in the unseen hosts,' he said.

  'And nothing else? You believe in nothing visible, except grass
and birds? Your world is a poor show.'

  'Perhaps it is,' he said, cool and superior now he was offended,
assuming a certain insufferable aloof superiority, and withdrawing
into his distance. (*WL* 143-44)

어슐러는 버킨에게 적대적 감정을 가지고 있으면서도, 또 어떠한 끈에 의
해 그에게 묶여 있음을 깨닫게 된다. 그녀는 자신이 그에게 도전을 선언

했고, 버킨도 그것을 암묵적으로 수용했다는 사실을, 그리고 그들 사이의 적대적 감정은 죽음과 삶을 사이에 둔 싸움이었다(*WL* 159). 어슐러와 버킨의 갈등, 다시 말해 버킨의 남성우월주의와 이에 대항하는 어슐러의 논쟁은 「미노」("Mino") 장에서 본격화 된다.

「미노」 장에서는 미노라는 이름의 수고양이가 암고양이에게 폭력을 행사하여 지배하려 한다. 버킨은 미노의 행동을 갈 곳 없이 방황하는 암고양이에게 안정감과 질서를 부여함으로써 수고양이와 조화로운 관계를 유지하기 위한 것이라고 주장한다. 하지만 어슐러는 미노의 행동을 수컷이 암컷을 지배하고자 하는 욕망, 즉 남성우월주의에서 비롯된 행동, 바꿔 말해 남성우월적 불평등한 위계적 권력관계라고 해석한다. 미노의 행동을 남성우월주의적이라고 설명한 어슐러의 주장은 강력한 폭력성을 담는 남성주의지배의 특성과 관련해서 적절하다. 왜냐하면 남녀 위계질서에 익숙한 버킨이 미노의 행동에 대해 왜곡된 방식으로 해석하는 것은 여성에 대한 차별과 배제, 종속과 지배를 더욱 강화할 수 있는 이데올로기적 기제로 작동할 위험이 있기 때문이다. 상이한 성정을 가진 다양한 남녀주체들이 상호 간의 이해관계를 대립의 장으로 수용하면 상대적으로 열악한 위치에 있는 여성들에 대한 차별은 심화될 것이다. 남녀 간의 성차별을 탈각하는 탈식민주의는 남성제국주의 지배담론에 대한 저항담론으로 남성중심의 위계적 권력관계나 억압, 착취로부터 벗어나 균등하고 평등한 인간주체의 실현과 같은 총체적 대안을 모색한다는 점에서 미노의 행동은 명백히 공고히 제도화된 남성의 우월적 틀을 반영한다. 또한 버킨의 설명은 여성들에게 일체의 정치적 공간을 부여하지 않는 남성제국주의적 가부장제와 유사하기 때문에 자신이 주장하는 이론에 부합하지 않는다는 사실을 발견할 수 있고, 여성의 고정된 정체성을 환기시킨다는 점에서 버킨이 남성우월주의자적 시각을 탈피하거나 극복했다고 말할 수는 없다는 점을 포착할 수 있다.

기실 미노의 행동은 가부장적 젠더 이데올로기에 철학적 기초를 두고 있다. 그것은 구체적으로 폭력적 억압기제, 젠더 이데올로기의 메커니즘의 작동을 의미하기 때문에 가부장제의 권력구조를 공고화 하는 행위가 된다. 따라서 미노의 폭력은 억압구조하에서 여성의 종속적 위치를 재확인하는 것이며 여성들의 정체성 형성 가능성을 축소시키거나 위협을 함축한다. 한마디로 미노의 행동에 대한 버킨의 자의적 해석은 여성을 종속화하려는 전제적 남성우월주의의 열망, 여성의 정체성 형성을 저해하는 부정적 행동이라고 할 수 있다.

> 날씬한 다리로 당당하게 걸어가던 미노는 암컷 고양이 뒤를 좇아가더니 갑자기 앞발로 암컷의 얼굴을 때렸다. 암고양이는 잎사귀가 바람에 날려 땅 위로 구르듯이 몇 걸음 도망쳤다. 그러고 나서, 신중하게 미노에게 복종하는 것 같은 야성적인 인내심을 가지고 움츠렸다. 미노는 그런 암컷의 행동에 관심을 보이지 않는 척 했다. 그는 주변의 경치를 당당하게 둘러보며 눈을 깜박거렸다. 바로 그 때 암고양이는 살며시 일어나 서서히 서너 걸음 앞으로 나아갔다. 푹신푹신한 털은 회갈색 그림자 같았다. 암고양이는 걸음을 재촉하기 시작했다. 꿈꾸는 것 같은 순간, 잿빛의 젊은 주인은 암고양이 앞을 가로막고, 멋지게 가볍게 한 대를 날렸다. 암고양이는 즉시 복종했다.

He, going statelily on his slim legs, walked after her, then suddenly, for pure excess, he gave her a light cuff with his paw on the side of her face. She ran off a few steps, like a blown leaf along the ground, then crouched unobtrusively, in submissive, wild patience. The Mino pretended to take no notice of her. He blinked his eyes superbly at the landscape. In a minute she drew herself together and moved softly, a fleecy brown-grey shadow, a few paces forward. She began to quicken her pave, in a moment she would be gone like a dream, when the young grey lord sprang before her, and gave her a light handsome cuff. She subsided at once, submissively. (*WL* 165)

가부장제 사회에서 여성은 서구의 식민 역사와는 다른 방식으로 식민화 되었지만 식민 문제에 대해서 페미니즘적 관심과 함께 탈식민주의적 시선 이 필요하다.[75] 같은 맥락에서 전제적 가부장제는 계급, 젠더 이데올로기, 비합리적인 남성우월주의와 긴밀한 친화성을 갖는다는 점에서 간과할 수 없는 위험을 내포하고 있다. 이런 이유에서 탈식민론은 페미니즘적 관점 으로 재구성할 수 있는 여성성을 강화하여 남성제국주의 구조를 올바로 밝혀내고 여성 정체성 형성에 대한 이해의 지평을 넓힐 수 있도록 논의를 확장해나갈 필요가 있다고 하겠다.

버킨은 어슐러가 생각하는 낭만적인 사랑은 종국에 이르러서 사라질 것이기 때문에 자신이 원하는 것은 사랑이 아니라고 말하면서 이러한 문

---

75 고부응, 『초민족 시대의 민족 정체성』, 23.

제점을 극복할 수 있는 새로운 대안에 대해 진지하게 고민한다. 그는 사랑보다 더 비개인적이고 건장하고 드문 것을 원한다고 말하면서 사랑을 초월하는, 어떤 종류의 별처럼 가시적인 한계를 넘어서는 이상적 남녀관계에 대해 다음과 같이 의미심장한 이론을 전개한다.

"내가 원하는 것은 당신과의 신비스러운 결합입니다−." 하고 그는 조용히 말했다. "−그것은 만나는 것도 아니고 함께 어울리는 것도 아닙니다−당신 말이 맞아요−평형, 두 개의 단순한 존재의 순수한 균형을 원해요.−그것은 마치 별들이 서로 균형을 이루는 것처럼."

'What I want is a strange conjunction with you−' he said quietly; '−not meeting and mingling;−you are quite right: but an equilibrium, a pure balance of two single beings:−as the stars balance each other.' (*WL* 164)

버킨의 이론은 별처럼 개별적 존재로서 균형을 이룰 수 있는 이상적 남녀 관계를 의미하는데 이것은 로렌스의 사상을 반영한다. 로렌스의 사상은 그의 이원론으로 설명할 수 있다. 이원론의 예를 들면 빛과 어둠, 정신과 육체, 이성과 관능, 사랑과 법, 독수리와 비둘기, 동적 의지력과 정적 관성 등의 개념을 통해 명확하게 이해할 수 있다. 로렌스의 이원론은 영국 왕실을 상징하는 사자와 일각수의 대립관계에 비견된다. 왕관을 떠받치고 있는 사자와 일각수는 서로 왕관을 차지하기 위해 경쟁을 벌이는데 그 갈등과 대립의 과정이 사라져 균형이 깨지면 왕관은 떨어지게 되고 상호파

괴적인 결과를 초래한다.[76]

　로렌스의 이론이 중요한 것은 그들 간의 경쟁과 투쟁은 상호파괴를 위한 것이 아니라 완벽한 균형을 통한 힘의 긴장상태의 유지, 즉 왕관을 유지하기 위한 상호 간의 역동적 균형관계에 기초한다는 점이다. 그런데 로렌스의 이론은 현실적이라기보다는 이상적이다. 그가 주장하는 '별들의 균형'에 따르면 별들이 궤도를 벗어나지 않는 것은 별들이 일정한 방향으로 균형을 이루듯, 사자와 일각수의 균형도 그대로 이상적인 남녀관계에 그대로 접맥시킬 수 있다. 버킨이 주장하는 바람직한 남녀관계는 어슐러가 말하는 낭만적 사랑이나 나 자신을 넘어서는, 사회적 규범을 초월하여 조화와 균형을 이루는 그런 관계를 의미한다. 그것은 단순히 만나고 섞여 어울리는 인위적인 만남이 아닌, 너와 나 사이, 서로 떨어진 하나의 개체로서, 남녀 상호 간의 지배와 복종적 관계가 아니라, 별들이 일정한 거리를 두고 궤도를 돌듯이 주체적이고 독립적 정체성을 인정함으로써 균형을 이루는 관계를 의미한다. 버킨은 어슐러에게 '별들의 균형'에 대한 자신의 이론을 강하게 주장한다. 하지만 어슐러는 버킨의 이론을 이해하지 못한다. 그녀는 사랑은 자유라고 말하며 그의 주장을 수용하지 않는다. 버킨은 어슐러에게 위선적인 말을 하지 말라며 그녀를 비난한다(*WL* 169). 그리고 그는 "순수한 관계에 들어가면 되돌릴 수 없는 관계가 형성되고 궁극적인 상황에 이르지 못하면 순수한 것이 아니다"고 주장한다(169). 사랑에 대한 두 사람의 논쟁은 계속되는데 「호숫가 파티」("Water-party")

76　D. H. Lawrence, "Reflections on the Death of a Porcupine" in *Phoenix* II, Eds, Warren Roberts & Harry T. Moore(New York: Viking, 1959), 371.

장에서 버킨은 죽음과 사랑에 관해 주장하면서 그는 잠과 같이 다시 태어나는 사랑, 죽음에 속하지 않는 삶을 살아야 한다고 말한다.

> "죽음에 속한 삶이 있고, 죽음이 아닌 삶이 있어요. 사람은 죽음에 속하는 삶에 지쳐있어요 — 우리들과 같은 삶. 하지만 그것이 끝인지 아닌지는 하나님만이 알고 계십니다. 나는 잠을 자는 것 같은, 다시 태어나는 것 같은 사랑을 원해요. 마치 갓 태어난 아기처럼 상처 받기 쉬운 그런 사랑을 원해요."

> 'There is life which belongs to death, and there is life which isn't death. One is tired of the life that belongs to death — our kind of life. But whether it is finished God knows. I want love that is like sleep, like being born again, vulnerable as a baby that just comes into the world.' (*WL* 208)

죽음에 관한 생각은 「일요일 오후」("Sunday Evening") 장에서 나타난다. 어슐러는 죽음에 관한 깊은 명상을 통해 변화를 경험하게 되고 버킨도 과거지향적인 사랑을 수용하느니 차라리 죽는 편이 낫다고 생각한다. 그는 보다 궁극적이며, 균형 잡힌 사랑, 서로의 자유와 본성을 수용하고 공감하는 그런 인간관계를 원한 버킨은 제럴드가 대표하는 북극의 부패와 관능이 죽음의 세계라는 사실을 깨닫고 어슐러에게 청혼한다. 하지만 어슐러는 그의 청혼이 진정 자신이 원하는 사랑인지 확신할 수 없기 때문에 버킨의 청혼에 무관심한 태도를 보인다. 버킨은 개인이란 사랑 그 이상의 것, 어떤 관계보다 더 이상의 것이라고 주장하지만 어슐러에게 사랑은 개인을 초월하는 것이며, 사랑은 가장 중요한 가치이다.

그녀는 사랑이 개인성을 훨씬 초월하는 것이라고 믿었다. 버킨은 개인이란 사랑 이상의 것, 그 조건 중의 하나로서, 영혼 그것 자체의 평형으로서 받아들였다. 어슐러는 사랑이 전부라고 믿었다. 남자는 자기 자신을 완전히 그녀에게 맡기지 않으면 안 된다. 어슐러는 버킨을 찌꺼기까지 들이마시지 않으면 안 되는 것이다. 남자를 완전히 그녀의 사람이 되게 하라, 그러면 그녀도 그것에 대한 보답으로 남자의 겸허한 노예가 될 것이다―그녀가 그것을 원하든 원하지 않든.

She believed that love far surpassed the individual. He said the individual was *more* than love, or than any relationship. For him, the bright, single soul accepted love as one of its conditions, a condition of its own equilibrium. She believed that love was *everything*. Man must render himself up to her. He must be quaffed to the dregs by her. Let him be *her man* utterly, and she in return would be his humble slave―whether she wanted it or not. (*WL* 299)

「여성과 여성」("Woman To woman") 장에서 버킨은 남성우월적 가부장제가 강요하는 위계질서를 답습하고 그 질서를 유지함으로써 여성의 개별적 삶의 방식을 남성중심체제내로 재구성하여 종속시키고자 한다. 그는 여전히 남성우월적 권위를 행사하는 전제적 가부장제하의 남성에 속하기 때문에 불완전한 남자로 나타나고, 어슐러도 자신에게 주어진 여성의 정체성이 위협받을 수 있기 때문에 강한 여성성을 유지하려 한다(WL 334). 어슐러의 저항은 남성제국주의와 전제적 가부장제적인 삶의 방식을 거부하는 반식민 저항이며 남성우월주의의 지배를 받는 종속적 여성으로 재구성되기를 거부하는 탈식민 대항방식이다. 그것은 한마디로 말하면 여성에 대한 성적 억압과 착취를 은폐하고 합리화하는 남성중심적 지배담론에 대한 저항이며, 남성제국주의로부터 스스로를 지키기 위해 자신의 정체성을 확보하기 위한 '정체성의 정치'이다. 태혜숙은 정체성의 정치[77]에 대해 다

---

[77] 정체성의 정치를 다문화주의적 시각에서 논의할 수 있다. 제국주의를 극복하기 위한 대안으로서 상이한 문화집단에 대한 이해와 문화적 차이를 배려하는 입장을 취하는 다문화주의에 대해 김남국은 다음과 같이 설명한다. 서로 다른 생활양식을 공유하는 문화집단이 단일 공동체 내에 공존할 때 그 상태를 다문화 사회라고 부른다. 하나의 사회 안에 공존하는 문화는 다수문화와 소수문화로 나뉘어 위계질서를 형성하고, 다수 문화는 그 사회의 지배적인 문제해결 방식과 소통의 방식을 독점하기 때문에 배타적인 지위를 누린다. 왜냐하면 다수 문화에 속하는 사람들은 지위가 주는 편리함을 소수문화에 양보하려고 하지 않기 때문이다. 오늘날 수많은 국민국가는 소수의 보편적 인권 보호와 다수문화의 지위를 유지하기 위한 지배 집단의 이해 사이에서 갈등하는 것은 이와 같은 사실을 반영한다. 김남국은 다문화주의를 두 가지 의미로 정의하고 있다. 첫째, 서술적 의미로서 자본과 노동의 세계화에 따른 새로운 인종, 종교, 문화의 유입으로 동질적이었던 국민국가가 다양한 기준에 의해 분화되어 가는 현상을 지칭한다. 서술적 의미에서 볼 때 오늘날 모든 국민국가는 다문화사회로 이행하고 있다는 것이다. 둘째, 규범적 의미로서 다문화사회로 이행하는 정치공동체에서 전통적인 사회경제적 차원의 균열이외에도 인종, 문화, 종교를 중심으로 한 균열이 발생하여 사회구성원의 행복과 자아실현에 중요한 영향을 미친다는 점을 인정하고 그들이 요구하는 공공영역에서 문화적 인정과 생존 요구를 적극적으로 지지하기 위해 다양한 역차별적인 방법을 통해서 '정체성의 정치'를 지지하는 것을 의미한다. 소수자의 문화적 권리를 인정하는 것은 평등과 함께 경쟁하는 다양한 가치들 사이의 균형을 맞추는 중요한 쟁점이며 사회적 소수의 문화적 권리를 존중하는 것은 정의를 구현하는 또 하나의 길이다. 김남국, 「한국에서의 다문화주의 논의의 전개와 수용」, 『현대정치사상과 한국적 수용』(서울: 법문사, 2009), 269-286.

음과 같이 지적한다.

> '정체성의 정치'파는 여성경험을 페미니즘 비평이라는 이름으로 손쉽
> 게 보편화하는 데 반대한다. 대신 여성 개인의 일상적인 삶, 여성의
> 몸과 내부에 단단히 자리 잡고 있지만 잘 표현되지 않았던 느낌과 감
> 정들 자체를 중시하고 묘사함으로써 '개인적인 것은 정치적'이라는
> 명제를 이해하고 정체성의 정치를 각자 생활공간에서 실천하고자 한
> 다. 이런 실천은 소수 집단의 특성과 자율성을 살리는 국지적인 변화
> 를 목표로 한다. 따라서 종전의 성 범주를 특권화하는 과정이 놓쳐
> 버린 섣불리 일반화할 수 없는 여성들 사이에서의 서로 다른 삶과 경
> 험의 이야기에 귀기울이려한다.[78]

정체성의 정치는 문화적 관점에서 여성들의 다양한 삶의 질곡과 경험을
각자 생활공간에서 실천하는 것이다. 이와 같은 점에서, 정체성의 정치
를 『사랑하는 여인들』에 접목시킬 수 있다. 가부장적 남성제국주의적
사고방식에 젖어있는 버킨은 어슐러의 여성으로서의 존재적 가치와 정
체성을 인정하거나 그녀의 주체적 목소리를 재현하기보다는 여성적 시
각을 배제하고 여성을 타자화함으로써 권위적, 남성중심적 지배가치를
표방한다.

  최근에 남성제국주의 중심 가부장사회에서 타자화된 여성들에 대한
관심이 증폭되고 있다. 특히 페미니즘 윤리학 관점에서 새로운 지평을 열
고 있는 레비나스(Emmanuel Levinas)의 타자 윤리학은 전통적인 서구 철

---

78 태혜숙, 113.

학의 해체를 주장한다는 점에서 집중적인 관심을 받고 있다. 레비나스의 타자 윤리학이 서구 철학 체계의 토대를 뒤흔들어 놓은 이유에 대해 이희원은 다음과 같이 설명한다.

> 레비나스는 민주주의와 자본주의라는 정치, 경제 제도를 문제삼지 않는다. 대신 그는 이 두 제도를 생성시킨 서구의 근원적 사유 방식에 문제를 제기한다. 레비나스는 서구의 존재론적 철학, 즉 주체가 자유로이 행사하는 동일성의 사유 방식에 내재된 정체성과 폭력성이 바로 세계에서 지속적으로 벌어져온 각종 전쟁과 폭력의 원천이라고 진단한다. 서구의 기존 철학적 사유 방식에 대한 이와 같은 가차 없는 비판과 함께 레비나스는 존재에서 윤리로, 동일자 논리에서 타자성 수용으로 철학의 방향을 획기적으로 전환시키기를 촉구한다. 이 방향 전환이 바로 타자 윤리학인 바, 레비나스는 우리에게 나의 자유와 권리 추구를 포기하고 타인을 받아들일 것, 나와 관계없는 일까지도 책임질 것, 나를 희생시키고 고통 받는 타자의 요청과 호소에 응답할 것을 강력하게 요청한다. 그에 따르면 나와 절대적으로 다른 타자성을 수용하지 않는다면 끝없이 이어지는 세계 내의 갈등과 폭력, 그리고 전쟁의 고리를 완전히 끊을 수가 없다.[79]

로렌스는 남성제국주의적 폭력적 가치관에 대해 비판의식을 드러내고 있다. 그는 자신의 대변자라 할 수 있는 버킨을 통해 진정한 정체성 형성은 다양한 목소리들 속에 존재할 수 있음을 보여주고 있고, 그 목소리들 사

---

79 이희원, 「레비나스, 타자, 윤리학, 페미니즘」, 『영미문학페미니즘』 17.1 (2009): 240-41.

이의 논쟁 속에서 차이를 존중하는 방향에서 정체성을 모색한다. 그의 문학작품은 남성제국주의로부터의 해방, 탈권위주의적 문제의식과 더불어 남성우월적 가부장 사회 자체의 성적 모순을 표출함과 동시에 전지구적 차원에서 가부장제의 모순구조를 중첩적으로 비판한다는 점, 그리고 탈식민 여성주체 여성들의 정체성 형성에 대한 다양한 가능성을 열어주고 있다. 이런 점에서 『사랑하는 여인들』은 로렌스 소설의 깊이와 철학을 발견할 수 있는 탈식민 텍스트라고 할 수 있으며 로렌스가 여성 정체성 문제에 대해 탄력적인 시각, 즉 남성제국주의적 시선을 견제하고 비판하고 있음을 여실히 말해준다. 달리 표현하면 로렌스의 철학은 남녀 사이에서 발생하는 차이에 대한 인식과 그 차이를 인정함으로써 여성 주체에 정체성을 부여하는 포괄적인 이론적 사유라고 할 수 있다.

> 그것은 창조의 법칙이죠. 사람이라는 존재는 맡겨진 것입니다. 사람은 다른 사람과의 결합에 자신을 맡기지 않으면 안 됩니다. ―영원히. 하지만 그것은 자기부인이 아닙니다―그것은 신비스러운 균형과 온전함에 자기 자신의 균형을 유지하는 것입니다―하나의 별이 다른 별과 조화를 이루는 것처럼.

> [I]t is the law of creation. One is committed. One must commit oneself to a conjunction with the other―for ever. But it is not selfless―it is a maintaining of the self in mystic balance and integrity―like a star balanced with another star. (*WL* 169-70)

버킨의 견해는 하나의 사랑이라는 공동체를 구성하기 위해서는 자기의 정체성을 죽이지 말 것과 별과 별의 균형을 이루는 것, 환언하면 남녀 간의 단순한 감정적 결합만이 아니라 순수하고 자유로운 독립적 주체가 상대를 존중하면서 평형을 유지하는 관계의 중요성을 강조하는 것이다. 버킨은 어슐러에게 단순히 인습적인 남녀 간의 사랑을 넘어서 보다 상대방을 존중하고 상대방을 지배하거나 통제하려는 의지를 버리고 각자의 독립적 주체성을 유지하면서 이성 간의 이상적인 결합이 이루어져야 한다고 말한다.

> "마지막에 가서 사랑은 고독한 것입니다. 사랑의 힘이 아무런 영향을 발휘하지 못하게 되죠. 비인간적인 진실만 남게 됩니다. 사랑의 힘이 아무런 힘을 발휘하지 못하고, 어떤 감정적 관계도 영향을 끼치지 못해요. 당신도 마찬가집니다. 그런데 우리는 사랑만이 모든 것의 뿌리라고 생각하여 스스로를 기만하려 합니다. 결코 그렇지 않아요. 그것은 오직 가지에 불과합니다. 뿌리는 사랑이 미치지 못하는 것이죠. 일종의 고독, 고립된 나, 바로 그것입니다. 그것은 만날 수도 없고 섞일 수도 없어요, 그러한 것은 불가능하죠."

> 'At the very last, one is alone, beyond the influence of love. There is a real impersonal me, that is beyond love, beyond any emotional relationship. So it is with you. But we want to delude ourselves that love is the root. It isn't. It is only the branches. The root is beyond love, a naked kind of isolation, an isolated me, that does *not* meet and mingle, and never can.' (*WL* 161-62)

그의 말은 무엇보다도 남성제국주의 사회에서 형성된 남녀관계에 대한 새로운 성찰, 즉 여성의 정체성 형성과 관련된다. 버킨이 생각하는 남녀 간의 이상적 관계는 상호의존과 상호배려에 토대를 둔 상호의존적 관계이다. 다양한 갈등과 논쟁을 거치면서 남녀 쌍방의 대립과 차이는 상호역동성을 통해 주체적 정체성을 형성한다는 점에서 중요한 의미를 갖는다. 남녀관계에서 낭만적이고 감상적인 사랑이 필수적으로 전제되는 것과 달리, 남녀의 차이와 성별차이를 인정하고 포괄하며 개별적이고 주체적이면서 상호역동적인 내용을 강력하게 규정한다는 점에서 그의 이론은 급진적이라 말할 수 있다. 이와 같은 사고방식은 탈식민적 지향, 즉 남성제국주의에 기반을 둔 억압적 가부장적 지배가치관의 해체라는 연장선에서 남녀관계의 기본구조의 변화를 가져왔는데 그것은 버킨이 주장하는 '별들의 균형' 이론과 일맥상통한다.

> 그는 성에 의해 유지되는 결혼을 믿었다. 하지만 버킨은 이것을 훨씬 초월하는 결합을 원했다. 거기에서는 남자도 여자도 각기 하나의 개별적 존재가 되어, 순수한 두 존재는 서로가 서로의 자유를 존중하고, 하나의 힘을 가진 두 개의 극처럼, 두 천사처럼, 혹은 두 악마처럼 서로가 균형을 유지하는 것이다.

> He believed sex marriage. But beyond this, he wanted a further conjunction, where man had being and woman had being, two pure beings, each constituting the freedom of the other, balancing each other like two poles of one force, like two angels, or two

demons. (*WL* 223-24)

'별들의 균형'에 내포된 개념은 단순히 남녀대립의 이분법을 벗어나 남녀관계의 내용과 형식에 있어 더욱 포괄적인 접근을 통해 정체성 형성의 과정을 규명할 수 있는 변증법적 사유라고 할 수 있다. 그것은 여성들이 처한 현실과 가부장적 사고와 제국주의적 인식으로부터의 탈피라는 점에서 의의가 있다. 이상적 남녀관계는 무엇보다도 남성중심적 가치관에 대한 대립의 양상을 띠기보다는 개별적 주체를 인정하는 상호 공감에 기초한 조화로운 균형관계라는 성격을 강하게 띤다. 논의를 확장해서 버킨이 제시하는 '별들의 균형'이론은 바바의 문화적 혼종성과 접맥시킬 수 있다.

앞에서 언급한 것처럼 푸코의 담론이론과 사이드의 이론을 차용한 바바는 식민담론의 내적 모순과 저항의 가능성을 문화적 혼종으로 설명한다. 문화적 혼종은 다양한 문화의 보편성과 특수성에 대한 인식과 더불어 이질적인 문화 사이에 존재하는 틈새영역에서 긴장과 협상을 통해 새로운 문화를 생산할 수 있는 강력한 동인이다. 바바의 문화적 혼종성은 식민지배의 일방적 권력구조를 해체하여 식민지배자와 종속민 사이에 있는 틈새에 초점을 맞춘다. 그는 틈새영역, 즉 나와 타자 사이의 경계를 해체하는 공간에서 상호 교섭을 통한 저항에 천착한다. 그것은 서구 중심적 지배담론과 이항대립적 사고를 해체한다. 바바는 한편으로 라캉(Jacques Lacan)의 정신분석학과 파농에 의존해 식민담론을 분석했는데, 그는 권력을 미시적 관점에서 양가성을 저항의 계기로 설명했다. 바바가 제시하는 양가성은 지배자의 시선과 피지배자의 시선이 마주칠 때 식민지배자는 식민지 종속민을 지배하고자 하는 욕망과 더불어 피식민자 앞에서 두려움을 경험하게 된다는 것이다. 한마디로 흉내 내기와 구별이라는 양가적 욕망이 작동함으로써 피지배자는 혼종이 된다는 개념이다. 환언하면 남성제국주의 체제에 저항하여 분열의 간극에서 지배/종속관계를 해체하여 식민지배, 피지배에 기반한 권력관계를 역전시키는 것이다.

바바의 이론에 따르면 남성제국주의자는 여성들에게 남성중심적 가치의 우월성을 인식시켜 남성에게 복종하기를 요구하면서 동시에 여성들에게는 차별을 강요한다. 다시 말해 복종과 차이두기라는 양가성이 작동함으로써 여성들은 문화적으로 혼동된다. 하지만 남성제국주의는 여성 없이는 존립할 수 없는 취약한 토대를 갖고 있기 때문에 남성제국주의와 여성들 간의 지배/종속관계에서 균열이 발생하게 된다. 문화적 혼종이 생성되는 과정과 균열의 틈새영역에서 여성들은 주체적으로 남성지배담론에 위협을 가하고 역동적으로 저항함으로써 그것을 해체할 수 있는 전략적 교두보를 구축하게 된다. 이와 같은 점에서 문화적 혼종성은 남성제국주의와 여성 주체 간에 형성된 권력관계를 전복한다는 점에서 커다란 의의가 있다. 바바가 설명한 문화적 혼종성은 남성제국주의에 대한 저항과 그 노정을 드러냄으로써 남성제국주의와 여성 주체 형성이라는 문제에 대한 인식과 성적, 계급적, 문화적 차이를 넘어 전지구적 차원에서 남성지배담론에 대항한다는 점에서 중요한 함의를 갖는다.

남성제국주의는 고도의 억압의 행사를 통하여 여성의 정체성 정립을 크게 약화시켰다. 다시 말해 남성우월적 가부장제는 여성의 정체성이 정치적으로 구축되는 것을 지속적으로 저해하는 강력한 지배력을 갖고 있다는 사실을 의미하는 것이다. 버킨의 주장에 대해 어슐러는 버킨이 자기를 사랑하지 않는다고 주장하며 버킨의 사랑이 일방적, 자기중심적이라고 반박한다(WL 281).

『사랑하는 여인들』에 등장하는 여성들은 남성중심주의가 지배하는 남녀 간의 사랑의 영역에서 균형 있는 관계와 자기 정체성을 구현하고 있기 때문에, 그리고 작품의 주제와 전개면에서 볼 때 여성에 대한 파편화된 시각에 대해 타자화된 여성을 읽을 수 있다는 점에서 탈식민주의 가치를 담고 있는 소설이다. 전제적 가부장제하에서 삶과 사랑을 추구하던 여성들은 남성중심주의가 지배하는 삶의 영역, 남성의 호기심을 충족시키는 관찰의 대상에 지나지 않기 때문에 이상적인 남녀관계를 구현할 수 없었다. 가부장제는 남성중심의 사고방식, 즉 여성의 역할은 전통적 역할에 국한되어 있기 때문에 성간 불평등은 강화되었고, 여성들의 정체성 형성과 연관된 기회 접근성과 직결될 수밖에 없다. 남성제국주의의 기저에는 여성들에 대한 재현, 젠더 이데올로기를 기반으로 여성들의 삶을 총체적으로 통제하거나 지배하고자 하는 제국주의적 의도가 엿보이며 포착하기 어려운 지배 이데올로기가 숨어 있다. 가부장적 젠더 이데올로기는 여성들이 사회적으로, 성적으로 상대적 박탈감을 경험하게 되는 주원인으로 작용한다. 즉 남성제국주의는 여성들의 정체성 구성을 강화할 수 있는 조건을 약화시켰다. 가부장제 구조에 내재하는 다양한 모순을 넘어 새로운 차원에서 여성의 존재와 주체성에 대해 식수(Helene Cixous)는 다음과 같이 주장한다.

역사를 위한 주체로서 여성은 늘 그렇듯이 동시에 여러 곳에서 일어난다. 여성은 권력들을 동질화하고 특정 방향으로 이끌고 가서 모순들을 단 하나의 전장에 몰아 놓는 통합적이고 규정적인 역사를 풀어헤친다. 여성 안에서 개인사는 모든 여성들의 세계사·민족사와 함께 섞인다. 투사로서 여성은 모든 해방들을 묶어준다. 여성은 세세한 상호작용에 국한되지 않고 저 멀리 시선을 두어야 한다. 여성해방이란 권력관계들을 조금 바꾸어 이 편에서 저 편으로 공을 넘겨주는 이상의 일을 해낼 거라고 여성은 예견한다. 말하자면 여성은 인간관계들, 사유, 모든 실천들에 어떤 변화를 가져올 것이다.[80]

여기에서 그는 남성과 여성이라는 단순히 이원대립적 투쟁을 넘어서 그것을 열어젖히는 여성의 주체적 역할을 강조하고 있다. 여성의 주체적 역할과 정체성 구축이라는 동일한 의미에서 로렌스의『사랑하는 여인들』은 전제적 가부장제에 대한 비판적 시각을 견지하고 가부장제하에서 주체적 자아를 형성할 수 없었던 상황에서 남녀관계의 균형을 통한 여성의 정체성 구축이라는 의미심장한 주제를 함축하고 있다. 또한 권위주의적 남성중심의 젠더 이데올로기의 허위성을 폭로하고 있다는 점에서 남성우월주의에 대한 비판적인 작가의 생각을 반영하고 있기 때문에 남성제국주의 이데올로기에 대한 새로운 각성과 여성의 정체성 확립에 대한 가능성을 제시하고 있다. 이것이 바로 로렌스가 탈식민적 사고방식을 비추어주는 위대한 작가라고 불리는 이유라고 할 수 있다. 이상적인 남녀관계 구축을 위한 갈

---

80 태혜숙, 102 재인용.

등은 「달빛」("Moony") 장에서도 발견할 수 있다. 버킨은 호수에 비친 달의 영상에 돌을 던지는데 이 장면은 그의 내면의 갈등을 잘 드러낸다.

그런 후에 또다시 물이 튀는 소리가 들렸다. 그리고 빛나는 달빛이 튀면서 물위를 번뜩였다. 하얗고 위험한 불꽃 파편이 되어 여기저기 날아가 버렸다. 불꽃은 하얀 새처럼 재빨리 연못을 가로질러 올라왔고, 아우성 가득한 혼란에 빠지면서 밀려오는 시커먼 파도와 싸우고 있었다. 가장 멀리 있는 빛의 물결은 밖으로 달아나서 도망치려고 기슭에서 소리치고 있는 것처럼 보였다. 어둠의 물결이 중심을 향하여 달음질치고 있었다. 하지만 모든 물결의 중심부에서는 아직도 파괴되지 않은 백열등 같은 달이 살아있는 것처럼 떨고 있었다. 하얀 불덩어리는 몸부림치며 열렬히 싸우고 있었지만, 아직도 부서져버리지도 않고 깨뜨려지지도 않았다. 그것은 맹목적인 몸부림으로서 낯설고 격렬하게 고통스러워하면서, 자기를 지키려는 것처럼 보였다. 깨뜨려지지 않은 달은 더욱 강해지기 위해, 다시 자신을 확인하려고 했다. 달빛은 마른 빗줄이 되어 발걸음을 재촉했다. 달빛은 다시 기운을 얻어 의기양양하여 물 위에서 떨고 있었다.

Then again there was a burst of sound, and a burst of brilliant light, the moon had exploded on the water, and was flying asunder in flakes of white and dangerous fire. Rapidly, like white birds, the fires all broken rose across the pond, fleeing in clamorous confusion, battling with the flock of dark waves that were forcing their way in. The furthest waves of light, fleeting out, seemed to be clamouring against the shore for escape, the waves of darkness came on heavily, running under towards the centre. But at the center, the heart of all, was still a vivid, incandescent quivering of a white moon not quite destroyed, a white body of fire writhing and striving and not even now broken open, not yet violated. It seemed to be drawing itself together with strange, violent pangs, in blind effort. It was getting stronger, it was reasserting itself, the inviolable moon. And the rays were hastening in in thin lines of light, to return to the strengthened moon, that shook upon the water in triumphant reassumption. (*WL* 278)

그는 자신의 생각에 반감을 가지고 갈등을 유발한 어슐러의 의지를 좌절시키고자 달을 "Cybele"이라고 지칭하며 돌을 던진다. 하지만 아무리 돌을 던진다 할지라고 달빛은 다시 제자리로 돌아와 호수에 비친다. 호수 위의 달은 어슐라의 강한 자아를 상징이라고 볼 수 있다. 버킨은 달의 여신 (Cybele)이 여성의 이기적 소유욕을 대변하며 모든 여성들이 이기적 소유욕을 가지고 있기 때문에 남성들을 통제하고 지배한다고 생각한다. 이와 같은 이유에서 버킨은 어슐러의 자아를 분쇄시키려 돌을 던진 것이다. 버킨의 행위를 못마땅하게 여기던 어슐러는 그에게 다가와 그를 비난한다.

잠시 침묵이 흐른 뒤 어슐러가 대답했다.
"하지만 제가 어떻게 할 수 있어요. 당신이 저를 사랑하지도 않는데!

당신은 오로지 당신 자신의 목적만을 추구하고 있어요. 당신은 나를
섬기려고 하지 않아요. 그런데도 당신은 제가 당신을 섬기기를 원한
단 말이에요. 그것은 너무나 일방적이에요!"

After a moment's silence she replied:
'But how can I, you don't love me! You only want your own
ends. You don't want to serve *me*, and yet you want me to serve
you. It is one-sided!' (*WL* 281)

어슐러와의 논쟁에 지친 비킨은 그녀와의 갈등을 넘어서 새롭고 조화로운
양성관계를 이루기를 소망한다.

> 버킨은 이미 자신의 삶의 원리가 되어버린 모든 사상과 종교적, 철학
> 적 이론들, 이성과 의식의 산물들에 회의를 느끼고 있을 뿐 아니라
> 지나친 정신성의 추구로 인하여 결여될 수밖에 없는 관능적인 면이
> 충만되기를 갈망하고 있다. 그러나 다른 한편으로는 별들에 비유된
> 자신의 거창한 이상적 양성관계를 남성우월성을 가지고 제럴드처럼
> 의지를 무기삼아 어슐러가 수용하도록 강요한다. 이는 버킨의 자아가
> 여성의 원리를 원하면서도 지성에 편중된 자신의 지나친 남성원리를
> 고집함으로써 분열되어 있음을 의미한다. 어슐러가 주장하고 있고 또
> 그녀와의 육체적 접촉을 통해 느꼈던 무한한 관능적 행복과, 정신적
> 이고 이상적인 양성관계를 어슐러에게 강요하는 자신의 독선을 성찰
> 하게 된 버킨은 마침내 자아 내부에 문제가 있음을 인식하게 된다.[81]

자신의 태도가 바람직하지 않다는 사실, 곧 자신이 지나치게 어슐러의 의지를 지배하고자 했다는 사실을 깨달은 후 그는 사랑에 대해 새롭게 인식한다. 그리고 버킨은 어슐러의 여성 정체성 확립을 통한 이상적인 사랑을 추구하는 이야기를 통해서 어슐러의 가치를 수용한다. 그는 자신이 원하는 것이 무엇인지 잘 알지 못하면서 어슐러에게 자신의 의지를 강요한 것은 잘못된 행동이라고 생각한다.

> 그러나, 그 다음 날, 버킨은 간절한 그리움이 일어났다. 그는 자기가 아마 잘못하지 않았나 하고 생각했다. 어쩌면 자기가 원하는 사상에 따라 그녀를 대한 것이 잘못이었는지도 모른다. 그것은 정말로 단순한 사상에 지나지 않았는가, 아니면, 심오한 그리움에 대한 해석이었던가? 만일 후자라고 한다면, 어째서 그는 늘 관능적인 충족에 대해 말하고 있는 것인가? 사상과 정욕이라는 이 두 가지는 상호 모순적이었던 것이다.

> The next day, however, he felt wistful and yearning. He thought he had been wrong, perhaps. Perhaps he had been wrong to go to her with an idea of what he wanted. Was it really only an idea, or was it the interpretation of a profound yearning? If the latter, how was it he was always talking about sensual fulfilment? The two did not agree very well. (*WL* 285)

---

81 이난희, 「*Women in Love*에 나타난 남녀관계의 양상」, 『D. H. 로렌스 연구』(한국로렌스학회 1995, 3), 151.

그는 자신의 남성중심적 의지, 일방적 의지로 어슐러의 자아를 깨뜨릴 수 없음을 깨닫고 어슐러와의 이상적 관계 형성에 대해 다시 생각한다. 버킨은 자신이 런던을 방문했을 때 보았던 순수한 관능미와 감각 세계의 상징인 아프리카 목각 여인상을 본다. 그것을 처음 보았을 때, 그는 그 조각상이 상징하는 순수한 감각으로의 회귀와 현대문명의 파괴로부터 탈출할 수 있는 유일한 방법이라고 생각한다. 하지만 조각상은 단순히 감각을 표출하는 것에 불과했다. 관능과 감각만을 추구하는 아프리카식 삶의 방식은 인간의 본원적인 생명력을 표상하는 것이 아니라 감각적 몰입을 통한 파멸과 부패를 상징하는 것이었다.

그녀는 버킨이 모르고 있는 것을 알고 있었다. 그 뒤에는 수천 년에 걸쳐 쌓아온 순수하게 관능적이고 순수하게 비정신적인 지식이 있었다. 그 여자의 종족은 신비적인 죽음 이후 수천 년의 세월이 지났음이 틀림없다. 감각과 정직한 정신과의 관계가 무너져내린 것이 몇천 년이나 된다는 의미이다. 버킨 속에서 지금 긴급하게 일어나려는 것이 수천 년 전에 아프리카 사람들에게도 발생했음이 틀림없다. 善, 거룩한 것, 창조와 생산적 행복이라는 욕망은 완전히 사라져버리고, 단 하나의 지식에 대한 단순한 충동, 감각을 통한 지성이 없는 점진적 지식, 감각에 체포되어 감각에서 끝나는 지식, 분열과 분해 속에 있는 신비한 지식, 부패와 차가운 분해의 세계 속에서 살고 있는 투구풍뎅이와 같은 지식, 그것만이 남아 있는 것이다. 목각 여인의 얼굴이 투구풍뎅이처럼 보이는 것은 바로 이 때문이었다. 그것은 곧 이집트 사람들이 둥근 갑충석을 숭배한 이유였던 것이다. 왜냐하면, 그것은 분해와 부패 속에 있는 지식의 원리를 간파했기 때문이다.

She knew what he himself did not know. She had thousands of years of purely sensual, purely unspiritual knowledge behind her. It must have been thousands of years since her race had died, mystically: that is, since the relation between the senses and the outspoken mind had broken, leaving the experience all in one sort, mystically sensual. Thousands of years ago, that which was imminent in himself must have taken place in these Africans: the goodness, the holiness, the desire for creation and productive happiness must have lapsed, leaving the single impulse for knowledge in one sort, mindless progressive knowledge through the senses, knowledge arrested and ending in the senses, mystic knowledge in disintegration and dissolution, knowledge such as the beetles have, which live purely within the world of corruption and cold dissolution. This was why her face looked like a beetle's: this was why the Egyptians worshipped the ball-rolling scarab: because of the principle of knowledge in dissolution and corruption. (*WL* 285-86)

버킨은 아프리카 목각 여인을 바라보면서 삶의 총체성이 아닌 단지 관능에 집착했을 때 야기하는 파멸을 깨달은 것이다. 여기에서 언급한 지식은 감각에서 끝나는 지식을 의미한다. 이를 남녀관계로 확장할 때 남녀 간의 사랑이 지나치게 감각의 영역이나 본능의 영역에 머물 때 그 지식은 결국 용해된다는 것이다. 마치 로마제국이 감각과 관능, 성적 타락 때문에 몰락했듯이, 정신과 영혼이 없는 감각적 지식은 파괴와 분해로 끝나게 된다는 것이다. 버킨의 통찰력은 삶에 대한 직관을 갖도록 동기를 부여한다.

『사랑하는 여인들』은 현대 문명사회의 기계적 병폐 속에서 여성들이 자신의 진정한 정체성을 어떻게 형성해나가는지 그리고 타인과의 이상적인 관계 속에서 어떻게 살아야 할 것인가에 대한 로렌스의 사상을 반영한다. 로렌스가『무지개』에서 독립된 자아에 대해서 자신의 사상을 기술했다면『사랑하는 여인들』에서는 버킨이 자신의 정체성을 추구하고자 하는 어슐러를 만나 심리적 충돌과 갈등을 병치시키면서 이상적인 남녀관계를 형성해나가는 과정을 잘 보여주고 있다.

버킨은 순수한 감각의 세계를 접한 후 모든 사람에게 감각의 세계가 있으며 감각의 세계에서 인간의 원초적 생명력을 깊이 느끼게 된다는 것을 깨닫는다. 하지만 정신이 부재한 상태에서 극단적으로 감각에 세계에 몰두할 때, 아프리카의 토속 조각상이 말해 주듯이, 한 종족의 삶에서 감각과 정신의 관계가 깨어질 때 수천 년에 걸쳐 관능적 경험만이 심화되어 인식과 표현의 어떤 극치, 결정적 붕괴의 순간에 달할 수 있다. 이러한 붕괴의 순간은 우리가 삶이나 희망과의 연결에서 떨어져나가고 순수하고 온전한 존재로부터, 창조와 자유로부터 탈락하여, 순전히 관능적인 지식이라는, 와해의 신비에 잠긴 인식이라는 길고 긴 아프리카적 과정으로 떨어져 들어갈 수 있다(*WL* 286).

버킨은 감각세계, 극단적으로 관능에 치우친 세계의 위험성을 깨닫고 감각이나 이성 그 어느 쪽에도 치우치지 않고 자아를 보존하면서 타인과의 관계를 유지할 수 있는 새로운 이론, 즉 개체의 특성을 유지하면서 어슐러와의 관계를 새롭게 할 수 있는 '자유의 길'에 대해 심도 있게 고민한다.

> 또 다른 길이 있었다. 그것은 자유의 길이었다. 순수한 단일 존재로 들어가는 천국의 입구였다. 개인의 영혼은 사랑이나 결합을 위한 감정보다 더 앞선다. 그것은 어떠한 감정의 고통보다도 강하고, 자유롭고 자부심을 느끼는 고독의 사랑스러운 상태인 것이다. 그것은 다른 사람과의 영원한 연합의 의무를 받아들인다. 그리고 다른 사람과 함께 사랑의 멍에와 구속에 복종하지만, 비록 사랑하고 복종하는 때라 하더라도, 결코 자신의 자랑스러운 개인적인 고독을 상실하지는 않는다.

> There was another way, the way of freedom. There was the paradisal entry into pure, single being, the individual soul taking precedence over love and desire for union, stronger than any pangs of emotion, a lovely state of free proud singleness, which accepted the obligation of the permanent connexion with others, and with the other, submits to the yoke and leash of love, but never forfeits its own proud individual singleness, even while it loves and yields. (*WL* 287)

여기서 '자유의 길'이란 개체의 개별적 특성이나 고유한 자아를 유지하면서 타인과의 관계를 지속시키는 것이다. 이와 같은 버킨의 깨달음은 「여행」("Excurse") 장에서 어슐러와의 논쟁에서 중요한 결실을 도출한다. 허마이어니에 대한 어슐러의 질투에서 유발된 두 사람의 논쟁은 두 사람 사이의 최종적인 사랑을 확인하기 위한 과정으로서의 갈등이다. 다시 말해 버킨과 어슐러가 보여주는 갈등 과정은 이성 간의 완전한 사랑을 완성하기 위해 끊임없이 지속되는 갈등과 화해, 사랑과 양보, 관용과 상호 공감을 형성하기 위한 과정이라 할 수 있다. 어슐러는 자신에 대한 버킨의 사랑을 의심하며 그를 비난하고, 이에 대해 버킨은 어슐러와의 관계에서 이루려 했던 완전한 이상적 남녀관계 형성이 좌절될 수 있음을 직면한다. 그는 허마이어니의 추상적, 정신적 성향과 어슐러의 감정적, 육체적 친밀성은 둘 다 위험한 것이라고 생각한다.

> 그들은 왜 자기 자신의 영역에 국한된 개인 그대로의 상태를 유지할 수 없는가? 이 무서운 종합성과 이 혐오스러운 전제(專制)는 도대체 왜 그럴까? 왜 다른 사람을 자유롭게 놔두지 않는 것일까? 왜 흡수하고 녹이고 합치려하는 것일까? 사람이란 순간에 자기 자신을 완전히 던질 수 있지만, 다른 존재에 대해서는 자기 자신을 던질 수 없었다.

> Why could they not remain individuals, limited by their own limits? Why this dreadful all-comprehensiveness, this hateful tyranny? Why not leave the other being free, why try to absorb, or melt, or merge? One might abandon oneself utterly to the *moments*, but not to any other being. (*WL* 348)

상호 공감과 배려, 수용과 포용, 흡수와 용해, 독립된 주체의 정체성을 인정하는 것은 양자 간의 갈등을 극복하고 화해를 통해 궁극적인 합일을 이루는 긴요한 요소라고 할 수 있다. 버킨과 어슐러는 기나긴 논쟁을 끝낸 후 개별적 자아를 넘어서 진실한 사랑에 대한 절박한 요구와 함께, 서로 간의 상호 이해와 공감대를 이루게 된다.

그리고 마침내 어슐러를 향한 부드럽고 뜨거운 열정이 그의 심장을 채웠다. 그는 일어나서 그녀의 얼굴을 들여다보았다. 그것은 새로운 얼굴이었고, 그리고 오, 그 빛나는 경이감과 두려움 속에서 그녀는 아주 미묘한 표정을 짓고 있었다. 버킨은 두 팔로 그녀를 껴안았다. 어슐러는 그의 어깨에 얼굴을 파묻었다.

그것은 평화였다. 정말 단순한 평화였다. 그는 어슐러를 포옹하고 있었다. 마침내 평화가 찾아왔다. 혐오스러운 긴장의 세계는 이미 사라져버렸다.

Then a hot passion of tenderness for her filled his heart. He stood up and looked ito her face. It was new, and oh, so delicate in its luminous wonder and fear. He put his arms round her, and she hid her face on his shoulder.

It was peace, just simple peace, as he stood folding her detestable world of tension had passed away at last, his soul was strong and at ease. (*WL* 349)

버킨과 어슐러의 관계는 서로의 정체성을 인식하고 지나친 자아를 초월하여 갈등을 극복하고 상대방을 인정하고 수용한다는 점에서 이기적, 자기중심적인 제럴드와 거드런의 관계와는 다르다. 여성은 여전히 남성에게 종속되는 부수적, 주변적 존재라는 의식, 바꾸어 말하면 정체성 구축 없이 남녀 간의 불평등과 차별은 해소되기 어렵다. 따라서 버킨과 어슐러의 관계가 성공적으로 이루어지는 것은 생명력 있는, 서로에 대한 공감과 이해, 정체성을 인정할 때에 비로소 조화롭고 이상적인 남녀관계는 공고화될 수 있다.

「여행」장에서 버킨은 어슐러에게 짧은 여행을 제안하고 반지를 선물한다. 반지를 받은 어슐러는 행복감을 느낀다. 버킨이 허마이어니가 살고 있는 쇼틀랜즈(Shortlands)의 저녁식사에 가기로 약속했다고 하자 어슐러는 허마이어니에 대한 질투심에 사로잡혀 버킨과 격렬한 말싸움을 벌이게 된다. 버킨은 어슐러의 질투심에 대해 비난하고 어슐러는 그에 맞서 버킨이 허위의식에 사로잡혀 진정한 정신성을 가장한 모조품과 같은 정신성을 사랑한다고 반격한다. 격렬한 의견충돌 후 어슐러는 반지를 던져버리고 가버린다.

어슐러의 떠남은 자신을 구속하는 남성중심의 억압기제로부터의 이탈이라고 할 수 있다. 그것은 종속된 여성으로 규정당하기를 거부하는 여성의 저항을 환기시킨다. 버킨은 어슐러가 다시 되돌아오기를 갈망하고 있을 때 어슐러는 꽃을 들고 버킨에게 돌아와 화해하게 된다(*WL* 349). 그들은 사랑을 나누는 과정에서 생명력 넘치는 환희를 경험함으로써 새로운 존재로 다시 태어남과 동시에 괄목할 만한 이상적인 남녀관계로 전환할 수 있는 결정적 계기를 마련한다.

무의식적으로, 그녀는 자신의 민감한 손끝으로 버킨의 허벅지 뒤쪽을 만지며 거기서 어떤 신비스러운 생명의 흐름을 따라가고 있었다. 그녀는 경이를 초월하는 무언가를, 생명 그 자체보다 놀라운 뭔가를 발견했다. 버킨의 허벅지 뒤쪽이나 옆구리 밑에는 생명이 살아 움직이는 불가사의한 신비로움이 있었다. 곧바로 흐르는 허벅지의 선 속에 그의 존재의 신비로운, 바로 그 존재의 실재가 있었다. 이 세상이 시작되었을 때 하나님의 아들 가운데 한 사람으로서의 버킨을 그녀는 여기서 발견했다. 그것은 인간이 아닌, 뭔가 다른 존재, 뭔가 그 이상의 것이었다.

Unconsciously, with her sensitive finger-tips, she was tracing the back of his thighs, following some mysterious life-flow there. She had discovered something, something more than wonderful, more wonderful than life itself. It was the strange mystery of his life-motion, there, at the back of the thighs, down the flanks, It was a strange reality of his being, the very stuff of being, there in the straight downflow of the thighs. It was here she discovered him one of the sons of God as were in the beginning of the world, not a man, something other, something more. (*WL* 352-53)

버킨과 어슐러의 결합은 상호신뢰와 상호이해에 기초한, 교감의 과정을 통한 남녀의 결합, 곧 로렌스가 생각하는 이상적 남녀관계를 함축하며 로렌스의 이상적인 이론인 '별들의 균형'이 구체적으로 성취되는 상태이기도 하다.[82] 이는 전제적 가부장제 지배구조를 해체하고 여성의 정체성 형성에 관한 의미를 생성하는 가치함축적 결합이라고 설명할 수 있다. 개별적 자아에 기초하여 새롭게 형성된 정체성은 전제적 가부장제가 초래한 불평등과 차이의 완화라는 의미를 갖게 된다.

「여행」 장에서 버킨의 권위주의적 남성제국주의 지배담론과 그 지배에 대한 대립적 가치를 수호하고 유지하려는 어슐러의 저항적 시도는 변화하게 된다. 어슐러는 버킨이 허마이어니와 작별하러 가야 한다는 말에 강하게 반발하고 언쟁에 지친 버킨과 어슐러는 더 이상 논쟁을 피하기 위해 사랑의 전쟁터를 떠나 마침내 평화스러운 관계를 형성한다(WL 350). 마침내 버킨은 모태에서 밖으로 나와 새로 태어난 것처럼 새로운 생명력을 느끼게 되고 어슐러도 생명의 충만함으로 완전히 새로운 존재로 태어나 결혼에 이르게 된다. 그는 자신이 어슐러와 결합을 통해 옛 자아는 죽고 새로운 생명을 얻는 사랑의 절정에 도달한다. 버킨과 어슐러는 토론과 언쟁을 통한 남녀관계라기보다는 서로에 대한 친밀감과 감성이 조화를 이루는 관계, 남녀가 추구해나가야 하는 진실한 사랑과 서로에 대한 존경, 그리고 자아인식의 문제를 깊이 깨닫게 된다. 그것은 너와 나라는 낡은 자아가 아니라 너와 나를 넘어서는 하나가 되는, 전혀 새로운 관계로, 새로운 탄생을 의미한다(WL 417).

---

82 Stephen J. Miko, *Toward Women in Love: the Emergence of Lawrentian Aesthetic*, 273.

그녀는 버킨과 함께 있었다. 어슐러는 별을 머리에 올려두고, 이 산의 눈 속에서 이제 막 태어난 것이다. 부모와 조상과는 어떤 관계가 있을까? 그녀는 자신이 새로운 존재로 태어났고, 부모와는 아무런 관계가 없는 탄생이라는 것을 알았다. 아버지도 없고, 어머니도 없으며, 조상과도 아무런 관련이 없는 것이다. 자기는 자기 자신일 뿐이고, 순수하며 은과 같은 존재였다. 오로지 버킨과의 하나됨 속에 속해 있을 뿐이었다. 그 하나됨은 보다 깊은 마음의 음조를 때려, 짐짓 자기가 존재해 본 적이 없는 우주의 한 가운데로, 실재의 심장 속으로 울려 퍼져갔다.

She was with Birkin, she had just come into life, here in the high snow, against the stars. What had she to do with parents and antecedents? She knew herself new and unbegotten, she had no father, no mother, no anterior connexions, she was herself, pure, and silvery, she belonged only to the oneness with Birkin, a oneness that struck deeper notes, sounding into the heart of the universe, the heart of reality, where she had never existed before. (*WL* 460)

로렌스를 대변하는 버킨은 별들의 균형 상태를 통해 이상적인 남녀관계를 상징적으로 제시하고 있다. 그는 어슐러를 자신이 생각하는 이상적인 남녀관계, 균형감 있는 남녀관계를 형성할 수 있는 이상적 여성이라고 생각한다. 왜냐하면 어슐러가 여성적 관능, 생명력과 남성을 끌어당기는 매력을 지닌 이상적 여성상을 지니고 있기 때문이다. 앞서 논의했듯이, 탈식민적 관점에서 『사랑하는 여인들』에 나타난 가장 명확한 모티프의 하나는 여성들이 지닌 독특하고 주체적인 자아의 재발견을 통해서 확고한 여성의 정체성을 확립하는 것이다. 남성제국주의적 가치가 지배하는 사회에서 여성들이 종속적인 위치에 있다는 것은 명확한 사실이다. 남성제국주의에 대한 안티테제로서 『사랑하는 여인들』은 남녀관계의 역동성, 여성의 자아구현, 그리고 여성으로서의 정체성을 구축할 가능성을 강조하기 때문에 남성적 가치와 여성해방적 가치 간에 일정한 균형과 공존을 모색한다. 하정일에 따르면, "해체론적 후기식민론은 모든 근대적인 것들을 식민주의와 동일시한다. 이성·주체·남성·민족·계급 등 모든 근대적 기호들은 식민주의로 환원된다."[83] 이와 같은 관점에서 이 소설은 견고한 남성중심의 가치, 이성, 지배 이데올로기를 폭로할 뿐만 아니라 남성중심적 제국주의 담론이 탈역사화한 여성들의 가치를 재발견하여 그들의 문화적 위치와 여성으로서의 주체적, 독립적인 가치를 새롭게 확인시켜주는 탈식민 텍스트라고 할 수 있다.

2. 제럴드와 거드런의 관계

로렌스는 『사랑하는 여인들』에서 두 쌍의 남녀관계를 통해서 여성을 억압하는 가부장제 남성중심 사회 속에서 자신의 정체성을 추구하며 살아가는 여성들의 갈등과 고뇌를 표현하고자 했다. 그는 버킨과 어슐러의 관계를 제시하며 그들 서로 간에 존재하는 내적 갈등과 그 갈등 과정, 그리고

83　하정일, 『탈식민의 미학』, 19.

각자의 개별성을 잃지 않는 이상적이며 조화로운 합일의 단계에 이르는 단계를 깊이 있게 보여주었다. 반면 내적 갈등을 경험하나 상호 간의 의지의 투쟁을 극복하지 못하여 결국 파국으로 치닫는 부정적 남녀관계를 제시하고 있다. 버킨이 별의 균형을 통해 이상적인 남녀관계를 모색했던 것과는 대조적으로 제럴드가 보여주는 '북극의 정신성'(Nordic mentality)은 힘의 의지(Will-to-power), 혼돈의 의지(Will-for Chaos)로 나타난다.

제럴드는 현대 산업사회와 기계문명을 대변하는 인물로 경제적 능력을 소유하고 있으며, 외모에서 남성적인 매력을 지닌 인물이다. 거드런 역시 아름답고 자아가 강한 여성으로 예술활동을 하는 현대적 여성이다. 그러나 이들의 관계는 버킨과 어슐러가 서로의 내면세계에 이끌린 것과는 달리 관능적이고 감각적인 면에서 서로 이끌리며, 이들은 지적으로나 관능적으로 서로 균형을 이루지 못하는, 덜레스키(H. M. Daleski)의 지적처럼, 제럴드와 거드런의 관계는 '관능적 쾌락'을 매개로 한 상호 파괴적 지배 관계[84]라고 할 수 있다. 그것은 자신의 의지로 상대방을 파멸시킬 뿐아니라 자기 자신도 죽이는 자기파괴적 성격이라고 할 수 있다. 두 사람은 상대방을 억압의 대상으로 보고 상대를 지배하고자 하는 욕망이 강하기 때문에 서로 간의 정체성 형성을 기하는 데에 큰 위협적 요소가 될 뿐만 아니라 결국 파멸에 이르게 된다.

제럴드와 거드런은 만남의 시점부터 서로의 관능적 매력에 빠지게 된다. 「자매들」 장에서 거드런이 제럴드를 보았을 때, 그녀는 그의 넘치

---

84 H. M. Daleski, *The Forked Flame: A Study of D. H. Lawrence*(Evenston: Northern UP, 1965), 152.

는 남성미와 북구적 분위기에 매혹된다.

그녀의 아들은 햇볕에 그을린 미남형으로서, 중간 키를 넘는 균형 잡힌 몸에, 지나치게 잘 차려입고 있었다. 하지만 어딘가에 이상한, 뭔가 경계하는 듯한 인상에, 무의식적으로 나타나는 번쩍임 같은, 마치 자신은 주위 사람들과는 다르다는 듯한 그런 태도를 취하고 있었다. 거드런은 곧바로 이 남자에게 눈길을 주었다. 그에게는 거드런을 매혹시키는 북구적인 어떤 것이 있었다. 그의 북구적인 근육과 아름다운 머리카락에는 얼음 수정을 통해 굴절된 태양빛과 같은 번쩍임이 있었다. 그리고 그에게는 새롭고, 입 밖으로 내지 않은 북구적인 순수함이 있었다.

Her son was of a fair, sun-tanned type, rather above middle height, well-made, and almost exaggeratedly well-dressed. But about him also was the strange, guarded look, the unconscious glisten, as if he did not belong to the same creation as the people about him. Gudrun lighted on him at once. There was something northern about him that magnetized her. In his clear northern flesh and his fair hair was glisten like sunshine refracted through crystals of ice. And he looked so new, un-broached, pure as an arctic thing. (*WL* 15)

거드런은 제럴드의 선명한 북구적 육체, 얼음의 결정체를 통해 굴절되어 햇빛처럼 빛나는 그의 아름다운 머리카락에 매료된다(*WL* 15). 하지만 그녀는 제럴드의 외모에서 풍기는 남성미에 매료되지만 자기중심적, 이기적 본성에 충실하고 인격적으로 성숙하지 못한 그의 내면을 간과하고 있다. "브레들비"에서 거드런에게 호감을 갖게 된 제럴드는 거드런을 위해 그녀가 원하는 이상적인 남성, 그녀의 기대를 채워주고 싶은 강한 남성이 되기를 원한다.

그는 거드런의 기준까지 다가가서 그녀의 기대를 충족시키고 싶었다. 그는 거드런의 비판의 기준 오로지 그것이 중요하다는 것을 알고 있었다. 그 밖의 다른 여성들은 사회적으로 어떤 위치에 있다 하더라도, 모두가 자기에 대해서는 이방인이라는 것을 본능적으로 알아차렸다. 그래서 제럴드는 그것을 어떻게 할 도리가 없었다. 그는 거드런의 비판의 기준까지 도달하려고 노력하고, 그녀가 가지고 있는 이상적 남성, 아니 이상적 인간이 되도록 노력해야만 했다.

He wanted to come up to her standards, fulfil her expectations. He knew that her criterion was the only one that mattered. The others were all outsiders, instinctively, whatever they might be socially. And Gerald could not help it, he was bound to strive to come up to her criterion, fulfil her idea of a man and a human beings. (*WL* 114).

마찬가지로 제럴드도 눈에 띄는 거드런의 외모에 빠져든다. 결정적으로 제럴드는 브레들비에서 거드런과 어슐러, 그리고 콘테사(Contessa)가 연기한 무언극에서 모압 출신의 며느리 룻(Ruth)과 그의 시어머니 네이어미 (Naomi)에 대한 공연을 보고 어슐러에게 이끌리게 된다.

제럴드는 절망적으로 네이어미에 집착하는 거드런을 보고 흥분했다. 그 여성적인 숨어있는 무모함과 조롱이 그의 피에 스며들었던 것이다. 그는 거드런의 마음이 의기양양한, 몸을 바쳐 집착하는, 담대하면서 조롱하는 것 같은 무게감을 잊을 수가 없었다.

Gerald was excited by the desperate cleaving of Gudrun to Naomi. The essence of that female, subterranean recklessness and mockery penetrated his blood. He could not forget Gudrun's lifted, offered, cleaving, reckless, yet withal mocking weight. (*WL* 102)

앞에서 언급한 것처럼 제럴드는 현대 산업사회와 물질적 기계문명을 대변하는데 거드런은 제럴드의 탁월한 외모에 강하게 이끌리게 되고 호수에서 수영하는 그의 남성적인 모습에 감탄한다(*WL* 52). 이처럼 제럴드는 남성적인 매력을 지닌 인물이다. 거드런 역시 아름다운 외모에 자아가 강한 여성으로 예술활동을 하는 자유분방한 현대 여성이라는 점에 주목할 필요가 있다. 하지만 제럴드와 거드런은 서로가 강한 의지를 지니고 있는 인물이기 때문에 과연 두 사람이 이상적인 남녀관계를 이룰 것인지를 예상하기는 쉽지 않다. 제럴드는 아버지 토마스 크라이치로부터 광산경영을 유업으로 물려받았지만 아버지의 기독교적 사랑, 인도주의적인 경영원리와는 반대로 철저한 기계주의에 입각한 지배와 통제의 원리로 광산을 경영해나간다.

> 제럴드는 능률의 전문가이고 가장 현대적인 산업가를 대표한다. 그에
> 게 중요한 것은 생산밖에 없다. 그의 산업주의는 생명을 순수한 수학
> 적 원리에 복종시키고, 유기적인 원리를 기계적 원리로 교환하고, 유
> 기적인 단위, 유기적인 목적, 유기적인 통일을 파괴하여 역설적인 의
> 미의 보다 위대한 기계적인 것들로 대체시킨다. 그는 광부들을 단순
> 한 기계적 도구들로 환원시킨다.[85]

그는 노동생산력이 저하된 나이 든 광부들이나 노동자들을 무자비하게 해
고하고, 아버지가 지급하던 생활보조 조치도 중단시키며, 최신식 기계를
도입하거나 젊은 기술자들을 고용하는 급진적 경영방식을 취함으로써 광
부들에게 불평, 불만을 야기하는 원인을 제공한다. 그의 기능주의적 인간
관은 개별 인간의 독특한 성향을 최소화시키고 그의 기계적 인간관은 인
간의 유기체적인 성향을 거부하는 능률주의 논리에 기반하기 때문에[86] 광
부들은 제럴드의 잔인하고 급진적인 제럴드의 경영방식과 그가 행사하는
힘의 의지에 굴복하게 된다.

문제는 제럴드의 광산경영에서 보여준 힘의 의지는 그가 여성을 지
배의 대상으로 본다는 점이다. 이 소설의 첫 장에서 제시되는 벨도버
(Beldover) 지역의 기계화된 탄광촌은 자연의 아름다움이 사라진 황폐한

---

85 조일제, 『영국문학과 사회』(서울: 우용출판사, 2001), 212.

86 Alastair Niven, *D. H. Lawrence, The Novels*, 104.

장소로 묘사되는데 거드런은 제럴드가 경영하는 메마르고 추악한 지옥을 연상시키는 탄광촌의 현실에 대해 혐오한다.

두 아가씨는 벨도버의 간선 도로를 재빨리 걸어가고 있었다. 그것은 넓은 거리였고 상점과 주택이 조금씩 떨어져 있는, 하지만 그렇다고 해서 형태도 갖추지 못한 빈민굴이라고 할 수는 없지만 지저분하고 더러운 거리였다. 첼시나 서섹스에 거주했기 때문에 이곳에 익숙하지 못한 거드런은 중부에 있는 조그마한 탄광촌의 형태를 갖추지 못한 추함에 잔인할 정도로 몸이 움츠러들었다. 그럼에도 그녀는 이 보잘 것 없는 지저분한 지역을, 형태를 갖추지 못한 기다란 모래투성이 거리로 나아갔다. 그녀는 모든 시선에 노출되어 고통스러운 긴장을 지나갔다. 그녀가 고의적으로 돌아와서 형태를 갖추지 못한, 이 메마른 추함의 효과를 최대한 맛보려는 것은 이상한 일이었다. 그녀는 왜 이 추하고 무의미한 사람들이나 더럽혀진 시골의 참을 수 없는 고통을 감수하려고 하는가? 왜 여전히 그것에 자신을 굴복시키려 하는가? 거드런은 자기를 흙먼지 속에서 꿈틀거리는 투구풍뎅이 같다고 생각했다. 그녀는 반항심으로 가득 차 있었다. . . "그것은 마치 지옥 같아." 거드런이 말했다. "광부들이 삽으로 퍼올려서 지옥을 지상으로 가져오는 거야. 어슐러 언니, 멋지지 않아. 정말 멋지지─정말 멋있는데, 완전히 신세계야, 이 사람들은 모두 무덤을 파헤치는 유령들이야, 도는 게 유령처럼 보여. 모든 것이 현실세계의 유령을 복사한 것 같아. 무덤을 파헤치는 유령 말이야. 이 모든 것이 더럽고 지저분해서 미칠 것 같아, 어슐러 언니."

The two girls were soon walking swiftly down the main road of Beldover, a wide street, part shops, part dwelling-houses, utterly formless and sordid, without poverty. Gudrun, new from her life in Chelsea and Sussex, shrank cruelly from this amorphous ugliness of a small colliery town in the Midlands. Yet forward she went, through the whole sordid gamut of pettiness, the long amorphous, gritty street. She was exposed to every stare, she passed on through a stretch of torment. It was strange that she should have chosen to come back and test the full effect of this shapeless, barren ugliness upon herself. Why had she wanted to submit herself to it, did she still want to submit herself to it, the insufferable torture of these ugly, meaningless people, this defaced countryside? She felt like a beetle toiling in the dust. She was filled with repulsion. . . 'It is like a country in an underworld,' said Gudrun. 'The colliers bring it above-ground with them, shovel it up. Ursula, it's marvellous, it's really marvellous — it's really wonderful, another world. The people are all ghouls, and everything is ghostly. Everything is a ghoulish replica of the real world, a replica, a ghoul, all soiled, everything sordid. It's like being mad, Ursula.' (*WL* 11-12).

어슐러가 혐오하는 것은 벨도버 탄광의 황폐화된 현실이다. 그러나 실제로 그녀가 혐오감을 느끼는 대상은 탄광노동자들을 무자비하게 지배하고 파괴적인 산업사회, 백인문명을 상징하는 제럴드라고 할 수 있다.

제럴드는 여성을 자유와 의식을 가진 자율적 존재, 자율성과 선택권을 가진 주체로 생각하지 않는다. 광산경영이나, 인간관계에서도 지배와 복종의 원리를 적용하여, 상대를 지배함으로써 만족감을 얻는 제럴드는 거드런과의 관계에서도 동일하게 그의 의지력을 행사한다. 거드런에게 큰 위기감을 초래하는 원인도 제럴드의 의지력이다. 그의 의지력 행사는 거드런의 정체성 형성 기반을 더욱 약화시킬 뿐만 아니라 런던에서 예술을 공부하고, 자유롭고 분방한 삶을 추구하며 강한 자의식과 의지력을 지닌 거드런의 성향과 갈등을 불러일으키게 된다. 「스케치북」("Sketch-Book") 장에서 거드런은 그들 사이의 공통된 어떤 악마적 동질성을 느끼게 되고 자신이 제럴드를 지배할 것이라는 예감을 하게 된다. 이 장에서 그들의 의지는 충돌하여 갈등과 투쟁의 양상을 보여준다.

> 표정과 어조 속에 두 사람 사이의 굳건한 기반이 성립되었다. 거드런은 어조 속에서 명확히 이해했다. ㅡ이 두 사람, 제럴드와 거드런은 같은 부류의 사람으로, 일종의 악령과 같은 본능적 우애감이 그들 사이에 성립되었다. 이제부터는 그녀가 제럴드에게 어떠한 영향력을 발휘할 수 있다는 것을 거드런은 알았다. 이 두 사람은 어느 곳에서 만날지라도 그들은 은밀하게 맺어질 것이었다. 그리고 제럴드는 거드런과의 연관을 맺음으로 무력한 존재가 될 것이다. 그녀의 영혼은 미칠 듯이 기뻤다.

> The bond was established between them, in that look, in her tone. In her tone, she made the understanding clear ㅡ they were

of the same kind, he and she, a sort of diabolic free-masonry subsisted between them. Henceforward, she knew, she had her power over him. Whenever they met, they would be secretly associated. And he would be helpless in the association with her. Her soul exulted. (*WL* 135)

그러나 거드런은 제럴드의 일방적인 지배에 복종할 수 없는, 자유로운 삶을 추구하는 강한 자의식을 지닌 여성이기 때문에 두 사람 사이에 지배/복종 관계가 형성되지 않는다. 또한 제럴드 의지력과 정복욕구, 냉혹하고 파괴적이고 심지어 가학적 성격은 여러 곳에서 드러난다. 「석탄 가루」("Coal Dust") 장에서 제럴드는 달리고 있는 기차를 향해 말을 몰아간다. 그는 철도 건널목에서 달려오는 기차의 굉음과 소음에 놀라 뒷걸음질 치는 말을 자신의 의지력으로 압제한다. 그의 잔인성은 말에게 채찍을 가해 말의 옆구리에 피를 흘리게 하는 행동에서도 나타난다(*WL* 124-25). 어슐러는 제럴드의 잔인한 행위에 분개하며 소리치나, 다른 한편으로 그를 바라보며 제럴드에게서 현대 남성에게 발견할 수 없는 남성적인 강렬한 힘을 느끼며, 제럴드의 가학적 성질에 순응하는 모습을 보인다.

거드런은 살아있는 말의 몸뚱이를 유연한 무게로 누르고 있던 굴하지 않는 남자를 생각하면서 감각이 마비되는 것을 느꼈다. 금발 남자의 불굴의 강력한 허벅지는 두근거리는 말 몸뚱이를 눌러 자기 의지대로 제어했다. 허리와 허벅지에서는 일종의 부드럽고 하얀 자석과 같은 지배욕이 뿜어 나와 말을 완전한 복종 속으로, 유연한 피의 복종 속으로 밀어 넣고 에워싸고 있었다.

Gudrun was as if numbed in her mind by the sense of indomitable soft weight of the man, bearing down into the living body of the horse: the strong, indomitable thighs of the blond man clenching the palpitating body of the mare into pure control; a sort of soft white magnetic domination from the loins and thighs and calves, enclosing and encompassing the mare heavily into unutterable subordination, soft-blood-subordination, terrible. (*WL* 126)

두 사람 사이의 긴장이 고조되고 갈등을 촉발시키는 많은 부분은 제럴드의 공격적 성향과 무관하지 않다. 「호숫가 파티」 장에서 거드런은 야생 소들을 자기 의지대로 굴복시키고 옆에서 당황해 하는 제럴드의 얼굴을 때린다. 거드런의 이런 행동은 마치 제럴드가 말을 길들이면서 보여준 잔인성과 크게 다를 바가 없다. 야생 소들을 내쫓는 제럴드의 행동은 제럴드와 거드런의 의지력 싸움의 단면을 보여주는 예언적 장면으로 제럴드의 최후, 제럴드의 운명에 치명적 영향력을 행사하게 될 거드런의 의지를 보여준다. 문제의 복합성은 그의 의지력에만 있는 것이 아니라, 제럴드와 거드런이 자기의 의지를 상대에게 강요하는 성향과 두 사람 사이의 상당한 간극이 존재하고 대결구도를 띠고 있다는 데에 있다. 이런 조건에서 조화로운 남녀관계를 구성할 가능성은 희박하다.

"먼저 때린 것은 당신이오." 마침내 그는 폐에서 흘러나오는 듯한 말을 했다. 무척 부드럽고 낮은 목소리였다. 그것은 그녀에겐 꿈 속에서 들리는 말처럼 울렸다. 바깥 세계에서 말해진 것 같지가 않았다.

"그리고 마지막으로 때린 것도 나예요." 하고 거드런은 자신에 찬 확신으로 무의식적으로 대응했다. 그는 아무 말이 없었고, 그녀에게 반박하지도 않았다.

'You have struck the first blow.' he said at last, forcing the words from his lungs, in a voice so soft and low, it sounded like a dream within her, not spoken in the outer air.

'And I shall strike the last,' she retorted involuntarily, with confident assurance. He was silent, he did not contradict her. (*WL* 191)

전술한 것처럼 거드런 역시 제럴드 못지않게 이기적인 여성이다. 거드런은 자기중심적인 삶의 태도를 지닌 자만심이 강하고 분석적인 여성임을 재확인할 수 있다.

「토끼」("Rabbit") 장에서는 거드런이 제럴드의 여동생인 위니프레드(Winifred)에게 그림공부를 도와주려고 크라이치 가에 머물고 있을 때 토끼 그림을 그리기 위해 토끼장에서 토끼 비스마르크(Bismarck)를 끄집어내려 하자 비스마르크는 격렬히 반항하면서 거드런의 팔을 할퀸다. 날뛰는 비스마르크를 결코 놓치지 않으려는 거드런의 모습에서 제럴드는 그녀의 잔인성을 직감한다. 거드런에게 사랑은 그녀의 인생에서 일시적인 것 중 하나에 불과하며 제럴드도 하찮은 존재에 지나지 않았다. 그래서 그녀에게 애인이란 순수하고 완전한 지식의 예술을 위한 연료에 불과한 것이었다(*WL* 505).

여성으로서의 정체성을 추구하고 자의식, 독립의지를 지닌 거드런과의 관계 속에서 제럴드의 비극적 운명은 「달빛」 장에서 예측된다. 버킨이 생각하는 것처럼, 제럴드는 파괴적인 지식과 강력한 의지력을 행사하기 때문에 결국 차가운 눈과 얼음 속에서 비극적인 파멸을 겪게 되는 운명을 배태하고 있다.

> 버킨은 제럴드를 생각했다. 제럴드는 파괴적인 서리의 신비 속에서 완성된 북구에서 온 이상하고 놀라운 하얀 악령 가운데 한 사람이었다. 그리고 그는 이 지식 속에서 완전한 차가움, 곧 서리같이 차가운 지식의 과정 속에서 죽어가도록 운명 지어진 존재인가? 그는 이 우주가 순백(純白)과 눈 속으로 용해되는 것을 알리는 메신저인가, 그러한 징후인가?

> Birkin thought of Gerald. He was one of these strange white wonderful demons from the north, fulfilled in the destructive frost mystery. And was he fated to pass away in this knowledge, this one process of frost-knowledge, death by perfect cold? Was he a messenger, an omen of the universal dissolution into whiteness and snow? (*WL* 287)

반인도주의적 인간관계, 물질주의와 기계적 경영방식으로 공장을 경영하는 제럴드에게 밀려드는 것은 형언할 수 없는 공포와 허망함이다. 이 상황에서 제럴드가 의지할 수 있는 유일한 안식처는 거드런과의 성 관계를 통해 일시적인 마음의 평정과 일시적인 생명력을 갖는다. 하지만 제럴드와의 성관계로 인해 거드런의 영혼은 파멸되어 간다. 왜냐하면 버킨과 어슐러의 관계처럼 상호 간의 사랑과 내면 세계에 대한 존중을 통한 완전한 합일을 이루기보다는 제럴드와 거드런의 관계는 공허감을 채워주는 육체적 행동, 지적으로나 관능적으로 서로 균형을 이루지 못하는 파괴적 성질을 가지고 있기 때문이다. 그들은 지배하고 지배당하는, 사랑이 없는 불완전한 결합, 의지에 의해 굴복해야만 하는 기계적인 관계에 불과하다. 이들에게는 지성적·감성적 교감이 부재하기에, 그리고 사랑과 영혼이 결핍된 육체관계는 제럴드에게 공포감을 조성하여 그를 어린 아이 상태로 만들어버린다.

> 그는 그것이 성취되기 전에 그녀가 거절할까봐 두려웠다. 어머니의 가슴에 안긴 아기처럼, 제럴드는 그녀에게 꽉 달라붙었다. 그래서 거드런은 그를 밀어낼 수가 없었다. 그의 상처 입고 시들어버린 뇌막(腦膜)은 이완되고 부드러워졌다. 시들어버리고 경화되고 파손된 조직은 다시 회복되어, 부드럽게 되고, 새로운 생명으로 고동치기 시작했다. 그는 신을 대하는 것처럼, 혹은 어머니의 품에 안긴 아기처럼, 무한한 감사에 차 있었다. 그는 기쁘고 감사함에 가득 차 정신이 정신착란에 걸린 듯 했다. 자신의 완전함을 다시 회복한 것 같았다. 말로는 표현할 수 없는 깊은 잠이, 완전한 피로와 회복의 잠이 그를 덮쳐오는 것 같은 그런 느낌이 들었다.

He was afraid she would deny him before it was finished. Like a child at the breast, he cleaved intensely to her and she could not put him away. And his seared, ruined membrane relaxed, softened, that which was seared and stiff and blasted yielded again, became soft and flexible, palpitating with new life. He was infinitely grateful, as to God, or as an infant is at its mother's breast. He was glad and grateful like a delirium, as he felt his own wholeness come over him again, as the felt the full, unutterable sleep coming over him, the sleep of complete exhaustion and restoration (*WL* 389-90)

아버지의 죽음으로 방황하던 제럴드는 거드런의 품속에서 무한한 안도감을 느끼고 생명력이 충만해짐을 느낀다(*WL* 389). 하지만 그것은 거드런의 육체를 지배하고 복종시켰다는 지배욕에서 생겨난 일시적인 만족감에 불과하다. 동시에 거드런 역시 제럴드에게 자신을 내맡기지 못하고 공포감 속에서 불안과 상실감에 휩싸여 또 다른 어둠의 세계를 헤맨다(*WL* 390). 거드런은 깨어 있으나 제럴드의 의지에서 벗어날 수 없다는 공허감에 잠을 이루지 못한다(*WL* 390). 제럴드는 자신의 영혼과 일상적 삶의 부조화, 아버지의 부재로 영혼의 공허함을 경험하고, 심적 평정을 잃고 압박감이 극단에 이르자, 거드런에게 병적인 집착을 보인다(*WL* 389).

이와 같은 상황에서 거드런은 제럴드와의 일체감이 아니라 그에게서 비인간적 거리감을 느낀다.

하지만 그는 저 먼 다른 세계에 있었다. 아아, 거드런은 괴로움 때문에 소리를 지를 지경이었다. 그는 너무나 멀리 떨어진 그리고 완성된 다른 세계에 있었다. 그녀의 눈에는 그가 투명한 어두운 물 밑의 아득한 심연(深淵)에 있는 조약돌처럼 바라보았다. 그리고 그는 지성이 없는, 멀리 떨어진 살아있는 어두운 희미한 빛이라는 다른 요소 속으로 깊이 빠져들었다. 그는 여기에 의식의 모든 고뇌와 더불어 남아 있었다. 그는 아름다웠고, 저 멀리 떨어져 있고 완벽했다. 두 사람은 결코 하나가 되지 못할 것이다. 아아, 그녀와 다른 존재 사이에 늘 끼어드는 이 지독하고 비인간적인 거리!

But he was far off, in another world. Ah, she could shriek with torment, he was so far off, and perfected, in another world. She seemed to look at him as at a pebble far away under clear dark water. And here was she, left with all the anguish of consciousness, whilst he was sunk deep into the other element of mindless, remote, living shadow-gleam. He was beautiful, far off, and perfected. They would never be together. Ah this awful, inhuman distance which would always be interposed between her and the other being! (*WL* 390)

제럴드에게 결혼은 거드런과의 관계 속에 자신을 헌신하는 것이 아니라 기존 질서 속에 자신을 던지는 것이었다.

결혼은 자기 자신을 거드런과의 관계에 빠뜨리는 것이 아니었다. 그것은 자기 자신을 기존의 세계를 수용하는 것에 맡기는 것이었다. 그는 자신이 믿지 않은 기존 질서를 수용하려고 했다. 그래서 그는 지하 세계로 후퇴하여 그곳에서 일생을 보내려고 하는 것이다. 그것이 바로 제럴드가 하고자 하는 것이었다.

Marriage was not the committing of himself into a relationship with Gudrun. It was a committing of himself in acceptance of the established world, he would accept the established order, in which he did not livingly believe, and then he would retreat to the underworld for his life. This he would do. (*WL* 398)

이들이 서로를 깊이 사랑할 수 없는 또 다른 이유는 결혼에 대한 관습적인 태도에서 벗어나지 못하기 때문이다. 거드런은 결혼이나 결혼생활에 중요한 의미를 부여하지 않고 결혼을 하나의 체험 정도로만 생각한다. 그녀도 인생의 추방자이며 삶의 뿌리 없이 여기저기 표류하는 여성이다. 이와 같은 점에서 그녀는 어떤 것에도 결코 만족할 수 없는 성격을 지니고 있는 인물이라는 사실을 재확인할 수 있다.

그는 거드런에게 중요한 의미를 가지고 있었다. —하지만—! 아마 자신은 결혼할 마음이 내키지 않았다. 그녀는 인생의 추방자 중 한 명에 불과하고 뿌리 없는 떠다니는 생명체 중의 하나일 뿐이다.

He meant a great deal to her—but—! Perhaps it was not in her to marry. She was one of life's outcasts, one of the drifting lives that no root. (*WL* 424)

이 소설의 마지막 부분에서 제럴드는 거드런과의 사랑을 이루기 위해 버킨과 어슐러와 함께 '티롤'(Tyrol)로 여행을 떠난다. 그러나 여행에서 그들의 관계는 특별히 발전하지 못하고 오히려 그들 사이의 갈등만 심화시킨다. 거드런은 제럴드에 대한 애정이 없었기 때문에 그를 떠나고 있었고, 제럴드도 무서운 침묵과 추위 속에서 그것을 직감하고 있었다.

제럴드는 그녀 위로 허리를 굽히고 그녀의 어깨 너머로 밖을 바라보았다. 이미 그는 자신이 혼자라는 것을 느낄 수 있었다. 그녀는 사라졌다. 완전히 사라졌다. 그리고 그의 심장 주위에는 얼음 같은 증기가 떠다니고 있었다. 그는 막힌 골짜기, 하늘 아래까지 뻗어있는, 눈의 위대한 막다른 골목과 산정상을 보았다. 그리고 그곳엔 밖으로 빠져나갈 방도가 없었다. 무서운 침묵과 냉기(冷氣)와 황혼의 매력적인 빛이 제럴드를 에워쌌다. 그리고 거드런은 창문 앞에 마치 신전에서 머리를 숙이듯 그림자처럼 웅크리고 앉아있었다.

Gerald bent above her and was looking out over her shoulder. Already he felt he was alone. She was gone. She was completely gone, and there was icy vapour round his heart. He saw the blind valley, the great cul-de-sac of snow and mountain peaks under the heaven. And there was no way out. The terrible silence and cold and the glamorous witness of the dusk wrapped him round, and she remained crouching before the window, as at a shrine, a shadow. (*WL* 451)

두 사람 사이의 가장 큰 문제는 제럴드가 거드런에게 자신의 의지를 맹목적으로 강요하여 거드런이 견딜 수 없을 정도의 정신적 압력을 받는다는 점이다.

> 그들이 서로 친숙해지면 친숙해진 만큼, 제럴드는 그녀에게 더욱 압력을 가하는 것처럼 보였다. 처음엔 거드런이 제럴드를 조종할 수 있었다. 그렇기에 그녀 자신의 의지는 늘 자유로웠다. 하지만 얼마 지나지 않아 제럴드는 그녀의 여성적인 전술을 무시하기 시작했다. 그는 그녀의 변덕과 그녀의 사생활에 대한 존경심을 버리고, 그녀에게 복종하는 일도 없이 자기 자신의 의지를 맹목적으로 발휘하였던 것이었다.

> As they grew more used to each other, he seemed to press upon her more and more. At first she could manage him, so that her own will was always left free. But very soon, he began to ignore her female tactics, he dropped his respect for her whims and her privacies, he began to exert his own will blindly, without submitting to hers. (*WL* 496)

이들의 갈등은 시소(sea-saw)처럼 한쪽이 내려오면 다른 한쪽이 올라가고 한쪽이 수용하면 다른 한쪽이 그것을 다시 거부하는 관계가 지속된다(*WL* 500). 제럴드는 표면적으로 거드런에게 의존함으로써 마음의 평정을 찾는 것 같지만, 그의 내면은 거드런을 죽이고 싶은 심정에 사로잡혀 있다(*WL* 498). 이러한 의존은 남녀관계의 분절화를 촉진시킬 수 있는 위험이 있지만 그는 거드런을 죽여야만 자신이 자유롭게 될 것이라고 생각한다.

　　"나는 그녀로부터 벗어날 수 있어" 하고 제럴드는 고뇌의 발작 속
에서 혼자 말했다.
　　그리고 그는 자기를 해방하려고 했다. 제럴드는 거드런이 죽을 지
경에 처해 있는 것을 모른 체하고 떠날 준비까지 해놓았다. 하지만
그때 처음으로 그의 의지에 결함이 생겼다.
　　"나는 어디로 가야 하나?"하고 그는 스스로에게 질문을 던졌다.
　　"너 자신은 스스로 자족할 수 없는가?" 하고 제럴드가 자존심에 차
스스로에게 물었다.
　　"자족감!" 하고 제럴드가 같은 말을 반복했다.

　　'I can be free of her,' he said to himself in his paroxysms of
suffering.
　　And he set himself to be free. He even prepared to go away, to
leave her in the lurch. But for the first time there was a flaw in
his will.
　　'Where shall I go?' he asked himself.
　　'Can't you be self-sufficient?' he replied to himself, putting
himself upon his pride. 'Self-sufficient!' he repeated. (*WL* 500)

제럴드는 자신이 생존하기 위해서는 거드런으로부터 자유로워져 그녀에
대한 어떠한 주장이나 요구도 하지 말아야 함을 깨닫지만 그렇게 할 욕망
이 결핍되어 있을 뿐 아니라 그렇게 만들어낼 수도 없다(*WL* 501). 거드

런은 제럴드가 자신을 파멸시킬 수 있다는 공포감을 느낀다(WL 508). 그녀에게 제럴드의 존재는 미묘한 지식을 위한 연료, 그녀의 예술을 위한, 관능적 이해에 있어서 완전한 지식을 위한 연료에 불과하다(WL 505). 이들에게 남은 것은 내적, 개인적 암흑과 생명의 유기체를 분열시키는 마찰 운동 뿐이다. 제럴드와 거드런이 파멸하게 된 원인은 극단의 육감에서 나오는 감각, 다시 말해 반복만 있고 그 다음 단계는 없는, 감각적 삶을 추구하기 때문이다.

> 오직 있는 것은 내적이며 개인적인 암흑, 자아 속에 스며있는 감흥, 궁극적으로 변형된 외설스러운 종교적 신비감, 살아있는 생명의 유기체를 분해하는 악마적 변형의 신비스러운 마찰 운동뿐이었다.

> There was only the inner, individual darkness, sensation within the ego, the obscene religious mystery of ultimate reduction, the mystic frictional activities of diabolic reducing down, disintegrating the vital organic body of life. (WL 508)

제럴드의 파괴성은 알프스 여행에서 절정을 이루어 그곳에서 만난 독일인 조각가 뢰르케(Herr Loerke)와 거드런과의 관계를 질투하는 장면에서도 확인할 수 있다. 그는 뢰르케를 넘어뜨리고 거드런의 목을 조르다 놓아둔 채 알프스 산중을 질주하다 스스로 파멸하게 된다. 제럴드를 파멸에 이르게 한 원인은 물질이 지배하는 기계화된 사회 속에서 제럴드가 인간을 대상화하고, 타인에 대한 배려 없이 자신의 의지를 강요하였으며, 얼음처럼 차갑고 잔인한 그의 삶의 태도, 여성 의존적인 나약함, 미래지향적 남녀관계가 아닌 상호파괴적 관계에 기인한다. 또 다른 이유는 제럴드와 거드런은 정신적 자아성찰과 성장을 경험한 버킨과 어슐러의 관계에서 드러나는 상호이해와 정신적 교감의 부재, 그들 사이의 넘을 수 없는 심리적·정신적 갈등 때문이다.

이들의 사랑은 서로를 인정하거나 공감하지 못하고 자신의 의지로 서로를 지배하고자 했기 때문에, 다시 말해 서로를 이해하고 조화로운 관계를 형성하지 못했기 때문에 기계적, 생명력 없는 광기, 고통스러운 삶의 굴레에서 벗어날 수 없게 된 것이다. 로렌스가 부정적 인물로 형상화한 제럴드는 서구사회의 남성제국주의 이데올로기에 의해 지배받고 그것에 의해 몰락한다. 차가운 지성과 더불어 문명사회의 분열의 원인을 제공하는 것은 차가운 지성과 기계적 사고방식이라고 할 수 있다. 지성이나 관능이 어느 한쪽으로 기울어질 때 변증법적인 과정을 통한 창조적 존재 형성은 불가능하다.

제럴드가 티롤산에서 동사하게 되는 것은 피와 생명을 거부한 북구의 차가움, 가학적 폭력성, 기계주의적 사고, 자기중심적인 의지의 행사와 같은 퇴행성에 기인한다. 다른 한편으로 버킨은 그의 죽음을 완전히 새로운 존재를 탄생시키는 창조의 신비와 연관 짓는다.

창조의 신비는 헤아릴 수 없고 잘못될 수 없으며, 지칠 줄도 모르고 영원하다. 여러 종족이 왔다가 가고, 여러 종(種)이 사라졌다. 그러면서 늘 보다 사랑스러운, 아니 똑같이 사랑스러운, 새로운 종이 늘 이전의 것을 앞서가는 경이(驚異)를 초래했다. 그 근원은 부패하지 않는 것이고, 헤아릴 수 없는 것이었다. 한계가 없다. 그것은 기적을 가져오고, 완전히 새로운 종족과 새로운 종을 창조한다. 그 시기마다 새로운 의식의 형태를, 새로운 육체적 형태를, 새로운 존재단위를 창조할 수 있는 것이다. 인간은 창조의 신비에 비하면 아무것도 아니다. 그 신비에서 직접 전해지는 맥박을 갖는 것, 그것은 완전한 것이고, 표현할 수 없는 만족 바로 그것이다. 인간이면서 인간이 아닌가는 전혀 문제가 되지 않는다. 그 완전한 맥박은 표현할 수 없는 존재이고, 기적 같은, 아직 태어나지 않은 종과 함께 고동치는 것이다.

The mystery of creation was fathomless, infallible, inexhaustible, forever. Races came and went, species passed away, but ever new species arose, more lovely, or equally lovely, always surpassing wonder. The fountain-head was incorruptible and unsearchable. It had no limits. It could bring forth miracles, create utterly new races and new species in its own hour, new forms of consciousness, new forms of body, new units of being. To be man was as nothing compared to the possibilities of the creative mystery. To have one's pulse beating direct from the mystery, this was perfection, unutterable satisfaction. Human or inhuman mattered nothing. The prefect pulse throbbed with indescribable being, miraculous unborn species. (*WL* 538-39)

전술한 것처럼, 따뜻한 피와 생명력의 부재로 제럴드의 죽음은 불가피하다. 로렌스는 산업화와 화신이며 기계에 봉사하는 제럴드의 죽음과 파멸을 제시함으로써 퇴행적인 남성우월주의의 몰락을 소설을 통해 구현한다. 비록 로렌스가 제럴드를 왜곡되고 부정적·기계적 존재이며 내면적 고통을 경험하는 인물로 묘사하고 있지만, 그를 완전히 사악한 존재라고만 말할 수는 없다. 오히려 제럴드는 연민과 동정을 동시에 일으키는 존재라고 할 수 있다. 그러나 그는 역사를 거슬러 올라가는 과정에서 과거 전제적 가부장제로 되돌아가는 방향으로 회귀하는 복고적 남성으로 여성의 정체성 형성에는 전혀 관심을 보이지 않고 남녀불평등 차별구조와 양극화를 더욱 심화시키는 퇴행적 인물이다.

로렌스는 『사랑하는 여인들』에서 또 다른 뒤틀린 자화상을 가진 인물 유형인 뢰르케를 제시한다. 그는 버킨과 어슐러, 제럴드와 거드런이 인스부르크(Innsbruck)의 한 호텔에서 만나게 되는 여행객 중의 한 사람이다. 뢰르케는 조각가로 드레스덴(Dresden)에 자신의 스튜디오를 소유하고 있는데 남의 시선을 끌 만한 탁월한 외모나 신체조건을 지니지 못한 어린아이 같은 인상, 체구도 난쟁이에 비교될 만큼 매우 왜소하여 작품에 나오는 다른 인물들과 구별되는 독특한 인물이다. 뢰르케의 외모는 허마이어니의 외모와 매우 대조적이다.

> 뢰르케라는 인물은 어린아이 같은 작은 체격에, 둥글고 튼튼하고 민감하게 보이는, 쥐처럼 재빠르게 움직이는 큰 눈을 가진 남자였다. 그는 초연하게 자기 자신의 위치를 지키고 있었다.

Herr Loerke was the little man with the boyish figure and the round, full, sensitive-looking head, and the quick, full eyes, like a mouse, and held himself aloof. (*WL* 456)

작중에서 뢰르케와 허마이어니의 조우는 없지만 대조적인 외모와 성정을 비교할 때 두 사람은 뒤틀리고 왜곡된 자아상을 반영하는 인물이라 할 수 있다. 부패된 영혼을 소유한 뢰르케는 제럴드와 거드런 사이의 관계를 단절시키는 역할을 담당한다. 그는 거드런과의 관심분야가 같기 때문에 대화 그룹의 주요한 구성원으로서 토론에 참여하며 예술과 인생, 예술과 현대산업사회의 병폐 등 다양한 주제에 대해 자신의 견해를 개진하는 '예술을 위한 예술'을 대표하는 인물이다. 뢰르케는 자신이 만든 '말 위의 벌거벗은 소녀상'을 담은 사진을 어슐러와 거드런 자매에게 보여주는데, 그것의 가치를 '단순히 말을 그린 그림'에 불과하다고 평가절하하는 어슐러에게 다음과 같이 반박한다.

그것은 예술 작품이고, 어떤 것을 복사한 것은 아닙니다. 절대로 아니에요. 그것은 그것 이외의 다른 어떤 것과도 무관합니다. 일상 사계의 이것저것과는 아무런 관계가 없어요. 그것들 사이에는 아무런 상호관련도 없고요. 절대로 없어요. 그것들은 각기 다른 두 개의 다른 차원에 속하는 존재랍니다. 한 쪽을 다른 쪽으로 번역하는 것은 아주 바보 같은 짓이에요. 그 이상으로 잘못된 것이에요. 그럴 경우 모든 충고는 더욱 혼란해지고, 어느 곳에서나 혼돈이 발생하게 되죠. 아시겠지요. 상대적인 행동의 세계와 절대적인 예술의 세계를 혼동해서는 안 됩니다. 그것은 절대로 안 됩니다.

It is a work of art, it is a picture of nothing, of absolutely nothing. It has nothing to do with anything but itself, it has no relation with the everyday world of this and other, there is no connexion between them, absolutely none, they are two different and distinct planes of existence, and to translate one into the other is worse than foolish, it is a darkening of all counsel, a making confusion everywhere. Do you see, you *must not* confuse the relative work of action with the absolute world of art. That you *must not* do.' (*WL* 484)

이처럼 뢰르케는 예술에 대한 생명력을 피력한다. 뢰르케가 사진요판술로 제작한 레이디 고디바(Lady Godiva)라는 작품을 놓고 그와 거드런, 그리고 어슐러 사이에 설전이 벌어지는데, 이 대화는 예술과 현실과의 관계 문제로까지 확대된다. 이 작품은 나체의 어린 소녀가 큰 말 위에 걸터앉아 있는 모습을 묘사한 작품이다. 어슐러와 뢰르케의 논쟁의 쟁점은 구체적으로 말의 묘사에 관한 것이다. 어슐러는 레이디 고디바에서 묘사된 말이 생명력이 부재한 딱딱한 나무토막같이 그려져 있다고 불만을 토로한다. 그녀는 현실에 존재하는 실제 말은 섬세하고 민감하며, 생동감 있는 에너지를 가지고 있는 생명체이기 때문에, 말이라는 객체를 그릴 때에는 현실에서 볼 수 있는 살아 있는 말처럼 생동력 있게 그려야 한다고 주장한다. 즉 작품소재의 사실적 묘사가 작품을 만드는 예술가의 경험을 제대로 반영한다는 것이다. 어슐러는 '예술의 세계'와 '현실의 세계'는 분리되어 있는 별개의 세계가 아니라 예술의 세계가 현실의 세계를 구체적이고 사실적으로 반영해야 하기 때문에 궁극적으로 두 세계는 분리될 수 없는 하나의 세계라고 주장한다.

"당신이 말하는 예술의 세계에 관한 것에 대해 말하자면," 하고 어슐러가 말했다. "당신은 당신 자신의 정체를 아는 것에 대해 참을 수 없기 때문에, 그 두 가지를 분리해야만 되는 거예요. 당신은 당신이 정말로 평범하고 뻣뻣하고 완고한 짐승이라는 것을 깨닫는 것을 견딜 수 없어요. 그렇기 때문에 당신은 그것을 <예술의 세계>라고 말하고 있는 거예요. 예술의 세계라는 것은 오직 현실 세계에 관련을 맺을 때에만 진리인 것이죠. 그것뿐이에요─하지만 당신은 그것을 알지 못하고 있어요."

'As for your world of art and your world of reality,' she replied, 'you have to separate the two, because you can't bear to know what you are. You can't bear to realize what a stock, stiff, hide-bound brutality you *are* really, so you say "it's the world of art". The world of art is only the truth about the real world, that's all─but you are too far gone to see it.' (*WL* 485)

어슐러는 뢰르케의 예술 지상주의 자체를 비판하지는 않지만 예술을 절대적인 것(484)이라고 말하는 그의 방식에 대해 신랄하게 비판한다. 레이디 고디바를 제작할 당시 한 소녀의 인격과 생명력을 도외시한 채 오로지 예술 자체에만 탐닉한 뢰르케의 냉정함과 잔인성을 어슐러는 다음과 같이 지적한다.

"그 소녀는 지금 어디에 있나요?" 어슐러가 물었다.
뢰르케는 지금은 전혀 알지 못하며 아무런 관심도 없다는 듯이 어깨를 움츠렸다.
"그것은 6년 전 이야기입니다," 뢰르케가 말했다. "이제 그녀는 스물세 살 정도 될 겁니다. 아무 소용이 없지요."

'Where is she now?' Ursula asked.
Loerke raised his shoulders to convey his complete ignorance and indifference.
'That is already six years ago,' he said; 'she will be twenty-three years old, no more good.' (*WL* 486)

위의 대화에서 알 수 있듯이, 뢰르케는 아름다움 그 자체가 목적이며 도덕적 효용성을 무시하는 '예술 지상주의'에 대해 역설하는 예술가이지만 실제로 인간의 존엄성, 생명성을 완전히 경시하는 뒤틀린 예술가에 지나지 않는다. 예술에 대한 탐닉, 미를 위해서는 인간관계나 생명까지 경시하는 뢰르케의 태도에서 이 같은 사실을 발견할 수 있다. 심지어 그는 예술은 기계에 종속, 봉사해야 하고 인간의 삶과는 아무런 관련이 없다는 식의 위험한 생각을 지니고 있다.

"조각과 건축은 함께 가야 합니다. 균형 잡히지 않은 조상(彫像)을 만드는 시대는 지났습니다. 벽화도 마찬가지입니다. 사실 조작은 늘 건축이라는 개념의 일부이지요. 교회가 박물관을 대체하고 있는 한, 그리고 산업이 이제 우리의 일상 업무가 된 이상, 정말로 우리는 산업을 예술로 대체하지 않으면 안 됩니다.—산업시대가 우리의 파르테논입니다!" . . .

"그렇다면 예술이 산업에 봉사하지 않으면 안 된다고 생각하시나요?"하고 거드런이 물었다.

"예술은, 한때 종교를 해석한 것처럼, 지금은 산업을 해석하지 않으면 안 됩니다," 하고 뢰르케가 대답했다.

"당신의 조각은 산업을 해석하고 있나요?" 거드런에 그에게 물었다.

"물론이죠. 이런 상태로 조각에 종사하는 남자는 노동을 수행하고 있는 것이죠—사람이 기계를 움직이는 것이 아니라, 기계가 사람을 움직이고 있어요. 그는 자기 자신의 육체 속에 있는 기계적인 움직임을 즐기고 있는 것이다."

'Sculpture and architecture must go together. The day for irrelevant statues, as for wall pictures, is over. As a matter of fact, sculpture is always part of an architectural conception. And since churches are all museum stuff, since industry is our business, now then let us make our places of industry our art-our factory area our Parthenon, *ecco*!'. . .

'And do you think then,' said Gudrun, 'that art should serve industry?'

'Art should interpret industry as art once interpreted religion,' he said.

'But does your fair interpret industry?' she asked him.

'Certainly. What is man doing when he is at a fair like this? He is fulfilling the counterpart of labour—the machine works him instead of he the machine. He enjoys the mechanical motion in his own body.' (*WL* 476-77)

뢰르케에게 공장건물은 교회 건축물과 교회가 수행하는 종교의식과 크게 다를 바가 없다. 위의 대화에서 거드런이 "그렇다면 예술이 산업에 봉사 해야 하나요?"라는 질문에 대해 뢰르케는 "예술이 한 때 종교를 해석했듯 이 예술이 산업을 해석해야 한다"고 대답함으로써 산업과 예술의 분리될 수 없다는 독특한 논리를 전개한다. 하지만 그는 작가가 혐오했던 기계화 된 현대 산업사회에 철저하게 아부하는 예술의 역할을 강조하기 때문에 정신적으로 부패된 존재로 볼 수 있다.

뢰르케의 퇴행성은 북구 기계문명의 극단성과 퇴행성, 불건전하고 감각적·관능적 표현을 담은 고대 미술-아프리카 조각상, 아즈텍·멕시 코 예술 등에 매혹되는 것에서도 발견할 수 있다. 뢰르케가 선호하는 작 품은 핼리데이의 집에서 보았던 아프리카의 조각상과 그것에 대한 애착, 괴상한 것에 대해 매력을 느끼거나 기계적 움직임에 대한 찬미, 이집트나 멕시코 사람들이 품은 정욕, 원시적 예술에로의 도피, 부패된 감각적 예술 에 퇴행적 성향에 나타난다. 그가 이러한 조각들을 좋아하는 것은 창조적

활동이 아닌 부패되고 감각적이고 퇴행적인 것에 대한 탐닉과 정신과 육체가 조화되지 못한 타락성에 기인한다.

그는 서아프리카의 목조(木彫)나, 멕시코·중앙아메리카의 아스텍 예술을 선호했다. 그는 그 기괴한 것을 좋아하고, 일종의 이상야릇한 기계적인 움직임에 도취하고, 자연의 혼란을 즐겼다. 거드런과 뢰르케는 서로 무한할 정도로 암시적이었기에, 불가사의하고 곁눈질 하는 것과 같은 그런 것을 즐겼다. 그들은 세상 사람들이 두려워서 알고 싶어 하지 않는 무서운 중심적인 비밀을 알고 있는 것처럼, 생명을 어떤 비교적(秘敎的)인 것으로 이해하고 있는 것 같았다. 그들은 불가사의한, 이해할 수 있는 암시적인 말을 서로 주고받았다. 두 사람은 이집트 사람이나 멕시코 사람과 같은 위험한 욕정에 불타고 있었다. 그런 게임은 모두 위험한 상호 암시고, 그들은 그것을 암시 단계 위에서 계속 그것을 간직하고 싶었다.

[H]e liked the West African wooden figures, the Aztec art, Mexican and Central American. He saw the grotesque, and a curious sort of mechanical motion intoxicated him, a confusion in nature. They had a curious game with each other, Gudrun and Loerke, of infinite suggestivity, strange and leering, as if they had some esoteric understanding of life, that they alone were initiated into the fearful central secrets, that the world dared not know. Their whole correspondence was in a strange, barely comprehensible suggestivity, they kindled themselves at the

subtle lust of the Egyptians or the Mexicans. The whole game
was one of subtle inter-suggestivity, and they wanted to keep it
on the plane of suggestion. (*WL* 504)

그러나 거드런은 뢰르케의 실체를 제대로 인식하지 못하기 때문에 그에게
서 제럴드와는 다른 형태의 감각적 매력을 느끼게 되어 뢰르케가 보여주
는 비밀스러운 몸짓과 관능적인 말에 매료된다(*WL* 504).

이와 같이 뢰르케와 거드런의 관계는 생명력이 결여된 병적이고 왜
곡된 비인격적인 '게임'에 불과하다. 그에게 거드런은 게임의 대상일 뿐
이다. 그가 거드런에게 원하는 것은 자신이 생각하는 특이한 상황에 맞는
여성으로서의 기능과 역할뿐이다. 뢰르케는 인간의 사랑을 이용 가능한
수단 혹은 이용의 효율성을 갖고 판단한다. 그에게 있어 사랑은 중요한
것이 아니고 모자를 벗고 쓰는 일, 백포도주를 마시는 일과 같이 사소한
일상일 뿐이며, 그 이상의 가치를 지닌 것으로 생각하지 않는다(*WL* 517).
버킨도 뢰르케를 부정적인 인물로 평가한다. 그는 뢰르케 자신이 생각하
는 '검은 부패의 강'에 속하는 인물로 '부패의 강물에서 살며 바닥 없는
심연으로 떨어지는 쥐'와 같은 인물, 삶의 뿌리를 갉아먹는 부정적인 존
재라고 말한다(*WL* 481).

이상에서 살펴본 것처럼 뢰르케는 기계적, 추상적, 정신적으로 왜곡
된 관념에 치우친 기형적 인물로 현대 산업사회에 탄생하는 비인간적이며
기계에 종속된 인간관계를 저해하는 인물이다. 로렌스는 지식만을 추구하
는 허마이어니의 병적 지성과 오만, 그리고 뢰르케를 통해 현대사회의 뒤

틀리고 왜곡된, 기형적인 인물 유형을 비판적으로 제시한 것이다.

강압적 폭력구조를 특징으로 하고 무조건적 복종을 요구하는 남성제국주의는 여성주체들의 삶을 피폐하게 했고 여성으로서의 삶의 기반을 약화시켰음은 주지의 사실이다. 결과적으로 남성으로부터 배제된 여성들에게 기존의 남성중심적 질서는 억압의 장으로서 기능하였기 때문에 이에 대한 강력한 대안으로써 탈식민주의는 역사적 측면에서 여성들의 삶의 조건과 정체성 구축에 대한 총체적이고 명확한 문제의식을 가지고 있다. 로렌스는『사랑하는 여인들』의 심미적 구도 속에서 인간이 존재하는 따뜻하고 생명력 넘치는 관계, 남녀 양자 간에 교감이 이루어지는 조화로운 관계 모색, 궁극적으로 정신과 육체의 균형과 인간성 회복이라는 깊은 진리를 구현하고자 하였다. 특별히 제럴드라는 인물을 형상화하면서 남성의 잘못된 의지력, 왜곡되고 이기적인 사고방식, 부정적이며 건강하지 않은 남성상을 잘 보여주었다. 이와 같은 점에서, 로렌스는 남녀관계에서 자유롭게 살 수 있는 이상적인 삶의 공간을 형성하는 과정을 매우 세밀하고 균형감 있게 서술하면서 남성과 여성의 사유체계와 가치관을 볼 수 있는 유용한 좌표를 발견할 수 있는 혜안력이 탁월한 작가라고 할 수 있다. 탈식민주의 시각에서 로렌스의『사랑하는 여인들』은 전제적 가부장제하에서 남성에 의해 관찰되고, 지배되는 남성우월적 관점에 대해 비판적 시각을 견지하였다는 점에서, 그리고 세속적 관습에 반감을 갖는 여성들의 정체성에 대한 의미를 새롭게 조명하였기 때문에 남성제국주의 이데올로기 비판에 부응한 작품이라고 할 수 있다.

아울러 남성 작가의 확고한 관점만 강요하고, 관습에 의해 철저히 좌절되었던 종래의 소설과는 차별되는 새로운 주제와 구성을 제공한다는 점에서 인식의 전환, 즉 여성의 정체성을 형성할 수 있는 가장 효과적인 방법은 여성들의 관점에서 문제를 바라보는 주제를 효과적으로 전달하는 것이다. 이러한 관점에서 『사랑하는 여인들』은 여성들에게 새로운 희망을 심어주고 적극적, 능동적 태도의 과정으로 여성들의 정체성 확립을 모색하는 작품이다. 환언하면 『사랑하는 여인들』은 돈키호테처럼 당대의 관습을 단호히 거부하는 여성들을 제시하여 독자들로 하여금 삶의 본질에 대한 깊이 있게 천착, 주도면밀한 사색과 성찰을 통해 남녀관계와 윤리가 융합된 깊이 있는 걸작이다. 무엇보다도 『사랑하는 여인들』은 인간존재의 의미와 남녀 간의 상관적 사유방식을 제시하기 때문에 관점에 따라 다양하게 해석할 수 있는 풍부한 소설이라고 할 수 있다.

V

『채털리 부인의 연인』에 나타난 탈식민성

탈식민적 관점에서 로렌스의 『채털리 부인의 연인』[87]은 남성으로부터 차별당하지 않고 자기 정체성을 가진 주체적 행위자로서의 여성에 대한 이해와 더불어 남성중심의 전제적 젠더 이데올로기의 허상에 대한 비판적 함의를 담고 있는 탈식민 텍스트로 볼 수 있다. 이 소설은 육체와 정신 사이의 갈등, 결혼생활과 여성의 독립적 자아 형성 과정, 계급 문제 등 탈식민적 시각에서 바라볼 수 있는 다양한 논점을 제공함으로써 여성 정체성 구성을 총체적으로 조망한다. 로렌스의 『채털리 부인의 연인』은 전제적 가부장제에 대한 로렌스의 비판과 탈식민성을 환기시켜주는 텍스트라고 할 수 있다. 이와 같은 맥락에서 이 장에서는 『채털리 부인의 연인』을 탈식민주의와 접맥시키고자 한다. 로렌스는 소설의 첫 부분을 다음과 같이 시작하고 있다.

> 우리가 살고 있는 시대는 본질적으로 비극의 시대이다. 그래서 우리는 우리 시대를 비극적으로 받아들이기를 거부한다. 지각변동이 있었다. 우리는 폐허 속에 빠져있다. 우리는 새롭게 조그마한 거주지를 건축하고 새롭게 작은 희망을 품기 시작한다. 그것은 힘겨운 일이다. 이제 미래로 향하는 길은 그렇게 평탄한 길이 아니다. 하지만 우리는 장애물을 우회하거나 그것들과 싸워야 한다. 하늘이 무너져도 우리는 살아야만 한다.

---

87 이 책에서는 *Lady Chatterley's Lover*(London: Penguin. 1960)을 사용하며 본문 인용은 *LCL*로 간략히 표기할 것이다.

Ours is essentially a tragic age, so we refuse to take it tragically. The cataclysm has happened, we are among the ruins, we start to build up new little habitats, to have new little hopes. It is rather hard work: there is now no smooth road into the future: but we go round, or scramble over the obstacles. We've got to live, no matter how many skies have fallen. (*LCL* 5)

위의 인용문에서 알 수 있듯이, 로렌스는 당대의 삶의 문제에 대해 절박한 문제의식을 가지고 있었다. 일반적으로 로렌스의 『채털리 부인의 연인』은 산업화와 기계화에 따른 현대 산업사자본주의 사회의 인간성의 상실, 물질문명에 대한 비판과 같은 강력한 메시지를 전달하는 텍스트로 읽을 수 있다. 모나한(Moynahan)과 같은 비평가는 이 소설을 두 가지 지식이라는 관점에서 읽을 수 있다고 지적하고 있다. 첫째는 인간의 이기심에서 시작하는 정신적·이성적·과학적 지식이며, 둘째는 인간이 살아가는 삶에서 발견할 수 있는 종교적·시적인 지식이다.[88] 이 두 가지 지식은 우리가 로렌스의 문학을 이해하는 데 유효한 접근방식을 제공해주는데 이 소설에서는 생명력 넘치고 따뜻함이 있는 라그비(Wragby) 숲과 혹독한 노동과 검은 석탄으로 뒤덮인 테버샬(Tevershall) 광산으로 대비되어 나타난다. 로렌스는 테버샬을 다음과 같이 묘사하고 있다.

---

88 Julian Moynahan, "*Lady Chatterley's Lover*: The Deed of Life," *D. H. Lawrence* (Twentieth Century Views) Ed. Mark Spilka (Prentice-Hall, Inc, Englewood Cliffs N. J, 1963), 72.

집들이 길게 흩어진 채 여기저기 불결하게 늘어선 테버샬 마을 사이로 난 오르막길을 차는 힘들게 올라갔다. 검게 채색된 벽돌집들, 처마 끝을 날카롭게 번쩍이며 내밀고 있는 검은 슬레이트 지붕들, 석탄 가루로 뒤덮은 진흙, 검게 비에 젖은 포장도로를 지나갔다. 그것은 마치 모든 것에 음산함이 젖어있는 것 같았다. 자연의 아름다움이 완전히 부정되고 삶의 기쁨이 완전히 부정되었으며, 어떤 새나 짐승이면 다 지니고 있는 균형미에 대한 본능이 완전히 부재한, 인간적 직관력이 완전히 사라진 풍광은 소름끼칠 정도였다.

The car ploughed uphill through the long squalid straggle of Tevershall, the blackened brick slate roofs glistening their sharp edges, the mud black with coaldust, the pavements wet and black. It was as of dismalness had soaked through and through everything. The utter negation of natural beauty, the utter negation of the gladness of life, the utter absence of the instinct for shapely beauty which every bird and beast has, the utter death of the human intuitive faculty was appalling. (*LCL* 158)

클리포드(Clifford Chatterrley)의 권위적 남성우월주의와 위계적 질서, 그리고 타락한 자본주의 헤게모니를 상징하는 테버샬은 검은 석탄가루와 공장에서 내뿜는 연기가 가득한 어둡고 숨 막히는 생명력이 부재한 세계로 자본주의 팽창을 정당화하는 장소로 기능한다. 이곳에서는 권위주의적 자본가와 노동자라는 이분법적 구조에 기반하기 때문에 자본가 중심의 생산

체제라는 점에서 불평등한 경제구조의 심화와 계급구조의 양극화가 구체
화된다.[89] 식민제국주의가 피식민자라는 타자 없이 존재할 수 없는 체제

---

89 신제국주의적 자본주의와 미국주도의 신자유주의가 갖는 문제점은 다음과 같다. 신
    자유주의는 고전경제학에 기초하여 국가의 역할을 축소시키고 시장경제를 확대를
    특징으로 하며 1980년대 초, 미국의 로널드 레이건(Ronald Reagan) 대통령과 영국
    의 마거릿 대처(Margaret Thatcher) 수상의 등장과 맞물려 시행한 세계경제의 재편
    이나 경제이론·사상을 말한다. 미국일변도의 거대 금융자본은 국내에서 이익을 더
    이상 창출할 수 없게 되고 자국경제를 보호하기 위해 WTO를 출범시킨다. 미국은
    자신의 패권을 이용해 다른 국가의 무역장벽과 보호관세를 제거한다. 신자유주의의
    구체적 정책은 공기업의 민영화, 공공복지제도의 축소, 정부규제의 철폐, 금융자유
    화, 노동시장 유연성 등이다. 신자유주의는 기업활동에 대한 친재벌 정책을 확대시
    키는 반면, 친노동적이지 않기 때문에 사회적 불평등을 확대하고 자본중심적 이데
    올로기를 강화하게 된다. 즉, 노동유연화와 그것이 가져오는 부작용으로 인한 노동
    자의 권리 박탈, 노동통제, 노동소외, 정리해고, 빈부격차의 확대와 같은 부정적인
    효과를 갖는다. 신자유주의의 주된 내용은 정부역할을 축소하고 시장원리를 확대하
    는 것이다. 신자유주의는 미국자본주의 중심의 강력한 외부적 힘에 의해 압도되는
    반노동적 경제구조라고 할 수 있다. 미국을 중심으로 전개되는 자본주의적 이데올
    로기, 경제적 종속, 신자유주의에 토대를 둔 세계화라는 측면에서 신자본주의는 탈
    식민화의 방향과 역행하며 탈식민화의 가치와 명확히 배치된다고 할 수 있다. 신자
    유주의가 야기하는 가장 중요한 문제는 불균등한 부의 분배, 부의 양극화와 경제적
    불안정이라고 요약할 수 있다. 논의를 확장하여 한국 사회와 신자유주의에 대한 문
    제에 대해 최장집은 다음과 같이 설명한다. 그는 한국 사회에서 신자유주의에 대한
    문제는 찬성과 반대라는 대립을 통해 가장 중요한 정치적, 사회적 쟁점으로 떠오르
    면서 중심적인 정치균열 축을 형성한다고 주장한다. "개혁-진보 진영에서 신자유주
    의에 대한 반대와 찬성의 구분은, 보수 진영의 이론의 여지없는 지지에 비해 복잡하
    다고 말할 수 있다. 그것은 두 가지 문제를 포함한다. 첫 번째는 신자유주의에 대한
    찬성과 반대의 구분이 언론과 일상의 언어를 통해서 사용되는 좌와 우의 구분과 얼
    마나 일치하는가, 그리고 보수 대 진보-개혁의 구분이나 보수(정당) 대 진보-개혁(정
    당)의 구분, 즉 실제로 존재하고 경쟁하는 정당들 간의 구분을 얼마나 정확히 표현
    하는가 하는 문제다. 두 번째는 가치 함축적이고 정책 지향적인 측면에서 신자유주
    의에 대한 찬성과 반대의 구분이 그 문제를 해결하기 위해 현실을 설명하거나 정책
    대안을 형성하는 데 얼마나 정확하며 설득력을 갖는가 하는 문제다. 이러한 문제 제
    기는 한국의 진보-개혁이라는 말이 갖는 의미의 애매함과 신자유주의 찬성 내지 반

대라는 이분법적 구분이 경제와 사회에 관한 대안적 비전이나 프로그램으로서 얼마나 현실성을 갖는가에 대한 비판적인 입장을 함축하고 있다. 먼저 첫 번째 문제부터 살펴보도록 하자. 한국의 진보-개혁 세력과 이들을 대변했던 정부들은 국가주의, 민족주의로부터 도출되는 경제적 민족주의와 성장주의의 이념과 가치를 적극적으로 수용했다. 이 점에서 지난 정부들의 경제정책은 IMF 경제 위기 이후에도 신자유주의적 독트린을 적극적으로 수용하고 급진적으로 추진하면서 권위주의 시기 동안 확립된 바 있는 성장제일주의 정책을 일관되게 추진해왔다고 말할 수 있다. 오늘날의 사회경제적 불평등과 그에 따른 사회해체는 신자유주의를 적극적으로 표방한 어떤 보수적 정부에 의해서 만들어진 것이 아니라, 지난 10년에 걸쳐 신자유주의를 적극적으로 추진했던 이른바 진보적 · 개혁적 정부에서 이루어진 결과들이다. [……] 두 번째 문제, 즉 가치 함축적인 관점에서 취해지는 신자유주의에 대한 찬성과 반대의 구분이 현실 문제를 개선하는 데 얼마나 기여할 수 있는가를 살펴보자. 이 문제에서는 개혁파를 하나의 범주로 묶어서 이해할 수 없다. 왜냐하면 앞에서도 말했듯이 노무현 정부의 집권파 그룹들은 그 담론과 수사가 어떠하든 사실상 신자유주의 경제정책을 추진해왔기 때문이다. 여기에서 신자유주의 반대를 말하는 그룹은 집권파가 아닌, 정부 밖에 있는 또 다른 개혁파 그룹을 두고 말하는 것이다. 이들의 관점에 따르면 좁게는 개혁적인 정부, 넓게는 한국 민주주의가 보수화된 이유는 신자유주의에서 찾을 수 있다는 것이다. 즉 신자유주의가 아니었더라면 한국 민주주의는 훨씬 더 개혁적인 내용을 가졌을 것이며, 소위 말하는 민주 정부들 또한 개혁적인 정책을 추구할 수 있었을 것이라는 주장이다. 과연 그러한가? 결론부터 말하자면, 개혁 정부의 실패는 신자유주의의 효과라기보다는 이들 정부의 정치적 실패에서 그 원인을 찾을 수 있다. 이와는 반대로 잘못된 결과의 원인을 신자유주의로 돌리는 방법은 개혁 정부들이 수행했어야 할 정치적 역할의 문제를 우회하거나 간과하는 오류를 안고 있다. [……] 사회경제적 불평등의 확대와 그에 따른 사회 해체는 이들 개혁 정부가 민주주의에 적응하는 데 실패함으로써 만들어진 부정적인 결과며, 다른 무엇보다도 정당의 역할과 성격을 제대로 이해하지 못한 데서 비롯된 결과라는 말이다. [……] 문제의 원인을 신자유주의로 돌리는 방법이 가져오는 또 다른 문제는 찬성과 반대의 단순 구도가 전부 아니면 전무의 이분법적 사고를 강화하는 데 있다. 그것은 문제의 근본 원인을 설정하고 그에 모든 책임을 돌리는 환원주의적 논리로서, 복합적인 현실 문제에 대한 이해를 오도할 가능성을 증폭시킨다." 최장집, 『민중에서 시민으로』(파주: 돌베개, 2009), 134-30. 요약하면 신자유주의는 새로운 국제질서 속에서 인간들의 사고방식과 가치정향을 탈정치화시키면서 모든 문제를 경제적 문제로 환원하거나 설명함으로써 우리가 직면한 모든 문제를 경제라는 테두리 속으로 함몰시키는 심각한 문제를 내포하고 있다.

이듯이, 제국주의적 자본주의는 노동자라는 타자 없이는 존재할 수 없다. 유사한 맥락에서 테버샬이란 곳은 타자와의 공존을 기대할 수 없는 장소로, 자본주의 팽창이라는 욕망과 분리될 수 없는 장소를 반영하며, 자본주의를 옹호하는 장소로 작용하고 있다. 한마디로 테버샬은 자본가와 노동자 간의 비대칭적 위계질서가 작동하고 노동자들을 타자화하려는 자본가의 욕망을 반영하는 공간이다. 클리포드는 제국주의적 자본주의 체제의 지형 속에 여성을 위치시키는 것도 같은 이치이다. 이 모든 문제의 중심에 제국주의적 체제, 남성우월주의와 남성중심의 젠더 이데올로기가 확고하게 자리 잡고 있다. 전술한 바와 같이 테버샬이 존재하는 목적은 산업화로부터 더 많은 경제적 이윤을 추구하는 데 있다. 이윤추구가 유일한 목표이기 때문에 테버샬에서 고용된 노동자들의 삶은 기실 비인간적이고 열악할 수밖에 없고 노동자로서의 삶의 보편적 기반은 더욱 축소된다. 자본의 축적과 확장이라는 목적에 부응하기 위한 가장 효율적인 방법은 노동자들을 억압하는 것보다 더 효과적인 것은 없다. 이런 구조에서 탄광 노동자들은 수단화되고 도구화되어 불균등한 소득 분배구조, 그리고 정상적인 노동권리 박탈을 감내하지 않으면 안 된다. 그 이유는 자본가는 절대권력을 가진 독재자처럼 노동자들을 자기의 의지대로 조종하거나 단기적 이윤과 자본의 확대와 축적을 추구하려 할 때 노동자의 삶의 기반은 붕괴될 위험이 있기 때문이다. 이런 맥락에서 클리포드는 자신의 권위와 지배력을 확립하고 자본을 확대하고 유지하기 위해 고도의 강권적 의지를 사용하여 노동자를 탄압하고 지배한다.

이처럼 클리포드의 전제군주적 지배를 상징하는 테버샬은 이 소설의 주제가 안티테제로 다루고 있는 타락한 자본주의,[90] 제도화된 권위적 남성제국주의를 표상한다. 즉 석탄을 생산하는 탄광은 클리포드의 자본주의에 예속된 노동자들의 핍절한 현실과 자본주의를 토대로 지배/종속 권력 관계를 고착시키는 자본주의의 억압의 산물이다. 자본을 독점하고 있는 자본가 계급의 종속적 제약하에서 침식당한 노동자 계급의 입지는 극도로 취약하며 허약할 수밖에 없고 제한될 수밖에 없다. 자본주의와 예속화에 대해 나병철은 다음과 같이 설명한다.

> 자본은 그 속성상 끊임없이 자본의 생산물(상품)을 다시 자본-화폐로 만들어야 하는 운명을 지니고 있다. 왜냐하면 자본이란 화폐-상품-화폐의 과정(자본의 회로)에서 양적인 차이(화폐-화폐)의 가치로만 존재하기 때문이다. 만일 이 자본의 회로가 멎는다면 자본주의는 더 이상 존재하지 않게 된다. 따라서 자본은 자신의 가치 증식을 위해 자율적이고 주체적인 인간의 영역을 한층 더 확대해가는 것이다. 그래서 처음에는 노동을 상품화(임금 노동)하는 것에서 나중에는 성, 욕망, 예술을 상품화하는 데까지 이르게 된다.[91]

---

90 월러스틴(Immamuel Wallerstein)은 탈식민을 담론적 실천의 차원으로 설명하는 다문화주의나 혼종적 개념과는 달리 그것을 문화적 실천과 사회적 실천을 결합시켜 설명한다. 그의 복수적 문명론은 (신)식민성의 중심에 자본주의 세계체제가 자리잡고 있다는 인식을 깔고 탈식민화를 자본주의의 극복과 연결시킨다. 하정일, 『탈식민의 미학』 99. 월러스틴은 제국주의가 자본주의의 또 다른 형태이기 때문에 자본주의를 극복하지 않고서는 식민주의 문제를 해결할 수 없다고 보았다.

91 나병철, 『근대서사와 탈식민주의』, 163.

화폐의 획득과 자본의 축적을 목적으로 삼는 서구 자본주의적 사고방식은 노동자를 지배하고 예속시킴으로 자본주의 체제를 더욱 강화한다. 표현을 바꾸면 클리포드의 자본에 대한 집착과 물질적 기반과 노동자에 대한 권위적 지배는 현대적 의미에서 '제국주의의 또 다른 얼굴'에 지나지 않음을 확인할 수 있다. 끊임없이 화폐를 축적하기 위한 자본주의와 자본에 종속되는 노동의 관계는 남성제국주의적 지배를 상징한다. 이와 같은 면은 이기적이고 자기기만적인 귀족 계층의 클리포드와 중산층 출신의 아내 코니(Connie)와의 수직적인 계급 관계에서도 나타난다.

> 코니의 아버지는 한때 유명했던 왕립 미술원 회원인 노(老) 맬컴 리드 경이었다. 코니의 어머니는 라파엘 전파의 경향을 띠는 페이비언 협회의 교양 있는 회원이었다. 예술가들과 교양 있는 사회주의자들 사이에서 콘스턴스와 언니 힐더는, 다시 말해 미적인 측면에서 전통적 인습에 구속되지 않는 교육을 받으며 성장했다. 그들은 부모를 따라 파리와 피렌체, 로마 등지를 다니면서 예술의 숨결을 들이마셨고, 다른 한편으로는 헤이그와 베를린을 방문하여 사람들이 사용하는 교양 있는 언어로 연설을 하고 그 누구도 당황하지 않는 사회주의자 총회에 참석하기도 하였다.

> Her father was the once well-known R. A., old Sir Malcolm Reid. Her mother had been one of the cultivated Fabians in the palmy, rather pre-Raphaelite days. Between artists and cultured socialists, Constance and her sister Hilda had had what might be called an

aesthetically unconventional upbringing. They had been taken to
Paris and Florence and Rome to breathe in art, and they had been
taken also in the other directions, to the Hague and Berlin, to
great Socialist conventions, where the speakers spoke in every
civilized tongue, and no one was abashed. (*LCL* 6).

클리포드와의 계급적인 차이에도 불구하고 코니는 자신의 독립적 자아를
추구한 여성이다. 그녀의 가치관을 확장시킨 가장 큰 계기는 당시 문화의
중심지였던 독일의 드레스덴에서의 유학 경험이었다.

그들은(코니와 언니 힐더)는 열다섯 살이 되자 드레스덴으로 보내져
여러 가지, 특히 음악을 공부하였다. 그곳에서 그들은 좋은 시간을 보
냈다. 그들은 여러 학생들 사이에서 자유롭게 생활하였고, 남학생들
과 어울려 철학이나 사회학, 예술 문제에 대해서 토론하였다. . . 완전
한 자유였다. 자유! 그것은 참으로 위대한 말이었다. 넓은 야외로 나
가고, 아침에는 숲 속으로 향하고, 아릅다운 목소리를 지닌 젊은이들
과 함께 자유롭게 어울려 행동할 수 있는 자유, 무엇보다도 중요한
점은 자유롭게 말하고 감동적인 이야기를 자유롭게 주고받는 것이었
다. 사랑이란 단지 그 다음의 부속물에 불과했다.

They had been sent to Dresden at the age of fifteen, for music
among other things. And they had had a good time there. They
lived freely among the students, they argued with the men over
philosophical, sociological and artistic matters, they were just as

good as the men themselves. . . . Free! That was the great word. Out in the open world, out in the forests of the morning, with lusty and splendid-throated young fellows, free to do as they liked. and — above all — to say what they liked. It was the talk that mattered supremely: the impassioned interchange of talk. Love was only a minor accompaniment. (*LCL* 6-7)

이와 같은 성장배경과 독일에서의 유학 경험은 코니의 가치관을 확장하는 계기로 작용하였고 여성으로서 정체성 형성을 할 수 있는 토대를 제공하였다.

코니는 제1차 세계대전의 발발로 독일유학을 중단하고 고향으로 돌아온 후 자신보다 신분이 높은 귀족계급의 클리포드와 결혼한다. 코니가 상류계층에 속하는 클리포드와 결혼하는 것은 중산층에서 귀족사회에로의 진입을 의미한다. 불행하게도 두 사람은 결혼의 성립 과정부터 어려움을 겪게 된다. 왜냐하면 코니는 남편 클리포드의 보수적인 남성제국주의에 갇혀있기 때문이었다. 다시 말해 부부 간의 육체적 사랑을 도외시하고 정신에 치우친 클리포드의 사고방식에 기인한다. 그리고 그것은 코니가 여성으로서 주체적 삶을 살아가기가 어렵다는 것을 예측한다. 한 달 동안의 결혼 생활을 보낸 후 다시 유럽 전선에 투입되었던 클리포드는 6개월 후 하반신 마비가 되어 라그비 홀(Wragby Hall)로 귀환한다. 그런데 문제는 육체적 마비를 경험하기 전에도 클리포드가 성을 우리 몸에 붙어 다니는 불필요한 것 정도로만 생각한다는 것이다.

성은 단순히 우연한 것이거나 부수적인 것, 이상하고 퇴화된, 진부한 하나의 기관에 지나지 않으며 여전히 우리 육체에 붙어 우리를 괴롭히는, 사실은 불필요한 것으로 생각되었다.

[S]ex was merely an accident, or an adjunct, one of the curious obsolete, organic processes which persisted in its own clumsiness, but was not really necessary. (*LCL* 13)

그에게 있어 부부 간의 성은 생명력 넘치는 애정의 표출이 아니라 무의미한 기계적, 공허한 행위에 불과하다. 이들 간의 성은 생명력이 결여된 라그비 홀의 기계적 삶을 반영한다. 클리포드와 코니가 거주하는 라그비 홀은 기계적 질서, 기계적 청결만이 있는 공허한 공간이다. 다시 말해 이곳은 코니에게 억압과 고통을 부여하며 주체적 삶을 박탈하는 억압적 공간, 그녀를 억압적 위치로의 전락시키는 식민공간이라고 할 수 있다. 그것은 마치 억압적 교육으로 제인 에어에게 로우드(Lowood) 학교가 빅토리아 시대의 성 차별적 가치관을 대변하고 여성을 가정의 천사로 만드는 장치[92]에 불과했던 것처럼, 라그비 홀은 코니에게 성적 · 계급적 차이와 종속을 경험하게 하는 남성제국주의적 위계질서가 작동하는 공간이다. 표현을 달리 하면, 이곳은 여성 스스로 주체적으로 말할 수 없기 때문에 제국주의에 의해 대상화되는 지점이며 제국주의적 지배가 작동하는 막힌 공간이라고 할 수 있다. 라그비 홀에서 코니의 여성으로서의 존재는, 영이 지

---

92 Elaine Showalter, *A Literature of Their Own: British Women Novelists from Bronte to Lessing*(Princeton: Princeton UP, 1977), 117.

적한 바와 같이, "여성이 스스로 말할 수 없다기보다는 여성이 말할 수 있는 주체적 위치에 있지 않기 때문에 여성은 가부장제나 제국주의의 대상으로 쓰이는 존재"[93]에 불과하다. 그러므로 라그비 홀은 표면적으로 부와 경제력으로 표상되지만 실제로는 구속과 억압의 공간이자 소외된 공간에 지나지 않는다. 이곳은 코니의 여성적 가치를 잠식시켜 여성의 자아의식, 정체성 형성을 부정하는 폐쇄적 공간이기 때문에 부부 간의 사랑은 존재할 수 없다. 여성의 정체성 구성을 가로막는 지배문화가 작동하는 예속적 공간이며 클리포드와 코니의 결혼생활의 불행과 와해를 예측하게 하는 장소로 기능한다. 환언하면, 남성제국주의가 압도적인 종속하에 있는 조건에서 여성이 정체성을 효과적으로 형성하고 구축할 수 있는 근본적인 한계를 드러내는 공간이다. 이 점에서 전제적 가부장제가 작동하는 남성제국주의 체제 속에서 여성들은 약한 기반을 갖기 때문에 정체성 형성은 제약을 받는다.

클리포드는 라그비 홀에서 신체적 장애를 극복하기 위해 작가로서의 삶을 추구한다. 그는 비평가, 작가, 지식인등 다양한 사람들을 이곳으로 초대하여 육체적 삶이 결여된 정신적 삶에만 집중한다. 하지만 라그비 홀에 초대받은 사람들은 부를 소유하고 있는 클리포드의 소설에 대해 형식적인 칭찬만 늘어놓고 형식적인 대화를 나누는 수준에 머무른다. 그의 소설은 표면적으로 현대인의 심리에 관한 것으로 그가 알고 있는 사람들에 관한 흥미 있고 사적인 이야기로 구성된, 재치와 흥미를 불러일으키지만

---

93 Robert Young, *White Mythologies: Writing History and the West*(New York: Routledge, 1990), 164.

의미 없는 이야기였고, 진정한 접촉이 없는 진공 속에서 일어난 이야기들에 불과했다. 클리포드의 소설 창작은 깊이 있는 삶에 대한 이야기라기보다는 작가로서의 명예를 누리고자 하는 야심에서 비롯된 것이었다.

여전히 그는 야심적이었다. 그는 소설을 쓰는 일에 열중했는데, 자기가 알고 지냈던 사람들에 대한 호기심 많고 매우 개인적인 이야기들이었다. 재치가 돋보이고 약간 짓궂기도 하지만 그것은 무의미한 것들이었다. 관찰력은 비범하고 독특했다. 하지만 실제로 와 닿는 접촉은 없었다. 모든 것이 인위적으로 만든 세상 위에서 발생하는 것 같았다. 그런데 대체로 삶의 현장에서 오늘날 펼쳐지고 있는 것이 바로 인공조명으로 밝혀진 무대 위에서 펼쳐지는 것과 유사하기 때문에 그의 이야기들은 현대적인 삶, 현대의 심리에 적실하였다.

자신이 쓴 이야기들에 대해 클리포드는 거의 병적으로 예민했다. 그는 모든 사람들이 그의 이야기에 대해 좋다고, 최고라고, 더 이상의 도달할 수 없는 것이라고 생각하기를 원했다. 그 이야기들은 가장 현대적인 잡지들에 실렸으며 늘 그렇듯이 칭찬도 받았고 비난도 받았다. 하지만 클리포드에게 비난은 칼로 찌르는 듯한 고통을 안겨주었다. 그것은 마치 그의 존재감 전체가 그 이야기들 속에 들어가 있는 듯했다.

Still he was ambitious. He had taken to writing stories; curious, very personal stories about people he had known. Clever, rather spiteful, and yet, in some mysterious way, meaningless. The observation was extraordinary and peculiar. But there was no touch, no actual contact. It was as if the whole thing took place in a vacuum. And since the field of life is largely an artificially-lighted stage today, the stories were curiously true to modern life, to the modern psychology, that is.

Clifford was almost morbidly sensitive about these stories. He wanted everyone to think them good, of the best, *ne pus ultra*. They appeared in the most modern magazines, and were praised and blamed as usual. But to Clifford the blame was torture, like knives goading Him. It was as if the whole of his being were in his stories. (*LCL* 17).

그들의 대화는 서로에 대한 깊은 이해에 기반을 둔 진정한 대화가 형성되지 않고 단지 토론을 위한 토론일 뿐이다.

클리포드는 친하게 지내는 친구들, 다시 말해 알고 지내는 지인들이 매우 많았으며 그들을 라그비로 초대하곤 했다. 그는 비평가나 작가를 비롯해 자신의 책을 칭찬하는 데 도움을 줄 수 있는 다양한 부류의 사람들을 불러들였다. 그리고 그 사람들은 라그비에 초청받은 것을 우쭐해 하며 클리포드에게 아낌없는 찬사를 보냈다. 하지만 그게 뭐 문제가 되는가? 그것은 거울 속에 잠시 비추다 사라지는 수많은 모양 중의 하나였다. 그러니까 그게 뭐 잘못되었다는 말인가?

Clifford had quite a number of friends, acquaintances really, and he invited them to Wragby. He invited all sorts of people, critics and writers, people who would help to praise his books. And they flattered at being asked to Wragby, and they praised. Connie understood it all perfectly. But why not? They were one of the fleeting patterns in the mirror. (*LCL* 20).

방문객들은 클리포드 앞에서 겸허한 태도를 취하지만 실은 제각기 자기 교만에 함몰되어 자신들의 진실한 모습을 드러내기를 거부하기 때문에 클리포드와 그들의 관계는 피상적 관계에 지나지 않는다(*LCL* 30). 코니는 단지 의미 없는 말만 늘어놓거나 진실한 대화가 결여된 그들의 모습에서 공허함과 회의감, 여성으로서의 소외와 본질적 고립, 커다란 괴리감을 느낀다. 클리포드는 부와 명성에 집착하게 되고 코니는 여성으로서의 독립적 정체성을 지닌 여성 주체가 아니라 자신의 의지와 전횡으로 그녀를 소유하고자 한다. 클리포드와 코니의 결혼생활은 부부 간의 사랑에 기초한 육체적 합일이 아닌 정신적 친밀감에 토대를 둔 것이기 때문에 결혼생활의 갈등과 불행을 예견한다. 정신적 결합에 국한된 결혼생활, 다시 말해 정신적 가치가 지배하는 사랑이 부재한 의무적 결혼은 코니에게 무의미하다. 왜냐하면 정신지향적인 결혼생활은 코니에게 정체성 상실을 의미하기 때문이다. 코니는 자신의 삶을 지탱해온 남편에 대한 신뢰가 현실과는 동떨어진 것, 즉 허구적 삶이라는 점을 깨닫게 된다. 그동안 그녀는 남성제국주의의 덫에 갇힌 희생양이었던 것이다. 자본주의가 지배하는 시대에 주체적 여성으로 살아가고자 하는 코니에게 남성제국주의적 지배가치와 구속은 여성 주체 형성을 가로막는 심각한 위협이 되기 때문에 그녀는 육체를 거부하고 정신만을 추구하는 클리포드의 구속으로부터 탈출한다. 왜 냐하면 클리포드와 함께 하는 삶 자체는 일상적인 남성제국주의의 폭력[94] 을 경험하는 것과 크게 다르지 않기 때문이다.

여기에서 우리는 식민주의적 비유를 읽어낼 수 있는데 그것은 여성 정체성 형성이라는 측면에서 남성제국주의와 권위주의적 가부장제를 결 합시키는 방법을 통하여 수행된 권위적 남성우월주의라는 구조적 조건은 여성의 정체성 구성에 심각한 장애물로 작동한다는 사실이다. 클리포드는 제국주의적 시각을 담지하고 있다는 점에 비추어 볼 때 그는 제국주의 이 데올로기로부터 자유롭지 못하다. 클리포드는 자본주의 지배계급으로서 남성제국주의 체제와 실제적으로 공모 관계를 유지하고 있다. 이런 점에 서 코니의 탈주는 남성제국주의에 대한 거부감과 도전의식의 표출이라고 할 수 있다. 바꾸어 말해 전제적 가부장제에 의해 항구적으로 함몰되지 않고 자신의 정체성을 구현하려는 여성의 의지를 시사한다. 물질주의, 배 금주의로 인해 기계적인 생활에 익숙하기 때문에 클리포드는 살아 있으나 죽은 것이나 다름없는 공허한 삶을 살아가고 있다. 삶의 생명력을 상실한 그는 한시라도 코니가 옆에 없으면 불안해한다.

---

94 지젝(Slavoj Zizek)은 전쟁이나 테러와 같이 직접적, 물리적 폭력을 주관적 폭력으 로, 일상적인 삶에서 행해지는 폭력을 객관적 폭력이라고 설명한다. 그는 객관적 폭 력을 언어처럼 세상을 보는 관점을 구성하는 상징적 폭력과 우리가 자연스럽게 받 아들이는 제도적 폭력으로 설명하면서 폭력의 실체가 은폐되어 있는 객관적 폭력이 가하는 위험성에 대해 신랄하게 비판한다. Slavoj Zizek, *Violence: Six Sideways Reflections* (New York: Profile, 2008), 1-14.

클리포드는 속으로는 이 편지를 받고 놀라지 않았다. 그는 내심으로 오래전부터, 그녀가 자신을 떠나가고 있다는 사실을 알고 있었다. 그러나 외면적으로 그런 사실을 절대로 인정하려 하지 않았다. 그러므로 이 일은 외적으로 그에게 가장 끔찍한 타격이자 충격으로 다가왔다. 그는 그녀에 대한 믿음을 겉으로는 매우 평온하게 잘 간직했던 것이다.

그것이야말로 바로 우리 인간의 모습이다. 의지력으로, 우리의 내면의 직관적 지식을 외부의식으로부터 차단해 버린다. 이것이 공포 또는 불안감을 초래하고 그 결과 우리는 실제로 그런 일이 발생했을 때 열 배나 더 강한 충격을 받게 되는 것이다.

클리포드는 발작을 일으킨 아이와 같았다. 그는 넋이 나간 듯이 침대에 앉아 있었는데, 이를 본 볼튼 부인은 경악하듯 매우 놀랐다.

Clifford was not *inwardly* surprised to get this letter. Inwardly, he had known for a long time she was leaving him. But he had absolutely any outward admission of it. Therefore, outwardly, it came as the most terrible blow and shock to him. He had kept the surface of his confidence in her quite serene.

And that is how we are. By strength of will cut off our inner intuitive knowledge from admitted consciousness. This causes a state of dread, or apprehension, which makes the blow ten times worse when it does fall.

Clifford was like a hysterical child. He gave Mrs Bolton a terrible shock, sitting up in bed ghastly and blank. (*LCL* 300)

그리고 그의 제국주의적 시각은 위선에 토대를 두고 있다. 클리포드의 위선적 자아는 지배/복종을 요구하는 남성우월주의에 기반하고 그것을 기초로 코니를 권위적으로 지배한다. 남성제국주의는 지배의 정당성을 확보하기 위해 여성들에게 열등의식을 갖게 하여 그들의 삶을 통제한다. 남성우월주의에 갇힌 클리포드의 자아는 왜곡된 사고방식에 의해 유지되고 있다고 할 수 있다.

> 그는 호기심 많고 차가운 분노의 시선으로 그녀를 바라보았다. 그는 그녀에게 익숙해져 있었다. 그녀는 말하자면 그의 의지 속에 새겨진 존재였다. 그런데 그녀가 감히 지금 그를 버리고, 그의 일상생활의 구조를 파괴하려 하다니, 어떻게 그럴 수가 있는가? 그녀가 감히 그의 존재를 이렇게 혼란시키려고 하다니, 어떻게 그럴 수가 있단 말인가?

> He looked at her with curious cold rage. He was used to her. She was as it were embedded in his will. How dare she now go back on him, and destroy the fabric of his daily existence? How dared she try to cause this derangement of his personality? (*LCL* 306)

앞서 언급했듯이, 남성제국주의가 지배하는 지배 체제와 남성중심적 세계관에 대한 저항이라는 점에서 이 소설을 탈식민주의 관점으로 읽을 수 있다. 탈식민적 관점이란 주체적 존재로서의 여성, 남성제국주의적 젠더 이데올로기나 전제적 가부장제가 내세우는 지배와 종속이라는 이분법적 세계관과 양극화에 대한 저항을 읽어내는 독법을 의미한다. 다음의 진술에서도 클리포드의 전제적 남성우월주의는 더욱 명확하게 드러난다. 이러한 사고방식은 코니를 타락한 여성으로 비난함으로써 그 심각성의 일단을 드러낸다.

"그래!" 그가 마침내 말했다. "그건 바로 당신에 대한 내 생각이 옳다는 사실을 증명해 주는 거야. 나는 항상, 당신이 정상적인 사람이 아니며, 제정신이 아닌 상태라고 생각했어, 당신은 바로, 그 반은 정신이 나간 왜곡된 여자들 가운데 한 명, 이른바 진흙탕을 향한 동경에 사로잡혀 타락을 쫓아다니는 그런 여자야."

갑자기 그는 거의 그리운 듯이 도덕적인 태도를 취하고, 자신을 선의 화신으로 생각했다. 그는 어떤 후광 같은 것에 둘러싸여 흐리멍덩해지는 듯했다.

'Yes!' he said at last. 'That proves that what I've always thought about you is correct: you're not normal, you're not in your right senses. You're one of those half-insane, perverted women who must run after depravity, the *nostalgie de la boue*.'

Suddenly he had become almost wistfully moral, seeing himself the incarnation of good, and people like Mellors and Connie the incarnation of mud, of evil. He seemed to be growing vague, inside a nimbus. (*LCL* 309)

『사랑하는 여인들』에서 제럴드가 거드런에게 병적으로 집착하듯이, 『채털리 부인의 연인』에 등장하는 클리포드는 볼튼 부인(Mrs Bolton)과의 관계에서 퇴행적이고 왜곡된 관계를 드러낸다. 그는 작가로서의 삶을 그만두고 테버샬의 광산사업에 뛰어든 후 사업가로서의 실패와 자아의 폐쇄성으로 인해 볼튼 부인에게 병적인 집착을 보이면서 두 사람은 "유아적 관계"[95]로 전락한다. 아내 코니와의 사랑의 부재는 볼튼 부인에 대한 집착과 허무, 퇴행적 사랑으로 변한다. 볼튼 부인과의 관계에서 나타난 것처럼 그에게 핵심적으로 중요한 것은 자본의 확대와 자본의 축적이다. 그렇기 때문에 명예욕과 집착, 소유욕은 그의 삶의 피폐화를 더욱 가중시킨다.

결혼에 대한 클리포드의 주장에서 알 수 있듯이 그에게서 육체적 불모성이 아닌 정신적 불모성을 발견할 수 있다. 로렌스는 남녀 사이의 불모성의 원인을 육체와 정신의 균형을 도외시한 채 정신적인 측면만을 추구하는 삶에서 찾고 있다. 로렌스의 대변자인 듀크스(Tommy Dukes)는 육체적 삶을 외면하고 정신만을 추구하는 삶의 피폐성에 대하여 다음과 같이 말한다.

> "하지만 정신생활이란 것을 시작하는 순간 그 생명의 사과 열매를 따버리는 것이지, 사과와 사과나무 사이의 연결, 다시 말해 유기적 연결을 끊어버리는 것이나 마찬가지지, 따라서 우리의 삶에 정신생활 말고 아무것도 없다면, 우리는 바로 따버린 사과와 같은 그런 존재

---

95 Michael Squire, "Lady Chatterley's Lover: 'Pure Seclusion'" Ed. David Ellis & Ornella De Zordo, *D. H. Lawrence: Critical Assesments*(East Sussex: Helm Information Ltd, 1992), 122.

가 되는 거야. 나무에서 떨어져 나왔다는 말이지, 그리고 그것은 마치 따버린 사과가 썩어버리는 것이 자연적 필연인 것처럼, 우리가 악의에 차게 되는 것은 논리적으로 필연인 거야."

'But once you start the mental life you pluck the apple. You've severed the connexion between the apple and the tree: the organic connexion. And if you've got nothing in your life *but* the mental life, then you yourself are a plucked apple. . . you've fallen off the tree. And then it is a logical necessity to be spiteful, just as it's a natural necessity for a plucked apple to go bad.' (*LCL* 40)

균형 잡힌 건강한 결혼 생활이 유지되는 데는 정신과 육체 양 측면이 존재한다. 결혼 생활의 준거가 될 수 있는 다양한 요소를 검토해야 할 문제들이 많이 있지만 남녀관계에 있어 정신과 육체의 조화로운 균형은 극히 상식적이고 건전한 결혼의 기초를 이루기 때문에 중요하다. 이에 대해 호가트(Richard Hoggart)는 이 소설의 서문에서 다음과 같이 지적하고 있다.

정신이 부재한 육체는 짐승과 같고, 육체가 없는 정신은 (로렌스가 오늘날 보다 흔히 있는 일상적 잘못이라고 생각하는) 우리의 두 가지 본질로부터 이탈하는 것이다. 채털리 부인과 남편의 관계가 잘못된 것은 주로 그가 효율적이지만 기계적인 관계를 구성하기를 원했기 때문이다. 멜러즈가 그의 아내와의 관계가 단절된 것은 그의 아내가 성적인 욕망만을 갈망하는 동물적 욕구 때문이었다. 대조해서 간단히 표현하면, 한쪽은 지나치게 정신적이었고, 다른 쪽은 너무 육체적이었다. 채털리 부인과 사냥터 지킴이의 관계는 부드러움과 육체적 열정, 그리고 상호존중이 흘러나오는 서로가 의식할 수 없는 그런 관계를 추구했다.

Body without mind is brutish; mind without body (which) Lawrence thought a more common error today is a running-away from our double being. Lady Chatterley's relations with her husband have gone wrong chiefly because he wants to organize their relations, efficiently but mechanically. Mellors has broken with his wife because she is like a greedy sexual beast. To put the contrast over simply: one is all mind, the other all body. Lady Chatterley and the game-keeper each unconsciously seeks relations in which tenderness. Physical passion, and mutual respect all flow together.[96]

현실적 결혼생활이 진행되는 기간 동안 정신과 육체의 불균형이나 극한적 대립은 파멸을 초래할 수 있기 때문에 정신과 육체의 양가성, 즉 이 두 가지 요소의 균형에 대한 공유된 인식을 면밀하게 검토하는 것은 중요하다. 다시 말해 정신과 육체, 두 가지 측면이 조화롭게 균형을 이루지 못하고 한 가지 요소가 독자적으로 견지될 때 결혼생활은 좌절될 수 있고 정신과

---

96 Richard Hoggart, Introduction, *Women in Love* By D. H. Lawrence(London: Penguin, 1960), viii.

육체의 불균형으로 야기된 갈등에 의해 결혼생활에 심각한 도전에 직면하게 된다. 양자 간의 갈등과 불균형은 결혼생활 자체를 제약하는 부정적 원천이 되는 것은 주지의 사실이다.

결혼생활에 대한 클리포드의 의식은 남녀 간의 육체적 사랑에 토대를 두지 않고 정신에 구심점을 두고 있다. 정신적 요소에 치우칠 때 결혼생활과 부부 간의 사랑은 허약해질 수밖에 없다. 그의 전제적 가부장제는 삶의 영역에서 다양한 형태로 진행된다. 그것은 남녀 간의 극단적 대립과 여성 정체성 수립을 방해하고, 상호파괴적 관계로 발전한다. 이와 같은 맥락에서 클리포드는 육체적 성을 경시하고 결혼생활을 평생에 걸친 동료관계에 국한시킨다. 이것은 다음의 인용문에서 현저하다.

중요한 것은 바로 평생의 동반자라는 관계지, 한두 번 잠자리를 하는 것이 아니라, 날마다 함께 살아간다는 사실이야. 우리에게 무슨 일이 발생하는 당신과 나는 결혼한 부부야, 우리는 서로에게 익숙해져 있어. 그런데 익숙해진다는 것은, 내 생각엔, 이따금 흥분을 경험하게 하는 그 어떤 것보다도 더 중요한 삶의 원천이야. 오랜 시간을 두고 서서히 지속되는 것, 그것이야 말로 우리가 의지해 살아가는 것이지. 이따금 경험하는 그런 흥분 따위가 아니란 말이지, 함께 살아가면서, 조금씩 조금씩, 두 사람이 일종의 일체를 이루어, 마침내 분리될 수 없게 서로 꼭 맞물려 함께 교감하게 되는 거야. 결혼의 비밀은 성관계가 아니라, 바로 그것이지, 적어도 단순한 성적인 기능에 있는 것은 아니지, 당신과 나는 결혼으로 함께 짜여 있어.

It's the life-long companionship that matters. It's the living together from day to day, not the sleeping together once or twice. You and I married, no matter what happens to us. We have the habit of each other. And habit, to my thinking, is more vital than any occasional excitement. The long, slow, enduring thing . . . that's what we live by . . . not the occasional spasm of any sort. Little by little, living together, two people fall into a sort of unison, they vibrate so intricately to one another. That's the real secret of marriage, not sex; at least not the simple function of sex. You and I are interwoven in a marriage. (*LCL* 47).

결혼생활은 서로가 책임져야 할 삶이기 때문에 결혼이 단순한 육체관계를 넘어, 부부가 함께 짜인 존재라는 클리포드의 말은 의미심장하다. 문제는 클리포드의 말이 미사여구에 불과하고 진실이 없다는 점이다. 그는 육체를 경시하기 때문에 부부 간의 사랑을 약화시키고 심지어 그것을 방치하고 있다. 다시 말해 클리포드는 육체적 성을 가볍게 인식하기 때문에 정신과 육체가 상충하고 있다는 점을 직시하지 못하고 있다. 이는 탈식민적 시각에서, 남성제국주의에 토대를 둔 전제적 가부장제는 그 자체의 취약성을 드러내는 측면을 드러내는 것이라 할 수 있다. 심지어 그는 부부 간의 축복의 열매인 자식을 소중한 생명체로 생각하지 않고 자신의 이름을 잇는 수단 정도로 생각한다(*LCL* 47).

　　클리포드와 코니의 불행한 삶의 원인은 첫째 원인은 클리포드의 남성중심의 가부장제도의 억압정신과 육체에 있고 둘째는 양자가 조화될 수 있는 이상적 관계를 부정하기 때문이다. 즉 두 사람의 결혼생활의 불행은 독자적 개별성 거부에 기인한다. 전제적 가부장제가 작동되는 현실에서 정신과 육체의 형평성, 남녀관계의 조화로운 균형과 성평등의 보장은 여성의 정체성이 보장되는 근거가 되는 것이다. 이렇게 볼 때 정신적 측면에 일방적으로 치중된 클리포드의 왜곡된 사고방식은 코니의 정체성 형성 가능성을 좁혀 불가피하게 코니의 결혼생활에 위협과 불안정을 야기한다. 또한 코니의 삶에 대한 인식의 결여, 혹은 폭압적 방식에 의한 전제적 가부장적 삶의 방식은 부부 간의 갈등을 심화시키게 된다. 정신과 육체의 부조화는 남녀 간의 다양한 갈등해결 기능을 약화시킨다. 그렇게 함으로써 여성 정체성의 형성이라는 동력을 저해하고, 갈등에 대한 저항력을 약화시켜 탈식민적 가치를 저해한다. 그것은 여성 정체성 형성의 위기를 야기하게 되는데 이 위기의 핵심에 정신과 육체의 부조화에 있다. 이는 곧 육체적 삶의 위축과 한쪽으로 치우친 정신의 확대라고 압축해서 표현할 수 있다. 이처럼 남녀관계, 보다 구체적으로 부부로 구성된 가족공동체에서의 결혼 생활이 육체를 경시하고 정신에만 몰두할 때 부부관계는 해체될 가능성이 높다.

가부장제의 표본이라 할 수 있는 클리포드와의 숨이 막힐 듯한 메마른 결혼생활 속에서 회의를 느낀 코니는 클리포드의 친구이며 극작가인 마이클리스(Michaelis)에게 사랑의 감정을 느껴 마이클 리스와 관계를 맺는다. 그녀는 마이클리스에게서 반사회성과 순수성을 발견하고 그로부터 삶의 돌파구를 찾고자 한다. 마이클리스도 코니에게 청혼하면서 자기와 결혼해준다면 화려한 보석, 멋진 여행과 더불어 물질적으로 풍요로운 삶을 보장하겠다고 제의한다. 하지만 코니는 그에게서 내적인 만족감이나 진실성을 발견하지 못한다. 왜냐하면 마이클리스는 코니를 자신의 욕망을 충족시키기 위한 도구로 이용했기 때문이다. 코니는 그에게서 이기심을 발견하고 마이클리스도 본질적으로 고립된 인간이라는 사실을 깨닫게 된다.

이따금 마이클리스와 만나 격정적인 관계를 맺곤 했다. 하지만 그녀가 예감으로 느끼고 있었듯이, 그것은 언제라도 끝날 수 있는 그런 관계였다. 믹은 어떤 것도 지속적으로 해나갈 수 없는 사람이었다. 어떤 관계라도 단절해버리고, 고립되어 완전히 혼자 떠돌아다니는 외톨이로 살아가는 것이 그의 운명이었다. 그것은 그에게 가장 중요한 필수 조건이었다. 비록 그는 항상 그녀가 자기를 버렸다! 라고 말하곤 했지만.

There were occasional spasms of Michaelis. But, as she knew by foreboding, that would come to an end. Mick *couldn't* keep anything up. It was part of his very being that he must break off any connexion, and be loose, isolated, absolutely lone dog again. It was his major necessity, even though he always said: She turned me down! (*LCL* 33)

또한 코니는 남편으로부터 느꼈던 공허감을 마이클리스에게서도 느낀다.

허무함 그것뿐이다! 이 엄청난 삶의 허무를 수용하는 것이 살아가는 하나의 삶의 목적인 것처럼 보였다. 허무함의 장엄한 청체를 구성하는 그 수없이 많은 분주하고 중요한 사소한 것들!

Nothing! To accept the great nothingness of life seemed to be the one end of living. All the many busy and important little things that make up the grand sum-total of nothingness! (*LCL* 58)

클리포드가 육체를 전혀 무시하고 극단적으로 정신적인 삶에 치중했던 것과 마찬가지로 그녀는 마이클리스의 이기적인 삶의 방식을 혐오한다 (*LCL* 74). 코니는 남편인 클리포드나 마이클리스의 삶 속에서 어떤 생명력도 발견할 수 없다. 왜냐하면 남성우월적, 이기적 시각에서 두 남성은 코니를 인정하고 이해해주기보다는 그녀의 존재를 무시하거나 방치했기 때문이다. 결과적으로 코니는 자신의 여성으로서의 자아의식의 상실과 존재의 무가치성을 경험하게 된다. 따라서 클리포드와 마이클리스는 여성을 남성의 욕망을 충족시키기 위한 도구나 수단으로 여겨 여성의 정체성 형성의 심층적 기반이 되는 사회적·문화적·성적 조건 창출을 근본적으로 부정한다는 점에서, 여성에 대한 그들의 왜곡된 인식은 여성 고유의 정체성 수립에 어떤 대안도 제시하지 않는 남성제국주의 담론과 동일하다.

클리포드의 의식을 지배하는 남성제국주의는 여성 정체성 형성의 장애물일 뿐만 아니라 전제적 가부장제를 확대시킨다. 이것은 남성제국주의 지배담론 속에 모순된 위치에 여성을 종속시켜 여성들이 주관적 정체성을 갖지 못하게 함으로써 남녀 간의 차이를 부정하는 또 다른 남성우월주의 라고 압축해서 표현할 수 있다. 클리포드는 물질만능으로 부패한 자본주의를 대표하는 인물이다. 메마른 성격, 내면의식의 부재, 외부의 것에 대한 무관심, 이기적 본성, 사업가로서의 권력 행사, 여성에 대한 규제 등 이와 같은 클리포드의 특성들은 볼튼 부인에 대한 유아적 의존, 퇴행적 행동으로 나타난다. 또한 남성우월성을 남성제국주의 이데올로기적 기반을 형성함으로써 그것에 정당성을 부여한다. 이와 같은 점에서 그는 남성제국주의적 가부장제의 이중적 도덕관 인습적 가치, 남성중심적 성 담론에 갇혀 있다고 할 수 있다. 그러므로 남성제국주의의 가장 부정적인 영향력은 여성의 존재가치와 같은 자율성을 압도적으로 퇴락시키게 된다. 간명하게 말해서 남성제국주의 이데올로기라는 부정적 정치문화는 그 기반을 여성에 대한 억압적 형태를 취함으로써 그 영향력을 지속적으로 확대하고 있다고 하겠다. 그것은 폭력적인 제국주의가 지배의 영속성을 위해 피식민지인들의 정신과 문화를 예속하는 상황과 크게 다르지 않다.

특이한 것은 클리포드가 지난 몇 해 동안 그렇게 되어가고 있었고 이제 마침내 그렇게 되고 만, 성인아이로서의 존재가 그 이전에 진짜 성인이었던 클리포드보다도 오히려 더 날카롭고 예리하다는 점이다. 이 도착된 성인아이는 이제 실제적인 사업가가 되었는데, 사업 문제에 관해서는 그는 완전히 남자다운 남자로서, 바늘처럼 날카롭고 강철처럼 단단하고 냉정했다. 밖에서 사람들 사이에서 자신의 목적을 추구하고 탄광 현장을 '개선'시키는 작업을 할 때, 그는 무서울 정도로 빈틈없고, 냉정하며 날카로운 태도를 보였다. 그것은 마치 위대한 어머니에게 순종하고 몸을 바친 대가로, 그에게 물질적인 사업과 관련된 문제에 대한 통찰력이 주어지고, 놀라운 비인간적 힘이 생기기라도 한 것 같았다. 그리고 내적인 사적 감정에 빠져 자신의 남자다운 자아를 완전히 내팽개친 결과, 그에게는 제2의 천성이, 다시 말해 냉혹하고 거의 투시력을 지닌 듯한, 사업가적 총명함, 그런 천성이 새로 형성된 것 같았다. 사업에 있어서 그는 완전히 비인간적이었다.

The curious thing was that when this child-man, which Clifford was now and which he had been becoming for years, emerged into the world, it was much sharper and keener than real man he used be. This perverted child-man was now a *real* business man; when it was a question of affairs, he was an absolute he-man, sharp as a needle, and impervious as a bit of steel. When he was out among men, seeking his own ends, and 'making good' his colliery workings, he had an almost uncanny shrewdness, hardness, and a straight sharp punch. It was as if his very passivity and prostitution to the Magna Mater gave him insight into material business affairs, and lent him a certain remarkable inhuman force. The wallowing in private emotion, the utter abasement of his manly self, seemed to lend him a second nature, cold, almost visionary, business-clever. In business he was quite inhuman. (*LCL* 303-04)

남성제국주의적 지배력을 행사하는 가부장 체제는 그 사회의 절정에 남성을, 그리고 여성의 지배자로서 남성을 위치시킴으로써 권위주의적 지배를 추구한다. 게다가 클리포드에게서 볼 수 있듯이, 전제적 가부장제와 타락한 자본주의의 결합은 여성의 정체성 형성의 위기와 직결된다. 남성제국주의라는 강고한 틀은 보수적이고 권위적이고 변화되기 어려운 속성을 지니고 있기 때문에, 그리고 여성들에게 어떤 변화도 허용하지 않기 때문에 여성들의 정체성 형성을 제약하는 부정적 조건이 된다. 이와 같은 조건에서 여성들은 개별적 자율성과 자신들의 정체성을 형성할 권리를 추구하기보다는 위계화된 질서에 자신들을 위탁할 수밖에 없는 약자의 위치에서 남성제국주의 이데올로기를 주입받게 된다. 또한 차별적이고 불공평한 형태의 남성우월주의의 다양한 억압의 확산은 전제적 가부장제와 남성제국주의 이데올로기의 유착과 폐해를 더욱 강화시킨다. 이러한 제국주의적 문화적 속성을 지니고 있는 남성제국주의 서사는 여성을 식민화할 뿐 아니라, 남성중심적 발화를 강화한다는 사실은 주목해야 한다.

환언하면 식민지배가치를 표상하는 남성제국주의는 그 지배의 효율성을 위해 남성중심의 지배 구조와 봉건적 사회구조에 기반한 위계적 가부장적 지배구조를 강화함으로써 지배를 유지할 수 있었던 것이다. 동시에 남성제국주의는 여성에 대한 억압과 차별, 식민자본을 독점하여 이윤만을 추구하는 생산체계, 노동자에 대한 종속관계의 공고화, 지배에 저항하는 다양한 요소들을 억압하기 위한 강고한 위계질서의 확보 등에 가장 효과적인 남성우월적 지배구조를 강화시켰다. 즉 남성중심적 권력구조는 여성의 희생과 여성의 자율성을 허용하지 않기 때문에 지배구조의 기반을 강화할 수 있는 사회적 조건이 된다는 점에서 각별히 중요하다. 이는 남성들로 하여금 배타적 권위를 획득하고 여성들을 통제하며 이를 통해 여성들에 대한 절대적인 지배구조를 근본적으로 전환하거나 남성중심적 사고방식을 근본적으로 변화시키는 동인이 된다. 심지어 실질적으로 탈식민 사회로 전환된 상황에서도 전제적 가부장제는 여전히 전근대적인 방식을 취해 여성들을 식민화하고 있다. 하지만 남성제국주의는 여성의 정체성을 심각하게 침식한다는 점에서 동시에 지배가치의 제약조건으로 작용한다. 이것은 남성우월주의가 지배의 영속화를 위해 더욱 강력하지 않으면 안 되기 때문에 이를 수행하기 위해 여성들의 정체성 형성을 방해하고 그들의 삶을 더욱 억압한다는 것을 의미한다. 이와 같은 관점에서 볼 때 남성제국주의는 외면적으로 강고한 가치를 표방하지만 지배가치의 유지하고 영속화라는 관점에서 매우 허약하고 부정적인 특성을 가진다.

그러므로 남성제국주의의 특성이라 할 수 있는 비대칭적인 정신과 육체의 부조화 문제에 대한 해결책은 남성과 여성 간의 조화로운 균형, 차이의 인정, 서로 간의 갈등표출과 갈등의 완화, 역동적인 상호관계의 형성, 유지와 같은 탈식민적 가치가 포함되어야 한다. 탈식민주의가 의미 있는 담론을 형성하는 것은 여기에 있다. 그것은 탈식민적 가치가 어떤 이론이나 담론보다 실천하기가 어렵다는 사실, 그리고 그것은 보수적 가부장제라는 틀이 쉽게 변화지 않는 현실적 제약이 있다. 그럼에도 불구하고 탈식민주의는 남성제국주의가 지배하는 사회를 탈식민화하는 강력한 가치를 제시한다. 이런 측면에서 남성제국주의 지배가치는 식민지배체제가 피식민인에 가하는 폭력과 다를 바가 없다. 즉 지배계급의 언어폭력은 억압구조라는 점에서 폭력적인 제국주의 지배문화와 궤를 같이 한다.

여성들의 정체성 형성과 관련하여 로렌스는 『채털리 부인의 연인』에서 자본주의와 물질주의에 토대를 둔 제국주의적 억압 요소를 비판하고 동시에 전제적 가부장제가 여성 개인의 발전과 정체성 구성에 부정적 영향을 끼치고 있다는 사실에 주목한다. 이것은 보수적 권위주의적 가치관과는 대조적인 위치에 있다는 관점에서 볼 때 완전히 새로운 것이라고 할 수 있다. 작가 또한 클리포드가 표상하는 남성제국주의적 권력구조를 지닌 가부장제는 코니의 사회경제적 삶의 조건을 위협하고 삶을 변형시키거나 피폐시킨다는 점에서 정체성 확립의 어려움을 환기시킨다. 가부장제하의 모든 여성들이 경험했던 삶의 궤적이었다. 이런 관점에서 라그비 홀은 현대 사회의 물질주의, 배금주의 추구로 인한 생명력을 상실한 공간이며 여성성이 박탈당한 공간이라고 할 수 있다.

그렇다면 라그비 홀과 대비되는 라그비우드 숲이 포괄하는 함의와 특징, 그리고 이 장소가 어떤 의미를 부여하는지 검토해야 할 것이다. 볼튼 부인이 클리포드를 간호하게 되자 홀로 보내는 시간이 많아지게 된 코니는 숲속을 거닐며 자연에서 근원적인 재생, 삶의 의지력을 갖게 된다. 전술한 바와 같이, 라그비 홀은 타락한 자본주의의 상징이자 구현물이며 여성의 고유한 정체성을 훼손하는 물질적 욕망이 충만한 불안정한 공간, 환언하면 라그비 홀은 경제력이 취약한 코니에게 산업자본주의 사회의 욕망의 상품이 될 수 있는 위험한 공간이며 반여성적인 영역이다. 코니는 생명력이 없고 죽음의 분위기로 뒤덮인 숨 막힐 듯한 라그비 홀에서의 삶에서 압박감을 느낄 때마다 혼자 라그비우드 숲으로 공간 이동함으로써 생명력을 되찾고 정체성을 재구성한다. 삶의 의미를 찾지 못하기 때문에, 그리고 자신의 정체성이 남편에 의해 위협받게 되자 그녀는 자신의 정체성을 확인할 수 있는 자연으로 향한다. 여기에서 하디(Thomas Hardy) 소설에 나타난 자연에 대해 살펴보자. 하디 소설의 자연은 무섭고 황량한 모습이며 인간에게 적대적임에 풍부한 생명력의 원천이다. 이에 대해 채수환은 다음과 같이 설명한다.

> 하디의 소설은 많은 경우 대지 위를 걸어가고 있는 인물의 묘사로부터 시작된다. 그리고 그 광막하고 황량하게 펼쳐진 대지 위에 홀로 서 있는 인물은 독자에게 대자연 속에서의 인간의 고독감과 무력감을 압도적으로 전해준다. 하디가 보기에 인간은 끝을 알 수 없이 유구한 세월 동안 "거기에" 있어온 대자연 속에서 하찮은 존재에 불과하며 싫건 좋건 대자연의 섭리에 맞추어야 생존할 수 있을 따름이다.[97]

인간의 운명을 좌우하는 자연의 압도적인 힘에 대한 묘사는 하디 소설이 다른 소설과 극명하게 구별되는 독창적 특징이라고 할 수 있다. 비극적 색채가 강하면서 인간과 자연 사이의 불화와 인간에 대한 거대한 자연의 영향력은 1878년에 완성된 『귀향』(*The Return of the Native*)에서 발견된다. 이 소설에서 자연은 단순히 작품의 배경을 넘어 등장인물들의 삶에 다양하고 엄청난 영향력을 발휘한다. 유스테이샤 바이(Eustacia Vye)는 자연에 저항하다 파멸하게 된다.

---

97 채수환, 『19세기 영국소설 강의』(서울 민음사, 1998), 377-78.

『귀향』의 등장인물들은 사랑과 증오, 수용과 반발에 의하여 자기의 운명을 따라가는데 이 소설에서 만약 이야기의 배경과 무대가 되는 익든 히이스(Egdon Heath)를 떼어버린다면 하디는 클림(Clym Yeobright)과 유스테이샤의 성격부여에 실패했을 것이다. 유스테이샤는 원래 타지방 출신으로 고아가 되었을 때 외가 쪽 할아버지와 익든 히이스에 살아야 했다. 익든 히이스에서 도회적인 인물이라면 와일디브(Wildeve)밖에 없다. 검은 머리카락과 밤의 신비로 가득 찬 눈을 지닌 그녀는 그를 이상화하여 무기력한 날들을 보내고 있던 중, 클림의 출현으로 와일디브를 거부하고 대도시에서 돌아온 클림에게 관심을 돌려 끝내 결혼한다. 유스테이샤는 클림을 설득하여 암울하고 황량한 익든 황무지를 벗어나 파리에 가서 살자고 제안한다. 하지만 운명의 대행자 익든 히이스는 자연에 반항하는 유스테이샤를 파멸시킨다. . . 그것은 생명력 있는 화신으로, 인간의 운명을 주재하고 인간의 비극에는 냉담하고 무관심한 내재의지의 확장된 이미지로 묘사된다. 또한 『더버빌 가의 테스』에서 자연은 테스의 과거의 상처를 치유하고 회복시키는 역할을 하기도 하고 테스의 삶이 안정되고 풍요로울 때는 풍요로운 자연으로 나타나기도 한다. 그리고 에인젤과 테스의 무르익은 사랑의 감정을 봄날 수액이 오르는 현상으로 표현하거나 두 사람의 감정이 열기에 휩싸였을 때에는 한 여름의 더운 날씨를 빌려 묘사하기도 한다. 이 소설에서 자연은 인간이 자연의 일부로 귀속되어 자연법 속에 인간이 살아야 한다는 주제를 암시한다.[98]

---

98 권성진, 『서발턴 정체성』(서울: 에세이 퍼블리싱, 2013), 60-61.

테스(Tess)가 자연에서 안정과 위로를 얻는 것과 마찬가지로 로렌스의 『채털리 부인의 연인』에서 자연은 코니에게 생명력을 부여하고 여성으로서의 완전히 새로운 삶을 모색하는 공간으로 작동하기 때문에 자연은 단순히 배경이라기보다는 작품의 주제와 긴밀하게 연관되어 있다. 그러나 로렌스의 문학에서 자연이 지니는 원시적 생명력은 생명 파괴적인 것과는 대조적이다.[99] 로렌스는 코니를 자본주의가 지배하는 라그비 홀에서 자연으로 이동시키는데 이것은 코니에게 자연이 삶의 활력소로서 작용하고 있음을 보여준다. 무엇보다 중요한 것은 자연이 코니의 정체성 형성 문제와 직결된다는 점이다. 자연은 코니가 사냥터 지킴이 멜러즈(Mellors)에게 인간의 따뜻함과 새로운 감정을 느낄 수 있고 인간의 따뜻함을 경험할 수 있는 생명력과 활력이 넘치는 장소이며 자유와 해방의 공간이다.

라그비우드 숲은 이미 채털리가의 주인들에 의해 일부 훼손된 상태임이 드러난다. 대전 중 클리포드의 아버지 지오프리 경(Sir Geoffery)은 애국심을 과시하기 위해 군대 참호용 재목을 바치느라 무수한 나무를 배어내어 숲의 일부를 황폐화시켰고, 이제 클리포드는 냉혹한 광산경영자가 되어 숲을 해하고 있다. 숲 너머에 인접한 철도, 숲 아래로 뻗은 갱도, 부근의 산업지대에서 뿜어져 나오는 연기와 검댕 등 숲의 아름다움과 생명력을 위협하는 오소들이 주위에 산재해 있는 것이다. 자연에 대한 클리포드의 파괴적 태도는 그가 동력 휠체어를 타고 숲으로 갔을 때 더욱 단적으로 드러난다. 기계가 갑자가 고장 나

---

99 양영수, 『산업사회와 영국소설』(서울: 동인, 2007), 140-41.

자 억지로 작동시키려 하다가 나중에는 멜러즈를 불러서 밀게 하는
과정에서 휠체어는 아름다운 들꽃을 마구 짓이기고 경적 소리는 새를
쫓아버린다. 클리포드에게 있어 자연은 아름답다거나 소중히 다루어
져야 한다는 의미로 파악되지 않는 것이다. 이 장면에서 코니는 그에
게 너무도 생생한 증오심을 갖게 된다.[100]

라그비우드 숲이 지니는 효과와 의미에 대해 각별한 주목을 기울일 필요
가 있다. 이곳은 클리포드가 대변하는 타락한 자본주의적 위계질서의 해
체와 남성제국주의 지배로부터의 해방, 폐쇄적이고 억압의 표상이라 할
수 있는 라그비 홀로부터 벗어난 자유의 공간이며, 치유의 공간이다. 환언
하면 라그비우드 숲은 코니가 재현의 대상이 아닌 주체로 탈바꿈되는 탈
식민적 자율적 공간, 자유와 독립을 추구하면서 여성으로서의 발전과 새
로운 정체성을 형성하는 결정적 전환점임을 시사한다. 감금을 상징하며
감옥 같은 분위기, 남성제국적 위계질서를 상징하는 라그비 홀, 다시 말해
숨 막히는 결혼생활로부터의 도피라는 점에서 라그비우드 숲은 반남성제
국주의 저항의 구심점 역할을 하는 탈식민 저항을 위한 유효한 정치적 공
간이며 코니의 정체성 형성을 확장시킬 수 있는 분수령이다.

　　이러한 맥락에서 숲은 남성제국주의로부터 누적된 갈등과 불만, 정
체성 형성의 위기를 일거에 해소시키며 여성의 정치적 위상을 드러내거나
의식의 자유를 구현하는, 남성제국주의 이데올로기의 허구성이 벗겨지는
장소로 기능한다. 남성제국주의적 권위에 대한 저항이라는 맥락에서 코니

100　윤혜경, 「로렌스와 파울즈: ‘자연’을 중심으로」, *Phoenix* Vol. 33(1995): 144.

의 탈주는 바바가 지적하듯이, "저항은 지배담론이 문화적 차이의 기호들을 분절하고 식민지 권력의 예속관계들, 즉 위계질서나 규범화, 주변화 등 내부에 그 기호들을 다시 연관시켰을 때, 지배담론의 인식의 규칙들 내부에서 생산되는 양가성의 효과가 접맥된다."[101] 라그비 홀이라는 보수, 반동적 기존체제로부터의 탈주는 남성지배/피지배 권력관계를 역전시킬 수 있는 여성의 강력한 저항의식의 표출이며 남성제국주의와 여성 타자 사이의 경계 해체를 의미한다. 전술한 것처럼, 라그비우드 숲이 갖는 함의는 남성제국주의 사회의 지배·종속으로부터의 탈주일 뿐만 아니라, 남성제국주의와 여성 서발턴 간의 교섭, 다시 말해 지배/피지배의 이항대립을 극복하고 양가성과 긴장 속에서 형성되는 분열된 틈새에서 문화와 정치관계에서 능동적·역동적인 권력과 저항의 문제로 나타난다. 다시 말해 숲은 남성제국주의가 표상하는 억압으로부터 여성의 정체성 생성을 현실로 구체화할 수 있는 여성해방적 영역이라는 함의를 갖는다.

한마디로 감금과 구속을 상징하는 라그비 홀과 대조적인 라그비우드 숲은 주체적 여성으로 변화를 촉발시키는 공간으로 응축된다. 이곳은 남성제국주의에 의해 타자화·주변화된 여성이 여성의 주체적 관점에서 새로운 정체성을 구축하기 위한 자율적 공간을 의미하기 때문에, 남성제국주의와 권력의 통제에서 벗어나기 위한, 남성과 여성의 대립관계를 넘어서서 문화적·정치적 영역이라고 할 수 있다. 환언하면 남성과 여성의 경계선과 종속적 남녀 간 관계를 해체시키며, 코니가 자신의 여성으로서의

---

101 Homi K. Bhabha, 156-57.

정체성을 재확인하거나 그녀의 정체성을 끊임없이 환기시키는 장소라고 할 수 있다. 남성제국주의에 의해 포섭되지 않고 남성제국주의에 대한 탈식민 저항의 장소로 기능한다. 부연하면 숲은 여성을 배제하고 이질화한 남성우월주의로부터 위협받지 않는 자유와 해방의 공간이며, 자본과 남성제국주의의 지배와 위계구조에 대하여 저항하고, 여성으로서의 자율적 정체성 형성을 극대화할 수 있는, 배제와 억압을 벗어난 주체적 공간이다. 나아가서 라그비우드 숲은 여성 정체성 구축에 압도적 영향력을 행사하는 남성제국주의 지배구조를 변화시키거나 그것에 균열을 가함으로써 여성의 정체성 형성을 강화시키는 여성들의 문화적, 정치적 공간으로 남성제국주의의 지배/종속이라는 이항대립적 관계가 파괴는 역동적인 공간이다. 환언하면 가부장지배구조를 바꿈으로써 그 구조를 해체함으로써 탈식민 도정의 시작과 더불어 탈식민 지형의 확장을 의미한다.

앞에서 언급한 것처럼, 남성제국주의적 공간으로 표상되는 라그비홀에서 떨어져 있는 라그비우드 숲은 타락한 자본주의 세계와는 대조적인 곳이며 남성제국주의 지배와 탈식민 여성 정체성 형성이라는 두 개의 축이 교차하는 지점이다. 동시에 코니를 주체적 삶의 영역에서 삭제하려는 클리포드의 지배로부터의 탈주, 노예 같은 여성의 정체성을 거부하고 여성으로서의 주체성을 천명하는 역동적 장소라 할 것이다. 달리 표현하면 자본주의 상류사회에서 자연으로의 이동은 억압된 성본능에 대한 인식과 주체적 자아형성이라는 점에서 이 소설의 주제와 연결된다는 점에서 의미심장하다. 따라서 숲은 제도화된 남성제국주의의 제도화된 공간으로부터의 탈피, 벗어나 생명력이 결여된 문명사회를 치유할 수 있는 장소이며 여성에 대한 차별을 확대재생산하고 제국주의를 강화시키는 지배담론으로부터의 해방 공간이라고 할 수 있다.

숲은 더욱 고요했고 바람이 불기도 했지만 햇살이 숲을 가르며 햇빛을 쏟아붓고 있었다. 올해 첫 아네모네가 피어 있었고, 바닥에 뿌려진 것처럼 나부끼며 끝없이 피어 있는 조그만 아네모네 꽃들의 창백한 색채로 온 숲이 창백하게 빛을 내고 있는 듯했다. '세상은 당신의 숨결로 창백해졌노라.' 하지만 이 경우에 그 숨결은 퍼세퍼니의 숨결이었다. 퍼세퍼니가 차가운 날 아침 지옥에서 밖으로 나왔던 것이다. 바람의 차가운 숨결이 불어왔고, 머리 위로 잔 나뭇가지들 사이에 서로 엉키고 엉켜 화난 바람 소리가 들려왔다.

And the wood was still, stiller, but yet gusty with crossing sun. The first windflowers were out, and all the wood seemed pale with the pallor of endless little anemones, sprinkling the shaken floor. 'The world has grown pale with thy breath.' But it was the breath of Persephone, this time; she was out of hell on a cold morning. Cold breaths of wind came, and overhead there was an anger of entangled wind caught among the twigs. (*LCL* 88-89).

라그비우드 숲의 울창한 나무들은 라그비 저택의 죽음의 분위기와는 다르게 코니에게 새로운 활력과 재생의 기쁨을 표출할 수 있는 안전지대로 기능한다. 즉 여성의 정체성 형성과 관련하여 남성과 여성 간의 권력 구도를 해체하고 독립적이고 남성과 대등한 지위를 확보할 수 있는 자율적 공간이며 탈식민 주체의 형성이 이루어지는 역동적 장이다. 동시에 코니와 멜러즈, 즉 남성제국주의자의 은폐된 모순과 남성우월적 착취구조가 드러나는 공간이다. 바꾸어 말하면 대립적인 구조 속에서, 두 사람 간의 교섭이 이루어지는, 자연 속에서 자유의 법칙에 따라 형성되는 자유,[102] 상호이해와 일체감, 애정을 공유하면서 남성우월주의에 저항하는 열린 공간이라는 맥락에서 의미를 포착할 수 있다. 코니의 탈주는 클리포드의 강력한 지배권력 앞에서 여성적 자아 형성이 무력할 수밖에 없었던 과거의 상황과 극히 대조적이다. 이런 맥락에서 숲으로의 탈주는 남성제국주의적인 가부장제 사회의 젠더 이데올로기에 대한 거부이며 동시에 자신만의 정체성을 자각하고 확립해가는 주체적 과정이라고 할 수 있으며 남성우월적 남성제국주의가 갖는 사회적 구조에 대하여 저항하는 상징적 행위라고 부를 수 있다. 나아가서 남성제국주의 지배구조에 의해 뒤틀어진 여성의 정체성 구축을 위한 정치적 지형의 변화와 성숙한 조건 형성을 의미한다. 이런 점에서 코니는 수동적 여성이 아니라 독자적인 삶을 추구하는 여성이며 그녀에게서 여성 정체성 형성의 가능성을 발견할 수 있다.

논의를 좀 더 확장시키면, 라그비우드 숲은 고도의 억압을 통하여 코

---

102 감각세계와 초감각세계를 구분하면서 두 세계 사이의 상동성을 규정하려했던 칸트는 『판단력 비판』의 서론에서 다음과 같이 설명한다. "자유의 개념은 그 법칙들을 통해 부과된 합법칙성과 부합하여 자유의 법칙에 따라 자연 속에서 실현될 목적의 가능성과 조화를 이루어야 하는 것으로 생각될 수 있어야만 한다." 오인용, 「낭만주의 심미적 국가의 이상과 코울리지의 영국적 민족주의」, 『19세기 영어권 문학』 18.1 (2014), 92.

니의 삶에 갈등과 고통을 야기시켰던 남성제국주의로부터 벗어나는 새로운 분수령, 정체성을 강력하게 구축하는 삶의 전환점이 된다. 두 사람의 만남이 가져온 변화는, 말하자면 취약하고도 불안했던 코니의 여성으로서의 가치를 재발견하고 정체성 형성을 구체화하는 계기를 만들게 되고 더 나아가 규범과 가치정향의 해체로 확산되는 방향점이 된다. 왜냐하면 그녀가 클리포드와의 결혼 이후 직면했던 가장 큰 위기, 다시 말해 코니의 정체성의 위기와 직결되기 때문이다. 여성의 정체성 수립이라는 문제를 논할 때 사회적, 계급적 또는 경제적 약자인 여성들의 삶의 조건을 개선하고 그들의 정체성 구축을 모색하는 것이 탈식민주의가 추구하는 문제의 핵심 중 하나인 것이다. 말하자면 탈식민주의는 남성우월주의, 전제적 가부장제가 작동하는 현실적 제약과 사회구조에도 불구하고 광범위하게 여성들이 갖고 있는 문제영역의 해결방안을 모색하고 담론적, 더 나아가 실질적 문제해결에 기여하는 데 그 의미를 찾을 수 있다.

페미니즘적 시각에서 숲속으로의 탈출은 전술한 바와 같이 강압적이고 위력적인 지배가치를 갖는 남성제국주의 지배로부터의 탈출이라는 의의가 있다. 미국 내 유색여성 문제와 전지구적 여성 페미니즘 연대에 천착하는 페미니즘 이론가인 모핸티(Chandra Talpade Mohanty)는 『경계 없는 페미니즘: 이론의 탈식민화, 연대의 실천』(*Feminism without Borders: Decolonizing Theory, Practicing Solidarity*)의 서론에서 남성과 여성이 안전하고 건강하게, 그리고 자유롭게 창조적인 생활을 누릴 수 있는 친여성적인 비전에 대해 언급한다. 특히 모핸티의 주장이 주목을 받는 것은 식민주의, 제국주의, 자본주의에 대한 여성들의 참여를 이론화하였다는 점이다. 그녀는 페미니즘 실천이 다음과 같은 수준에서 기능한다고 주장한다. 첫째, 여성들의 정체성이나 관계적 공동체를 구성하는 일상적 실천을 통해 매일의 수준에서 작동한다. 둘째, 사회변혁적 수준에서 페미니즘 비전을 갖춘 조직이나 네트워크 그리고 페미니즘 운동 같은 공동체 수준에서 작동한다. 셋째, 지식생산 분야에서 일하는 페미니즘의 학문적 실천이 이행되는 이론·교육·텍스트의 창조의 수준에서 작동한다.[103]

페미니즘의 관점에서 볼 때 라그비 홀이 남성제국주의적 가부장제와 젠더 이데올로기가 작동하는 장소를 상징한다면, 라그비우드 숲은 자유와 해방을 부여하는 친여성적, 정체성을 형성할 수 있는 자기만의 공간이라고 할 수 있다. 바꾸어 말하면 숲은 여성을 주변화 시킨 클리포드와 코니의 역학관계를 전치시킬 수 있는 공간을 함축하며 폭력적 남성제국주의에 의하여 변형되고 왜곡되고 탈정치화된 여성들이 주체적인 자아를 형성할 수 있는 탈식민 거점이다. 다시 말해 남성제국주의에 저항하고 해체하는 교섭과 협상의 공간, 새롭게 여성의 자율성을 구성하는 여성해방적 공간이다. 이 틈새에서 식민주의는 내부적 균열과 분열을 노정하기 때문에 이 공간은 식민주의를 극복하고 탈식민 주체를 구성하는 탈식민 지점이다. 그러므로 라그비우드 숲은 남성제국주의적 지배와 여성의 종속의 대립 논리를 넘어서는 주체적 공간이며 침묵당한 식민화된 타자[104]의 저항 지점,

---

103 Chandra Talpade Mohanty, *Feminism without Borders: Decolonizing Theory, Practicing Solidarity*(Durham: Duke UP, 2003), 5.

104 Bill Ashcroft, Gareth Griffithes and Helen, *The Empire Writes Back: Theory and Practice the Post-Colonial Literature*, 174.

남성제국주의에 균열을 만들어내는 역동적 공간을 의미한다.

클리포드와의 결혼생활에서 고통을 받던 코니는 이 숲에서 사냥터 지킴이로 일하는 멜러즈에게 남편의 메시지를 전하러 갔다가 그와 조우하게 된다. 그곳에서 코니는 멜러즈가 살고 있는 오두막을 방문한다. 오두막은 밖을 내다볼 수 있는 창문이 없고, 외부와도 차단된 장소로 클리포드의 기계적 삶과 억압적 지배력으로 여성으로서의 정체성을 재발견할 수 있는 창조적 장소이며 정체성을 형성할 수 있는 독자적 영역이다.

오두막은 상당히 아늑했다. 칠을 하지 않은 전나무 널빤지로 벽을 둘렀고, 조그마한 통나무 식탁과 등받이 없는 의자가 그녀가 앉은 의자 옆으로 하나씩 놓여 있었고, 목수용 작업대, 커다란 상자 한 개, 여러 가지 연장들, 몇 장의 새 판자, 못 같은 것들이 널려 있었고, 벽에는 도끼, 손도끼, 덫, 자루에 쌓인 물건들, 사냥터지기의 외투 등 여러 가지 물건들이 못에 걸려 있었다. 벽에 창문이 나지 않았기 때문에 햇빛은 열린 문을 통해 들어왔다. 뒤죽박죽인 듯 했지만, 일종의 조그마한 성소(聖所) 같기도 했다.

The hut was quite cosy, panelled with unvarnished deal, having a little rustic table and stool beside her chair, and a carpenter's bench, then a big box, tools, new boards, nails; and many things hung from pegs: axe, hatchet, traps, things in sacks, his coats. It had no window, the light came in through the open door. It was a jumble, but also it was a sort of little sanctuary. (*LCL* 91)

라그비우드 숲 속의 오두막은 남성제국주의로부터의 탈출, 남성우월적 가부장제에 의해 심각하게 침하된 여성으로서의 삶의 기반을 구축할 수 있는 여성만의 공간으로 작동하고, 남성제국주의의 존립에 균열을 가하며, 여성의 정체성 형성을 보장해주는 계기로 기능한다. 바꾸어 말하면 그것은 여성 정체성 형성에 심각한 장애요인이 될 수 있는 남성제국주의 질서를 급격하게 변형시켜 주체적 여성의 권리를 확대, 강화와 관련되기 때문이다. 오두막을 둘러싼 라그비우드 숲은 코니가 재생할 수 있도록 생명력을 제공하는, 여성으로서의 가장 강력한 주체성을 갖는 중대한 공간이라고 할 수 있다. 이는 남성제국주의의 지배가치와 가부장적, 성적 억압이라는 일방적 권력이 해체되고 코니가 주체적 여성으로서의 정체성을 형성할 수 있는 인식론적 지점이며 자율적 공간이다.

　탈식민주의 시각에서 여성의 정체성에 대한 위협이나 여성들의 정체성 형성을 방해하는 억압적인 가부장제만큼 심각한 장벽은 없다. 다시 말해 여성으로서의 주체적, 독립적 정체성 형성 문제의 장애물로 기능하는 가부장제를 근본적으로 검토하지 않으면 여성을 위한 어떤 구호도 아무런 힘을 가질 수 없다. 이런 점에서 클리포드의 남성우월주의는 남성제국주의적 억압과 그 가부장제의 폐단, 그 심각성의 일단을 드러낸다. 여성으로서의 진정한 삶이란 지배적인 남성제국주의 문화와의 관계에서 주체적 자아를 실현하는 것이다. 여기에서 발견할 수 있는 점은 로렌스가 클리포드와 코니의 관계에서 그녀의 주체적 자아를 형성을 저해하는 남성우월주의, 그리고 그것에 의해 주변화된 코니의 삶을 형상화하면서 성적·계급적 차별을 드러내고 있다는 것이다. 한마디로 로렌스는 남성중심사회에서 통용되는 지배담론에 취약한 여성들의 정서와 그들의 존재를 파괴하는 부정적 양상을 비판하고 있다.

코니가 라그비우드 숲으로 도피한 것은 가부장제가 작동하는 남성우월주의 사회에서 여성들의 정체성 형성을 가로막는 사회적 구조의 협애함에 기인한다. 또한 클리포드는 주체적 삶을 추구하는 코니의 정신세계를 붕괴시켜 여성의 주체성을 박탈함으로써 여성의 종속을 심화시켰는데, 이것은 클리포드가 상징하는 빅토리아 전제적 가부장제가 여성을 독립적 주체로서, 한 사람의 인격체로서가 아니라 단지 남성의 정신세계에서 객체화되는 대상으로 간주하였던 사실을 반증한다. 이와 같은 클리포드의 사고방식은 남성중심적 수사학을 강화한다. 이것은 여성의 성을 지배하고 통제하기 위한 남성제국주의적 가부장제의 논리에 공모하는 것과 다름없다. 코니의 도피에서 알 수 있듯이, 여성이 직면한 사회경제적 삶의 조건과 정체성 형성에 대한 이슈문제가 젠더 이데올로기로부터 위협받고 여성이 가지는 사회적·경제적·성적 차별이 진행될 때 여성들에게 폐쇄적인 전제적 가부장제와 남성제국주의로부터의 탈식민화는 그 내용에 있어 공허한 구호가 될 수밖에 없다. 그 이유는 정체성이 위협받게 되면, 여성들의 사회경제적, 주체적 삶은 더욱 약화될 것이기 때문이다.

코니는 숲속에서 암탉과 병아리들을 보면서 새로운 생명력과 두려움 없는, 자유로운 삶을 희구하면서서 수동적인 운명을 거부하고 여성으로서의 독립적이고 고유한 정체성과 자아의식을 형성하게 된다.

그 가냘프고 작은 어린 병아리는 회색빛이 도는 갈색 몸에 어두운 반점이 있었는데, 그것은 바로 그 순간 온 세상에서 가장 빛나는 생명의 불꽃을 발하고 있는 존재였다. 코니는 웅크리고 앉아 일종의 황홀감에 빠져 그것을 바라보았다. 생명이었다! 생명! 순수하고, 불꽃처럼 빛을 내며, 두려움을 전혀 모르는 새로운 생명이었다! 새로운 생명! 그렇게 작으면서도 두려움을 모르는 새로운 생명이었다. 어미 닭의 강력한 경고 소리에 대한 응답으로 어린 병아리는 허둥대면서 닭장 안으로 기어 들어가 암탉의 깃털 아래로 들어가 사라질 때까지, 병아리는 두려워 겁에 질린 것이 아니었다. 병아리는 그것을 하나의 놀이, 말하자면 삶의 놀이로 받아들였던 것이다. 왜냐하면 그 순간 자그마나하고 뾰족한 머리를 암탉의 황금빛을 발하는 갈색 깃털 사이로 내밀고 우주를 바라보고 있었기 때문이다.

The slim little chick was greyish brown with dark markings and it was the most alive little spark of a creature in seven kingdoms at that moment. Connie crouched to watch in a sort of ecstasy. Life, life! Pure, sparky, fearless new life. New Life! So tiny and so utterly without fear! Even when it scampered a little, scrambling into the coop again, and disappeared under the hen's feathers in answer to the mother hen's wild alarm-cries, it was not really frightened, it took it as a game, the game of living. For in a moment a tiny sharp head was poking through the gold-brown feathers of the hen, and eyeing the Cosmos. (*LCL* 119)

코니는 자연에서 생명력을 느끼고 클리포드의 인습적이고 남성제국주의
로부터 탈출과 영혼의 자유를 누린다. 로렌스는 인간에게 가장 중요한 것
은 자유로운 영혼이며 그것은 사랑보다 우선하는 것이라고 언급한다.

> 우리는 사랑이 삶에서 부차적인 것임을 알아야 한다. 제일 중요한 것
> 은 자유롭고 자부심을 느끼는 영혼이다. 그것은 자신뿐만 아니라 타
> 인들에게 자유를 부여하는 것이다. 강요하거나 강요당하지 않는 것이
> 다. . . 사랑이 가장 중요한 것이 아니다. 인간의 자유로운 영혼이 가
> 장 중요하다.

> One has to learn that love as a secondary thing in life. The first
> thing is to be a free, proud, single being by oneself: to be oneself
> free, to let the other be free: to force nothing & not to be forced
> oneself into anything. . . Love isn't all that important: one's own
> free soul is first.[105]

남성적 힘과 의지를 행사하며 남녀차별을 조장하는 폐해는 남편의 전횡과
파괴적인 전제적 가부장제에 기인한다. 클리포드는 사랑과 애정보다는 정
신과 지성이 그의 삶의 중심에 위치하기 때문에 코니의 정체성을 말살하
는 남성제국주의자이다. 남성우월적 지배가치는 코니의 가치관과 정체성
을 파괴시켜 결혼생활을 파탄으로 이끈다. 코니는 클리포드와 결혼할 때

---

105 D. H. Lawrence, Ed. Edward Nehls, *D. H. Lawrence: A Composite Biography*,
Vol. I(Madison: Wisconsin, The U of Wisconsin P, 1977), 500.

남편의 남성우월주의와 왜곡된 가치관을 간파하지 못했던 것이다. 이런 측면에서 숲은 내적 평정심을 회복할 수 있는 도피처이자 새로운 창조를 위한 재생의 공간이다.

앞서 언급한 바와 같이 정체성 형성과 관련하여 여성들이 직면한 여러 문제점 가운데 가장 핵심적인 것은 영혼의 자유라고 할 수 있다. 남성제국주의로부터의 자유와 해방이라는 의미에서 숲은 여성들의 정체성 형성을 방해하는 악폐로 작동하는 전제적 가부장제 궤도로부터의 탈출이며 지배문화에 대한 저항지점이라고 할 수 있다. 결국 진정한 자유와 해방이 없는 사랑은 구속과 억압을 의미이며 그것은 여성 정체성을 망각시키거나 제약, 정체성 형성으로부터의 이탈과 결부되어 있다. 영혼의 자유함이 없는 상황에서 여성의 정체성에 대해 논의하는 것은 남성우월주의, 수직적 관계가 공고화되는 것이다. 그러므로 여성 정체성 구축이라는 큰 틀이 작동하기 위해서는 영혼의 자유로움이 우선되어야 한다는 점이 강조되어야 한다. 남성제국주의는 성적·경제적·사회적 억압 수단을 사용하여 여성들의 정체성 형성을 가로막았다는 사실에서 알 수 있듯이 여성 정체성 형성을 저해한 가장 파괴적인 원인은 남성제국주의 가치, 남성우월주의였다. 강조한 바와 같이, 로렌스는 남성중심주의와 타락한 자본주의에 오염된 클리포드의 불모성을 노출시킴과 동시에 남성제국주의적 가치관을 비판한다. 또한 남성중심의 위계질서에 순응을 요구하며 여성을 남성의 대상으로 삼아 전제적 제국주의 가치를 재구성하는 것에 대해서도 비판적 시각을 견지한다. 이처럼 로렌스는 남성제국주의에 대한 비판하며 왜곡된 가치관으로 인해 주변화된 여성 고유의 가치와 정체성의 회복, 남성의 종속물로 전락하는 여성의 상황에 주목한다. 그는 남성중심의 젠더 이데올로기와 지배적 사회구조에 대해 근본적인 변화의 필요성을 주장하고 있다.

코니는 남편으로 사랑받지 못하는 고통, 여성으로서의 정체성을 거부당하는 상황에서 클리포드와는 전혀 다른 인물을 접하게 된다. 그녀는 자신의 존재와 자신의 정체성을 구현할 수 있는 가능성을 클리포드의 사냥터 지킴이 멜러즈에게서 찾는다. 클리포드의 남성제국주의의 예속물과 타락한 자본주의의 불모성 사이에서 갈등하던 코니는 자신의 여성성과 여성으로서의 주체적 삶의 가능성과 삶의 의미를 그에게서 발견한다. 이런 면에서 멜러즈는 여성으로서의 자율성과 가치를 구현할 수 있는 가능성을 암시하는 인물이다.

클리포드는 서구 제국주의적 전통에 따라서 코니를 착취하는 남성제국주의자의 축소판으로서 물질적·극단적·왜곡적 사랑을 드러내는 인물이라면, 멜러즈는 제국주의자들이 행사하는 폭력과 물질적 가치에서 벗어나 코니의 자아실현과 정체성 기반을 구축할 수 있는 토대를 제공하는 인물을 표상한다. 억압과 전제적 가부장제의 상징인 클리포드와 자연을 벗하며 순수하게 살아가는 멜러즈의 모습에서 남성제국주의자와 그것에 오염되지 않는 남성 사이의 문화적 차이를 발견할 수 있다. 전자가 전제적 가부장제를 보전하려는 남성제국주의 주체로 본다면 후자는 자신의 고유하고 순수한 남성의 가치를 유지함으로써 자본주의와 남성우월적 가부장제로부터 해방된 삶을 구현하며, 새로운 남성상을 재구성하는 인물이다. 다른 한편으로 코니가 멜러즈와 육체적 관계를 맺는 장면은 선정주의적 시각이나 윤리적·보편적 기준에서 볼 때 논란의 여지가 많은 부분이다. 즉 남편을 둔 아내로서 멜러즈와 관계에 대한 노골적인 묘사는 가족 공동체와 가족의 가치를 해체할 수 있는 비윤리적이고 왜곡된 행동이기 때문에 많은 비평가들로부터 로렌스가 비판을 받는 부분이다. 그러나 로렌스가 제시하고자 하는 것은 성 자체를 부정하는 가부장적 시각에 대한 비판과 더불어 생명력이 결핍된 현대인들에게 개인적인 삶이 생명력이 충만한 삶을 살도록 깨우치기 위한 것이다.[106] 말하자면 정신적인 사랑 못지않게 육체적 사랑의 중요성을 환기시키는 것이다.

남성제국주의의 폭력성은 거론하지 않은 채 코니의 일탈이라는 측면만 부각시키면 코니는 욕망을 표출하는 속물에 속하는 인물일 뿐이며 『채털리 부인의 연인』이 표상하는 작품의 심층적 의미를 파악할 수 없다. 이와 같은 이유에서 이 소설은 표면적으로 읽을 것이 아니라 비판적으로 검토할 필요가 있다. 『채털리 부인의 연인』을 피상적으로 읽게 되면 남녀 간의 육체적 사랑과 욕망에 인간의 성에 국한된 소설, 환언하면 이 소설을 피상적이거나 임의적으로 해석할 가능성이 있고 작품의 의도를 훼손할 수 있다. 멜러즈와의 육체적 관계가 코니로 하여금 여성성을 발견할 수 있는 계기가 된 것은 분명하다. 중요한 것은 이 소설을 남성제국주의에 대한 저항이나 전복으로 읽어내는 탈식민적 패러다임이다.

바바가 탈식민적 저항으로 흉내 내기를 제시한 것처럼, 코니와 멜러즈의 만남은 남성제국주의를 표상하는 클리포드에 대한 반가부장적 저항

---

106 Mark, Spilka, 194.

의 관점에서 설명할 수 있다. 이리가레이(Luce Irigaray)는 여성은 남성중심적 사회에서 생존하기 위해 가부장 사회가 규정해놓은 규범을 흉내 낸다고 설명하는데, 이와 같은 여성의 흉내 내기는 가부장 사회의 억압적 이데올로기를 표상한다.[107] 이리가레이의 설명은 남성제국주의에 대한 저항이나 반가부장적 저항이 될 수 있다는 것이다. 이와 같은 맥락에서 코니와 멜러즈의 사랑은 단순히 육체적 쾌락을 좇는 문제가 아니라 자본주의 산업사회와 생명력을 상실한 현대사회에 대한 저항으로 읽을 수 있다. 로렌스가 강조하는 바는 클리포드의 남성제국주의를 전복시키는 행위와 여성의 저항적 목소리라는 맥락에서 그리고 남성제국주의를 비판할 뿐만 아니라 더 나아가 탈식민주의가 표방하는 성 이데올로기의 허구성을 폭로한다는 점이다. 이러한 관점은 남성제국주의의 정치적, 이데올로기적 지배를 전복하고 해체한다. 클리포드가 남성제국주의와 타락한 자본주의와 정신적 마비를 상징한다면 멜러즈는 타락한 자본주의와 남성제국주의에 오염되거나 침잠되지 않는 생명력이 충만한 자연적 순수성을 상징한다. 그는 자기의 오두막에서 갓 태어난 꿩 새끼를 어루만지는 것을 보고 감동을 받는다. 멜러즈는 과거에 다른 여성들로부터 받은 상처 때문에 그들과의 관계를 단절하고 숲속에 들어왔다. 그는 자신이 과거에 만났던 여성들과는 달리 코니가 인간적인 따스함과 부드러움을 소유한 여성이라는 사실을 발견하고 그녀에게 마음을 열게 된다. 코니는 멜러즈와 그가 상징하는 자연과의 조화 속에서 신비감과 근원적 생명력으로 충만한 삶, 새로운 소

---

107 Luce Irigaray, *This Sex Which Is Not One*, Tr. Catherine Porter(Ithaca: Cornell UP, 1985), 76.

생과 내면적 치유를 경험하고 자신의 정체성을 발견한다.

남성제국주의적 사고방식이 지배하는 가부장적 사회구조에서 코니는 남성우월주의와 무관심, 부부 간의 소통의 부재, 사랑의 결핍으로 인한 정신적 공허감에 사로잡혔다. 하지만 멜러즈와의 사랑은 상호 간의 이해와 교감이라는 맥락에서 생명의 근원을 발견하는 것뿐만 아니라 코니에게 여성으로서의 새로운 변화와 정체성을 정립할 수 있는 가능성을 제시한다. 캐비치(David Cavitch)가 로렌스가 세 차례에 걸쳐 각색하여 이 소설을 출판한 것은 현대 사회의 복잡한 문제점들을 최소화하고 목가적 세계에서 남녀 간의 사랑의 관계를 순수한 자연적 시각에서 제시하기 위한 것이라고 지적한 것처럼,[108] 코니와 멜러즈의 사랑은 단순한 육체적 욕망이나 쾌락을 추구하는 것이 아니라 연민과 책임을 느끼면서 서로를 인간으로 받아들여 존재의 합일을 이루기 때문에 서로 간에 생명력을 공유하는 합일적 관계라고 할 수 있다. 그것은 두 사람의 합일적 관계 구성은 현대 자본주의에 대한 비판이나 자연과의 조화라는 의미에서 상징적으로 형상화하거나 은유적으로 환치될 수 있다. 동시에 시적화자가 자신의 주관적 감정을 직접적으로 드러내지 않는 대신 객관적 대상을 동원하여 전이시키는 것과 마찬가지로 코니와 멜러즈 두 남녀의 사랑과 성은 영구히 흐르는 자연에 대한 '객관적 상관물'이라 할 수 있다.[109] 또한 두 사람의 창조적

---

108 David Cavitch, *D. H. Lawrence and the New World*(London: Oxford UP, 1971), 197.

109 Roger Ebbaston, *Lawrence and the Nature Tradition*(Sussex: Harvester P, 1908), 52.

관계는 남성제국주의가 지향하는 권위적 지배구조의 해체와 그 지배구조 하에서 지배적인 남성우월주의의 급격한 해체를 포함하여 클리포드의 강권적 지배가치와 폭압적 통제로부터 완전히 자유로울 수 있는, 여성으로서의 자율성을 구축하는, 자율적 상태와 해방을 의미한다.

이와 같은 맥락에서 코니와 멜러즈의 조우가 갖는 의미는 상당히 큰 것이다. 그것은 남성제국주의로부터의 탈출과 실종된 정체성의 회복, 그리고 여성으로서의 존재가치와 정체성의 정립을 의미한다. 다시 말해 이상적 남녀관계에 관한 로렌스의 주제들 가운데 개인의 삶과 존재 가치를 충분히 드러낸다는 점에서 정체성 추구는 중요한 의미를 담고 있다. 남성제국주의는 남성우월과 여성 차별이라는 지배가치를 설정하여 젠더 이데올로기를 통한 갈등이 전개되는 지형을 형성하였기 때문에, 우리는 여기서 남성제국주의 지배질서에 저항하여 그것을 궤멸시키고자 하는 탈식민 저항 지점을 포착할 수 있다. 말하자면 남성제국주의 담론과 양립할 수 없고 가부장제와 양립할 수 없는 여성 중심의 주체적인 정체성 형성을 위한 조건을 극대화하는 대안을 모색할 수 있다. 가부장제로부터의 여성해방을 상정하고 남성우월적인 가부장제 권력의 해체를 의미하기 때문에 여성의 정체성 정립은 이론적 함의가 크다.

억압적 통제를 특징으로 하는 남성제국주의는 여성을 타자화함으로써 여성을 자율적 주체형성으로부터 분리시켰을 뿐만 아니라 여성들의 자유와 선택을 제한하거나 그들의 정체성 형성을 가로막음으로써 남성제국주의가 여성들의 삶의 중심적 지배가치로 자리 잡는 부정적 결과를 초래하였다. 이 같은 현상은 탈식민주의 관점에서 볼 때 자본주의와 제국주의

간의 연계를 촉발시켜 그로 인한 전제적 가부장제의 세력기반을 가속화하거나 본격화하는 계기를 제공했던 것이다.

로렌스는 코니와 멜러즈의 생명력 있는 관계와 대조적인 클리포드와 볼튼 부인이 맺는 퇴폐적이고 왜곡된 부정적 남녀관계를 제시하고 있는데, 이들의 관계는 서로의 욕망을 충족시키는 상호의존적·퇴폐적·계급적 우열관계에 근거한다. 클리포드보다 낮은 계급에 속하고 그의 경제적 후원에 의지하는 볼튼 부인은 자신이 처한 전제적 남성제국주의 사회구조에서 보편적이고 정상적인 노력과 힘으로 신분 향상을 상상할 수 없기 때문에 상위계층으로의 신분상승을 추구한다. 두 사람의 관계는 타락한 자본주의 사회의 왜곡되고 마비된 인간을 표상한다. 분명한 것은 하반신이 마비된 클리포드가 현대 산업사회를 살아가는 내면의식에 부재한 인간이나 자본주의 계급의 타락한 이기주의와 물질주의를 상기시켜주는 인물이라는 사실을 고려할 때, 타락한 자본주의와 그 자본주의에의 의존이라는 점에서 이 양자의 결합은 남성우월주의와 그 가치에 의존을 의미하며, 그 내용에 있어서, 남성제국주의의 연속선상에 있다고 할 수 있다. 왜냐하면 이들의 관계는 남성제국주의 지배하의 또 다른 식민지배/종속관계로의 변질을 의미하는 것이기 때문이다.

로렌스는 육체가 마비된 상황에서 지적 의식과 남성우월주의에 갇혀 자신의 의지를 실천하는 방편인 저술활동에 집착하는 클리포드를 제시하면서 자본주의 사회의 병폐와 왜곡된 전제적 가부장제를 비판하고 있다. 주목해야 할 것은 탈식민 여성 주체인 코니가 남성제국주의를 상징하는 클리포드의 남성중심주의에 함몰되지 않고 여성 주체로서의 탈출구를 모색한다는 점이다. 로렌스는 한편으로 정신적으로 마비된 클리포드를 제시하여 남성제국주의를 비판하고 다른 한편으로 코니가 처한 상황에 주목하여 남성중심 사회의 위선을 공격한다. 탈식민적 관점에서 볼 때 코니의 저항, 다시 말해 클리포드로부터의 탈주의 기저(基底)에는 사회계층구조의 저변에 위치한 여성의 삶의 조건에서, 사회 안팎에서 소외되고 차별받고, 가부장적 억압과 성 차별이라는 이중적 위협에 기인한다. 이것은 개인의 저항을 넘어 전제적 가부장제가 여성에 가한 탈식민 저항으로써 남성제국주의로부터의 해방을 위한 강렬한 힘의 분출이자 표출이라 하겠다. 그리고 그것은 무조건적인 복종을 강요하는 남성중심 사회에서 자율적인 공간을 확보하는, 자기인식을 통한 탈식민 지형도를 그리고 있다는 것이다. 이와 같은 사실을 고려할 때 코니의 정체성 형성 문제는 개인적인 문제에 국한되지 않고 여성 전체의 문제로 확대할 수 있고 이 문제는 근본적으로 남성제국주의가 갖는 협애성에 기인한다. 다시 말해 로렌스가 고민하고 있는 문제는 전제적 가부장제와 남성제국주의에 대한 비판이다. 동시에 여성 정체성과 남성제국주의에 대한 로렌스의 중첩적 인식은 남녀 간의 대립과 차별이 아니라 조화로운 남녀관계 형성에 필수조건인 남성제국주의 역사가 갖는 총체적인 퇴행성에 대한 부정적 함의, 비판적 사유라고 할 수 있다.

클리포드는 한편으로 작가로서 인정을 받지 못하고 자기 정체성의 위협을 느끼게 되고, 다른 한편으로 볼튼 부인의 충고에 따라 작가로서의 삶을 포기하고 테버샬의 광산사업에 집중하게 되는데 그것은 클리포드가 살아가는 삶의 불모성에 기인하며 소통의 부재로 인해 외부세계와의 단절과 자기만의 고립된 삶에 기인한다. 그는 결과적으로 볼튼 부인에게 집착함으로써 그녀와의 병든 관계를 유지할 수밖에 없는 상황을 직면하게 된다. 이것은 가부장적 지배문화의 메커니즘 속에서 불안해 하는 남성제국주의자의 분열과 혼돈, 분열된 심리를 투사한다. 클리포드는 볼튼 부인에게서 유아적 모성애를 추구하고, 볼튼 부인은 클리포드가 누리는 상류계급에 대한 환상, 상류사회가 갖는 문화와 교양, 물질적 부유함을 동경하고 갈구한다. 이와 같은 사실에서 두 사람의 관계는 인간에 대한 책임과 연민, 인격적 주체로서의 관계가 아니라 서로의 이기심을 충족시키기 위한 관계이기 때문에 서로를 파멸시키는 왜곡된 관계에 불과하다. 따라서 클리포드와 볼튼 부인의 관계는 "코니와 멜러즈의 관계처럼 부드러움과 혈연의식으로 재생되는 것이 아니라 퇴폐적, 의존적 관계로 퇴락한다."110

이처럼 로렌스의 소설은 전제적 가부장제와 남성제국주의 지배의 왜곡된 가치관에 의해 잠식된 억압받는 여성들의 삶을 지구촌에 거주하는 제3세계 여성들의 고통으로 전치시킨다는 점에서 탈식민 서사라고 할 수 있다. 그는 이 소설에서 생명력이 결핍된 현대 산업사회를 비판하면서 남녀관계에서 나타나는 생명력을 추구하는 삶의 과정을 모색하면서 지배와 종속이라는 이분법적 개념, 전제적 가부장제를 비판한다. 이와 같은 점에서 로렌스는 남성 지배구조의 해체에 대한 작가로서의 일관적인 시각을 유지하고 있다. 다시 말해 『채털리 부인의 연인』은 남성제국주의 지배문

---

110 Daniel L. Schneider, *The Consciousness of D. H. Lawrence*(Kansas: UP, 1986), 154.

화에 의해 고정된 여성타자로 배제되지만 자신의 자유와 독립적 주체를 추구함으로써 남성제국주의의 권력기반을 근본적으로 해체하는 저항이라는 시각에서 바라볼 수 있는 텍스트라고 요약할 수 있다.

역사적 맥락에서 볼 때 『채털리 부인의 연인』은 남성제국주의 폭력적이고 강압적인 지배가치를 폭로하고 그것에 의해 사회적, 문화적, 경제적, 성적으로 고통당하는 여성들의 질곡을 비판적으로 형상화하고 있다. 따라서 이 소설은 종전에는 형상화되지 못했던 여성들에 대한 차이성과 여성으로서의 고유하고 독립적 존재가치를 인정해야 한다는 주장을 담아내고 여성 정체성 구축을 위한 창조적 투쟁을 함축하기 때문에 탈식민 가치를 독특한 방법으로 구현하는 탈식민 텍스트로 읽을 수 있다.

VI

결 론

탈식민주의는 단순히 식민지배자와 피지배자, 남성과 여성 간의 성적, 계급적, 사회적 갈등을 추상적 차원에서 모색하지 않고 식민지 백성들이나 여성들이 직면한 현실적 상황을 분석하면서 가장 유용하고 적절한 담론을 도출함으로써 이론적 지평을 확장하는 유효한 문화이론이라고 할 수 있다. 또한 그것은 인종, 계급, 성, 문화, 역사, 식민지배와 피지배 경험 등 역사적 상황과 현실적 삶이 노정하는 문제들을 다루기 때문에 쉽게 해결할 수 없거나 즉각적인 해답을 줄 수 없는 미완의 기획이며 한 사회 내에 존재하는 이데올로기적, 사회경제적, 성적 갈등과 이에 대한 대안모색과 직결된다. 즉, 제국주의 침탈과 억압, 식민제국주의라는 구체제에 대한 대응답론 내지는 그것과는 완전히 대립되는 변혁의 과정으로서 탈식민주의는 갈등의 과정을 포함할 뿐만 아니라 여전히 소수 지식인이 참여하는 영역에 국한되어 있는 것도 사실이다.

탈식민화에 대한 인식에 있어 문화적 차이와 공존을 확장하는 문제와 타자에 대한 배려 문제, 타자에 대한 위계질서가 야기하는 차이의 문제에 대한 관용은 크게 다르지 않기 때문에 내용 없는 수사학에서 벗어나 책임감 있는 강력한 이론으로 변화되어야 할 필요성이 있다. 탈식민시대가 다문화 시대가 도래했음에도 불구하고 구태의연한 남성제국주의적 사고방식을 탈각하지 못하는 가장 큰 원인은 여성에 대한 이분법적 대립 여기에서 찾을 수 있다. 이분법적 사고방식을 지양하고 여성들이 겪고 있는 다양한 사회적, 문화적 갈등을 표현하고 수용할 수 있는 메커니즘을 구축하는 것이 탈식민화를 앞당길 수 있다는 것은 누구나 알고 있다. 탈식민성의 기준은 전제적 가부장제의 부정적 요소와 왜곡된 젠더 이데올로기에 대한 새로운 시각에서의 구현과 더불어 그것을 가능하게 하는 사회적 합의의 도출이 필요할 것이다. 사회적·문화적 영역에서 인간의 자유와 권리와 같은 보편적 가치를 얼마나 적실하게 실현하는가에, 사회적 불평등 구조를 지양하고 인간의 삶의 가치를 고양하는 데에 실질적으로 기여하지 않으면 안 될 것이다. 차이에 대한 존중이 결여되고 공동체적 윤리를 부정하는 불평등한 사회구조와 전제적 체제가 재생산된다면 탈식민화는 쉽게 풀 수 없는 어려운 과제로 남을 것이다.

탈식민 논쟁의 초점은 이데올로기적 공격, 급진적 사고를 표현하거나 현실에 기초를 두지 못하는 매우 추상적, 논의나 관념적, 공허한 담론이나 레토릭의 수준에 머무는 곳에서 탈식민화는 이루어질 수 없다는 점이다. 왜냐하면 탈식민화는 담론적 실천보다 훨씬 더 넓은 지평에서 제국주의적 현실에 대한 건강한 안티테제로서 역할을 수행해야 하고, 경제적 효율성이나 타자를 희생하여 권리를 누리는 지배적 가치가 아니라 인간의 삶과 개별적 존재의 정체성을 정립하는 인간적 배려가 밑바탕이 되어야 하기 때문이다. 탈식민주의가 단지 제국주의 지배체제에 대한 저항이나 전복에 목표를 둔다면 도리어 지배/저항이라는 이항대립적인 제국주의 담론에 갇힐 위험이 있다. 탈식민성이라는 총체적 시각이 결여되면 민족, 정체성, 계급, 인종, 종교 같은 복합적인 문제들을 간과하거나 도외시할 가능성이 있다. 같은 맥락에서 볼 때, 탈식민론은 사회적 문제에 대한 실질적 필요를 충족시키기보다는 또 하나의 지식인들의 고급 이론이나 서구 이론 중심적이라는 점, 다시 말해 일종의 언어적 유희나 레토릭에 머물 가능성이 있다. 탈식민론이 구체성이 없는 추상적 이론이나 담론에 그칠 때 그것은 사회를 변혁시키는 효과를 갖지 못하고 논쟁 수준에 국한된다. 또한 반제국적인 탈식민주의가 서구이론 중심으로 논의될 때, 저항이라는 초점에서 벗어나 자칫 또 다른 서구 중심 지배담론이나 문화적 제국주의에 감금될 수 있다. 식민화 이후 탈식민화로 나아가기는커녕 어려운 용어를 사용함으로써 난삽한 이론에 함몰될 위험이 있다. 탈식민주의가 이런 특성과 결합될 때 바람직한 탈식민화를 도출하지 못할 것인가를 이해하기는 그렇게 어렵지 않을 것이다. 그 이유는 지배 담론이 지적용어 사용으로부터 자유롭지 못하면 탈식민화는 진전될 수 없기 때문이다. 환언하면 탈식민주의에서 설명하는 난해하고 복잡한 용어사용은 무의식적으로 서구 중심 담론을 확장시켜 지식인의 식민지 종속성을 강화시킬 수 있고 이론 자체나 공허한 비평적 담론, 수사적, 공허한 비평적 담론에 그칠 가능성이 있다. 즉, 거시적이고 추상적인 구호를 외치는 탈식민화는 서발턴이 소외된 수준을 넘지 못하고 있는 낭만적, 이론적 수준에 머물 수 있는 소지가 있음을 부정하지 아니할 수 없다. 서구사상을 무비판적으로 수용할 때 우리는 서구의 지배적 사고, 서구 가치관에서 벗어날 수 없게 된다. 그러므로 건강하고 생명력을 갖추지 못한 탈식민 논의는 자기 정체성을 지닐 수 없게 되고 현실에서 무화될 것이다.

서구 문화에 대한 저항으로서 탈식민화 작업은 차이를 인정하는 개별적인 문화정치학에 대한 인식, 제국주의적 모방, 서구적 척도에 순응적인 의식에서 벗어나 차이를 인정하는 실천, 끊임없이 주변부 타자들에 대한 배려로 재구성되어야 할 것이다. 그것은 미시권력차원에서 드러나는 문화적 제국주의의 부정적 영향은 현실에서 그 지배력을 더욱 강화하고 있기 때문에 권위적 전체주의, 폭력주의, 서구 문화 중심주의 등 획일화된 식민주의의 부정적 요소들을 해체하는 것이다. 한편으로 신자유주의 경제 체제와 세계화에 기반한 경제적 불평등, 다른 한편으로 수많은 민족과 문화적 차별 불평등에 기인해 발생할 수 있는 갈등의 정치적 경계선 해체, 폭력의 분산, 핵무기 확산 등 복잡하고 불안정한 시대를 직면하면서 지금까지 절대적으로 생각하던 삶의 경계선이 허물어지면서 탈식민화의 다양한 이슈영역, 경제적 불균등, 서구 패권주의, 문화제국주의, 권위주의, 문화 정체성 수립 등과 같은 문제가 부각되었다. 서구 문화 이론의 거대한 흐름인 탈식민화는 탈식민 담론과 실천의 변혁적 과정이라는 연속선상에 위치한다. 그것은 이론이나 담론적 실천에 머물기보다는 오히려 이론과 실천 사이의 끊임없는 상호역동성을 통한 실천 가능한 보편성을 포괄하는 방향으로 재구성되어야 할 것이다.

탈식민주의 시각에서 볼 때 로렌스의 전환기적 소설쓰기는 제국주의적 남성우월주의와 성 차별구도에 의해 억압받는 여성들의 상황을 드러냄으로써 여성들의 정체성 형성에 장애물이 되는 전제적 가부장제, 남성 권력, 젠더 이데올로기에 대한 도전의식, 그리고 가부장제에 대한 저항의식을 표명하는 탈식민 텍스트라고 할 수 있다. 따라서 우리는 이 소설을 남성중심의 젠더 이데올로기에 대한 기존의 남성들이 여성들에게 가하는 억압과 모순을 전복시키고 남성제국주의가 행하는 억압과 차별에 맞서 여성의 고유한 정체성과 여성적 가치를 구현함으로써 탈식민적 가치를 구현하는 텍스트로 읽을 수 있다.

이와 같이 로렌스는 다양한 주제, 남녀관계, 개인의 성장 및 자아 확립과정, 불합리하고 억압적인 남성제국주의적인 환경에 대한 저항의식과 도전, 전제적 가부장제와 그 극복과정, 모순된 성, 남녀차별과 보수적 사회에 저항하여 여성 정체성 수립의 이유, 여성문제에 대한 본질적인 접근과 해결, 사랑과 갈등, 갈등 극복의 어려움과 같은 다양한 문제를 제기한다. 무엇보다도 로렌스의 소설작품이 지속적인 관심의 대상이 되어온 것은 작품 자체가 지닌 의식적이고 정교하고 견고한 구조, 그리고 남성 지배 이데올로기와 사회제도에 대해 도전하고 여성들의 정체성 문제를 총체적으로 조명함으로써 탈식민적 새로운 질서를 모색하기 때문이다. 그리고 그것은 여성들이 정치적으로 종속적 지위에 머물거나 차별 당하지 않고 평등한 사회 구조에서 자신의 자율성과 평등성을 추구, 서발턴 여성의 존재가치를 인정하는 인식론적 전환, 개인적 윤리를 추구하는 것이다.

우리는 여성 정체성 형성, 남성으로부터 차별받은 여성들의 자율성, 여성중심적 문화와 사회적 권리 등 탈식민화의 과제와 이 과제를 해결하기 위한 노력이 요구되는 시대에 살고 있다. 중요한 것은 여성들이 남성과 동등하게 사회구성원으로서의 지위를 가져야 하며 역할을 수행할 권리가 있고 여성들의 고유한 자율성에 대한 존중과 같은 인식전환은 여성의 정체성 형성과 직결된다는 사실이다. 스피박이 제국주의적 가부장제 사회의 억압으로부터 침묵당한 서발턴 여성의 자기 목소리 회복을 제시하는 것처럼, 로렌스는 남성우월주의와 전제적 가부장제에 대한 비판을 통해 여성들이 독립적 정체성을 확립할 수 있도록 탈식민적 가치를 환기시키고자 했던 것도 이와 같은 맥락에서 이해할 수 있다. 전제적 가부장제 사회의 구조적 모순은 토착문화의 정체성을 부정하며 피식민인의 문화, 정치, 경제를 통제하고 수탈했던 남성제국주의 지배 상황과 접맥시킬 수 있다.

그러므로 서발턴의 고뇌를 심화시키고 제국주의적 가부장제에 의해 약탈당하는 피식민인의 갈등이라는 맥락에서 로렌스의 소설은 여성을 중요한 사회구성원으로 수용하고자 하는 문제의식을 드러내는 탈식민 텍스트라고 할 수 있다. 로렌스의 소설은 남녀 성적, 계급적 차별의 문제를 비판하면서 동시에 여성주체들이 신여성성을 구성하는 과정과 그 과정 속에서 겪게 되는 좌절과 고통을 제시하였다. 이와 같은 점에서 로렌스는 계급 문제, 젠더 이데올로기 문제 등 다양한 쟁점들에 대한 문제의식을 드러냄으로써 여성 정체성 구축에 대한 다양한 논점을 의제로 삼아 인식의 틀을 확장한 탈식민 소설가라고 할 수 있다.

| 인용문헌 |

고부응. 『초민족 시대의 민족 정체성』. 서울: 문학과지성사, 2002.

_____. 「에드워드 사이드와 탈식민주의 이론」, 『역사비평』 68 (2004): 360-375.

권성진. 『서발턴 정체성』. 서울: 에세이퍼블리싱, 2013.

김남국. 「한국에서의 다문화주의 논의의 전개와 수용」. 『현대정치사상과 한국적 수용』. 서울: 법문사, 2009.

나병철. 『근대서사와 탈식민주의』. 서울: 문예출판사, 2001.

_____. 『탈식민주의와 근대문학』. 서울: 문예출판사, 2004.

로버트 영, J. C. 『포스트 식민주의 또는 트리컨티넨탈리즘』, 김태현 역. 서울: 박종철출판사, 2005.

바트 무어-길버트. 『탈식민주의! 저항에서 유희로』. 이경원 역. 서울: 한길사, 2001.

박상기. 「바바의 후기식민주의」. 『비평과 이론』 3 (1998): 63-88.

박종성. 『탈식민주의에 대한 성찰』. 파주: 살림, 2007.

박지향. 『제국주의 신화와 현실』. 서울: 서울대학교출판부, 2000.

박창도. 「로렌스 소설의 여성들」. 『D. H. 로렌스 연구』 창간호 (1991). 69-87.

사이드, 에드워드 『도전받는 오리엔탈리즘』. 성일권 역. 서울: 김영사, 2001.

양영수. 『산업사회와 영국소설』. 서울: 동인, 2007.

엄정옥. 「로렌스의 여성인물 연구」. 『D. H. 로렌스 연구』 6 (1998): 30-51.

오인용. 「낭만주의 심미적 국가의 이상과 코울리지의 영국적 민족주의」. 『19세기 영어권 문학』 18.1 (2014): 91-122.

윤영필. 『D. H. 로렌스의 소설과 타자성』. 서울: 동인, 2009.

윤혜경. 「로렌스와 파울즈: '자연'을 중심으로」. *Phoenix* Vol. 33(1995): 123-149.

윤호병. 『비교문학』. 서울: 민음사, 1994.

이경원. 「탈식민주의 계보와 정체성」. 『비평과 이론』 5-2 (2000): 5-42.

이난희. 「*Women in Love*에 나타난 남녀관계의 양상」. 『D. H. 로렌스 연구』 3 (1995): 137-55.

이승렬. 「분신의 정치학」. 『비평과 이론』 3(1998): 47-61.

이희원. 「레비나스, 타자, 윤리학, 페미니즘」. 『영미문학페미니즘』 17.1 (2009): 237-268.

정정호·강내희 편. 『포스트모더니즘론』. 서울: 도서출판터, 1989.

정정호. 『탈근대와 영문학』. 서울: 태학사, 2004.

조애리. 「제국과 여성: 샬롯 브론테의 『제인 에어』」. 『페미니즘 시각에서 영미소설 읽기』. 서울: 서울대학교출판부, 2002.

조일제. 『영국문학과 사회』. 서울: 우용출판사, 2001.

채수환. 『19세기 영국소설 강의』. 서울: 민음사, 1998.

최장집. 『한국민주주의의 조건과 전망』. 서울: 나남, 1996.

_____. 『민중에서 시민으로』. 파주: 돌베개, 2009.

태혜숙. 『탈식민주의 페미니즘』. 서울: 여이언, 2004.

하정일. 『탈식민의 미학』. 서울: 소명, 2008.

한배호. 『자유를 향한 20세기 한국 정치사』. 서울: 일조각, 2009.

Ahmad, Aijaz. "The Politics of Literary Postcoloniality," Ed. Padmin Mongia, *Contemporary Postcolonial Theory: A Reader*. London, Arnold, 1996, 276-293.

Appiah, Kwame Anthony. *Cosmopolitanism*. New York: Norton, 2007.

Ashcroft, Bill, Gareth Griffithes and Helen. *The Empire Writes Back: Theory and Practice the Post-Colonial Literature*. London: Routledge, 1995.

Bhabha, Homi K. *The Location of Culture*. London: Routledge, 2008.

Bronte, Charlotte. *Jane Eyre*. Harmonsworth: Penguin, 1966.

Cavitch, David. *D. H. Lawrence and the New World.*. London: Oxford UP, 1971.

Culler, Jonathan. *Literary Theory: A Very Short Introduction*. Oxford: Oxford UP, 2000.

Daleski, H. M. *The Forked Flame: A Study of D. H. Lawrence*. Evenston: Northern UP, 1965.

Dirlik, Arif. "The Postcolonial Aura: Third World Criticism in the Age of Global Capitalism." Ed. Padmin Mongia. *Contemporary Postcolonial Theory: A Reader*. London: Arnold, 1996. 294-320.

Ebbaston, Roger. *Lawrence and the Nature Tradition*. Sussex: Harvester P, 1908.

Forster, E. M. *Aspects of the Novel*, Ed. Oliver Stallybrass. Harmondsworth: Penguin Books, 1977.

Foucault, Michel. *The Archaeology of Knowledge and the Discourse on Language*. New York: Pantheon, 1972.

_____. (Robert Hurtley Tr), *History of Sexuality Vol 1: An introduction*. New York: Vintage Books, 1978.

_____. *Power and Knowledge: Selected Interviews and Other Writings 1972-1977*. Ed. Colin Gordon. Brighton: Harvester, 1980.

Gadamer, Hans-Georg. *Truth and Method*. New York: Crossroad, 1982.

Hall, Stuart. "Cultural Identity and Diaspora," in Patrick Williams and Laura Chrisman(Eds), *Colonial Discourse and Post-colonial Theory: A Reader* London: Harvest Wheatsheaf, 1994, 392-40.

Hardy, Florence Emily. *The Life of Thomas Hardy*. London: Macmillan. 1962.

Hoggart, Richard. Introduction. *Women in Love*. By D. H. Lawrence. London: Penguin, 1960.

Hough, Graham. *The Dark Sun*. Duckworth: Compton Printing Ltd, 1975.

Irigaray, Luce. *This Sex Which Is Not One*, Tr. Catherine Porter. Ithaca: Cornell UP, 1985.

Janmohamed, Abdul R. "The Economy of Manichean Allegory: The Function of Racial Difference in Colonialist Literature", *Critical Inquiry*, 12.1(Autumn 1985): 59-87.

Lawrence, D. H. "Reflections on the Death of a Porcupine" in *Phoenix II*, Eds, Warren Roberts & Harry T. Moore. New York: Viking, 1959.

_____. *Women in Love*. London: Penguin, 1960.

_____. *Lady Chatterley's Lover*. London: Penguin, 1960.

_____. *D. H. Lawrence: A Composite Biography*, Ed. Edward Nehls. Vol. I. Madison: Wisconsin, The U of Wisconsin P, 1977.

_____. *The Rainbow*. Harmondsworth: Penguin, 1994.

Leavis, F. R. *D. H. Lawrence: Novelist*. Harmondsworth: Penguin Books, 1981.

Lemaire, Anika. *Jacques Lacan*, Trans. David Macey. London: Routledge, 1977.

Loomba, Anna. *Colonialism/Postcolonialism*. London: Routledge, 1998.

Lowe, Lisa. *Critical Terrains: French and British Orientalism*. Ithaca: Cornell UP, 1991.

Marx, Karl. *The 18th Brumaire of Louis Bonaparte*. New York: International Publishers, 1963.

McClintock, Anne. "The Angel of Progress: Pitfall of the Term 'Postpcolonialism'." *Colonial Discourse and Postcolonial Theory: a Reader*, Eds. Patrick William and Laura Chrisman. New York: Columbia UP, 1994, 291-304.

Miko, Stephen J. *Toward Women in Love: the Emergence of a Lawrentian Aesthetic*. New Haven: Yale UP, 1972.

Millet, Kate. *Sexual Politics*. London: Virago P, 1977.

Mohanty, Chandra Talpade. *Femism without Borders: Decolonizing Theory, Practicing Solidarity*. Durham: Duke UP, 2003.

Moynahen, Julian. *"Lady Chatterley's Lover*: The Deed of Life," *D. H. Lawrence*(Twentieth Century Views) Ed. Mark Spilka (Prentice-Hall, Inc, Englewood Cliffs N. J, 1963.

Murray, John Middleton. *Son of Woman*. London: Jonathan Cape, 1931.

Nin, Anais. *D. H. Lawrence: An Unprofessional Study*. Paris: Edward W. Titus, 1932.

Niven, Alastair. *D. H. Lawrence, The Novels*. Cambridge: Cambridge UP, 1978.

Pritchard, R. E. *D. H. Lawrence: Body of Darkness*. London: Hutchinson, 1971.

Said, Edward. *Orientalism*. New York: Vintage, 1978.

_____. *The World, the Text and the Critic*. Cambridge: Harvard UP, 1983.

_____. *Culture and Imperialism*. New York: Vintage Books, 1993.

Schneider, Daniel J. *The Consciousness of D. H. Lawrence*. Kansas UP, 1986.

Showalter, Elaine. *A Literature of Their Own: British Women Novelists from Bront ë to Lessing*. Princeton: Princeton UP, 1977.

Spilka, Mark. *The Love Ethic of D. H. Lawrence*. Bloomington: Indiana UP, 1955.

Spivak, Gayatri. "Can the Subaltern Speak?" *Marxism and the Interpretation of Culture*. Ed. Nelson & Lawrence Grossberg.

Urbana: U of Illinois P, 1988, 271-313.

Squire, Michael. "Lady Chatterley's Lover: 'Pure Seclusion'" Ed. David Ellis & Ornella De Zordo, *D. H. Lawrence: Critical Assessments*. East Sussex: Helm Information Ltd, 1992.

Young Robert. J. C. *White Mythologies: Writing History and The West*. New York: Routledge, 1990.

_____. *Postcolonialism: A Very Short Introduction*. Oxford: Oxford UP, 2003.

Zizek, Slavoj. *Violence: Six Sideways Reflections*. New York: Profile, 2008.

지은이 권성진(權聖珍)

고려대 정경대학 및 같은 대학 대학원 영어영문학과에서 석·박사를 받았다. 고려대 영미문화연구소, 연세대 국제교육원(원주)에서 강의했으며 대구가톨릭대학교 국제처 미국복수학위(대구가톨릭대/미시시피 대학, 미네소타 대학 공동학위) 교수를 역임하였다. 현재 동의대학교 인문사회계열 교양교육원 교수로 재직 중이다. 시인이며 내셔널 지오그래픽 회원으로 활동하고 있다. 주 전공 및 관심분야는 탈식민주의 비평이론, 제국주의와 문화, 비교정치, 정치사상, 세부적으로 정체성 정치, 민족주의, 다문화주의, 다문화시대의 시민가치와 인권, 글로컬 다문화시대와 공존의 가치, 그리고 19세기 영국소설, 현대 영미소설이다. 작가로는 대니얼 디포, 조너선 스위프트, 제인 오스틴, 조지 엘리엇, 찰스 디킨스, 샬럿 브론테, 토머스 하디, D. H. 로렌스, 제임스 조이스, 너새니얼 호손, 버나드 맬러머드 등이다.

탈식민 정치학

D. H. 로렌스의 『무지개』『사랑하는 여인들』『채털리 부인의 연인』

초판1쇄 발행일   2014년 11월 28일

지은이   권성진
발행인   이성모
발행처   도서출판 동인
주 소   서울특별시 종로구 혜화로3길 5 118호
등 록   제1-1599호
TEL   (02) 765-7145 / FAX (02) 765-7165
E-mail   dongin60@chol.com
ISBN   978-89-5506-637-1
정가   23,000원